'한국근대문학과 중국' 자료총서 ⑫

비평 Ⅲ (1932~1935.3)

최창륵·조영추 엮음

역락

『'한국근대문학과 중국' 자료총서』 편찬위원회

위원장: 김병민

위　원: 이광일 최창록 최　일 장영미 박설매 김　강

편찬자 소개

김병민 연변대학교 조선언어문학학과 교수. 문학박사.

이광일 연변대학교 조선언어문학학과 교수. 문학박사.

최창록 남경대학교 한국어문학과 교수. 문학박사.

최　일 연변대학교 조선언어문학학과 교수. 문학박사.

장영미 연변대학교 조선어학과 교수. 문학박사.

박설매 연변대학교 조선언어문학학과 부교수. 문학박사.

김　강 연변대학교 조선언어문학학과 전임강사. 문학박사.

배　홍 연변대학교 조선언어문학학과 전임강사. 문학박사.

김은자 하얼빈이공대학교 조선어학과 전임강사. 문학박사.

조영추 연세대학교 국어국문학과 박사.

박미혜 성균관대학교 국어국문학과 박사과정 수료.

'한국근대문학과 중국' 자료총서　12

비평 Ⅲ

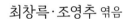

1932~1935.3

최창륵·조영추 엮음

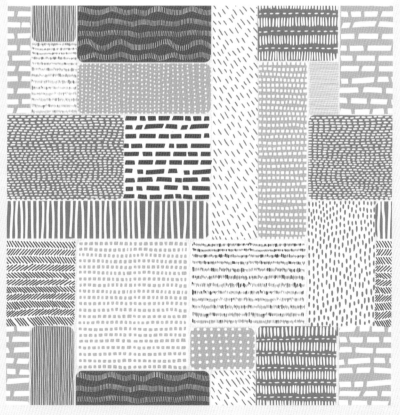

역락

한국근대문학과 중국체험서사

― 서문을 대신하여 ―

김병민

1. 중국체험의 의미

한·중 문화 교류는 수천 년의 유구한 역사를 가지고 있다. 특히 한국은 한자, 유·불·도, 각종 문물제도를 중국으로부터 수용함으로써 한(漢)문화권에 편입된 뒤 한(漢)문화를 중심으로 한 동아시아문화권의 형성과 발전에 중요한 역할을 하게 되었다. 따라서 한국문학의 발전 역시 중국문학 및 문화와 불가분의 관계에 놓이게 되었다.

한국문학의 발전에 있어서 역대 한국인들의 중국체험은 한국 한(漢)문학 전통의 확립에 결정적인 역할을 했다. 한국문인들의 중국체험은 다양한 양상을 보이고 있는바 최치원 등을 비롯한 문인들의 유학(留學)체험, 혜초, 의상 등을 비롯한 불교 문인들의 구도(求道)체험, 정도전, 허균, 김만중, 홍대용, 박지원 등을 비롯한 문인들의 사행(使行)체험 등을 들 수가 있다. 이들은 중국을 체험하는 과정에 중국의 문인들과 다양한 교류를 진행하게 되었고 한중 문학의 쌍방향적 영향관계를 밀접히 했다. 실제로 한국문학에서 굴지의 작가로 불리는 최치원, 이제현, 허균, 김만중, 박지원 등의 문학은 중국 문학 및 문화와 깊은 연관성을 보여주고 있다. 한국문인들은 중국체험을 통해 자신들의 창작을 전개해갔고 또한 창작을 통해 그들의 문화의식 즉 세계인식과 시대인식을 구축해 가기도 했다. 최치원의 한시가 『전당시』에, 이제현의 사가 『강촌총서』에 수록되었으며 김만중의 경우 중국체험과 중국문화 수용을 통해 세계적 영향을 지닌 『구운몽』을, 박지원의 경우는 사행체험을 통해 세계 기행문학의 백미로 불리는 『열하일기』를 창작했다. 최치원, 이제현, 김만중, 박지원의 문학이 세계적인 명작이 되기에 손색이 없다고 할 때, 한국문학 발전에 있어서 중국체험은 큰 의미를 가진다고 할 수 있다.

중국체험은 한국 문인들에게 시간과 공간에 대한 새로운 인식을 심어주었고 자아와 타자에 대한 새로운 인식을 불러일으키기도 했다. 예를 들어 18세기 후반기 '북학파'의 맹주들인 박지원, 박제가 등이 중국체험을 통해 전통적인 문화의식에서 탈피하여 자본시장의 형성과 과학문명에 대한 인식을 얻고 중세의 몰락과 근대의 여명을 확인한 것은 시대를 앞서나간 문화적 초월이라고 할 수 있다. 그것은 말 그대로 국가 간의 경계, 문화 간의 경계, 민족 간의 경계를 넘어설 수 있었던 탈경계 체험의 산물이라고 하겠다.

20세기를 전후하여 한국은 근대 식민지체계에 편입되기 시작하여 1910년 '한일합방'으로 일제의 식민지로 전락되고 말았다. 망국을 전후한 시기부터 중국은 한국독립투사들의 항일투쟁의 정치적 공간과 근대적 이민의 생활공간이 되기도 했다. 따라서 한국근대문학은 중국의 문학 및 문화와 더욱 밀접한 연관을 맺게 되었고 보다 더 새롭고 다양한 발전 양상을 보여주게 된다.

따라서 한국근대문학과 중국과의 관련양상에 대한 연구는 비단 한·중 근대문학교류사 연구뿐만 아니라 한국문학사 연구에 있어서도 지극히 중요한 가치가 있다고 할 수 있다. 현재까지 이에 대한 한국 학계의 연구는 대체적으로 한국근대문학의 공간적 이동이라는 시각에서 접근하여 중국에서 벌어

졌던 한국문인들의 문학을 '이민문학' 혹은 재외 한국근대문학의 범주에 두고 고찰하였다. 반대로 중국 학계에서는 중국에 이주한 한국문인들의 문학을 '조선족문학' 혹은 그 전사(前史)로 범주화하고 연구를 해왔다. 이러한 연구는 한민족문학의 연구에서 극히 중요한 작업임이 분명하며 또한 현재까지 괄목할 만한 성과를 거두었다. 하지만 한국문학의 공간적 이동으로만 접근하게 되면 인적 교류, 이론과 사상의 유동 내지는 상상력의 탈경계 등 한·중 근대문학 교류의 보다 다양한 차원의 문제들을 간과하게 된다. 한 마디로 한·중 근대문학 교류는 문학의 공간적 이동의 시각보다는 탈경계 연구(Border-crossing studies)의 시각에서 접근하는 것이 더 효율적이라고 할 수 있다. 이른바 탈경계 연구는 민족, 국가, 언어, 문화, 이데올로기 및 윤리 등의 탈경계 그리고 그 과정에서 문화적 재건, 융합 및 가치창조를 밝히는 새로운 연구 시각이다.

근대 전환기 및 근대과정에서 이루어진 한국문학의 중국과의 교류는 고금의 인류문학사에서 보기 드문 문학적 현상이었으며 일종의 '증후성(Symptomatic)'을 가진 문학적 사건이라고 할 수 있는바 다음과 같은 특징을 띠고 있다. 우선, 교류의 지속시간이 길고 방대한 양의 텍스트를 형성하였다. 다음으로 그 교류는 일방적인 영향관계가 아닌 쌍방향적인 상호작용의 관계였다. 끝으로 그 교류는 '중심'과 '주변'의 관계가 아닌 '주변'과 '주변'의 관계였다. 그중 탈경계 서사(beyond boundaries narrative)로 특징지어지는 한국근대문학의 중국체험서사는 한국문인들의 중국을 매개로 한 전통, 근대 그리고 미래와의 대화였다. 바로 이러한 의미에서 한국근대문학과 중국과의 문학·문화적 대화는 지극히 생산적인 것이었으며 근대 동아시아의 정신적 가치를 보여주는 소중한 유산이라고 할 것이다.

한국문학의 근대화 과정에서 일본을 통한 서양문학사조, 유파, 관념, 형식 등의 수용이 큰 역할을 하였음은 분명하나 식민지 출신의 한국문인들에게 있어 식민 종주국 일본이 생산적 가치를 가진 이상적인 공간이 될 수는 없었다. 오히려 비슷한 운명에 처한 중국이 생산적인 정치·문화공간이자 생존·생활공간이 될 수 있었다. 중국에 대하여 느낄 수 있었던 시대적 동질감과 유대감은 일본이 갖추지 못한 요소들이었다. 따라서 한국인들은 중국을 독립투쟁의 전장, 근대문명의 '박물관', 평등한 대화와 교류의 장소로 인식하였던 것이다. 한국근대문학과 중국과의 교류는 한국문학의 근대화 과정을 이해하는 데 있어 중요한 가치가 있을 뿐만 아니라 나아가 오늘날 한국과 주변의 관계를 이해하는 데 있어서 상당한 현실적 가치가 있다고 해야 할 것이다. 이에 『'한국근대문학과 중국' 자료총서』는 한국문인들이 중국과의 교류 과정에서 생산한 중국서사와 한국문인들에 의한 중국문학 번역과 소개 등 텍스트를 그 대표성과 중요도에 따라 선별적으로 수록하였다.

2. 저항과 항일체험서사

항일서사는 한국의 독립투사들이 중국에서의 반일활동에 근거한 탈경계 서사로서 의열단(義烈團), 한국애국단(韓國愛國團), 독립군(獨立軍), 유격대(遊擊隊), 조선의용대/의용군(朝鮮義勇隊/義勇軍), 한국청년전지공작대(韓國靑年戰地工作隊), 한국광복군(韓國光復軍), 중국국민군(中國國民軍), 팔로군(八路軍), 항일연군(抗日聯軍) 등 항일부대의 활동과 밀접히 연관되어 있으며 소설, 시, 수필 등 장르를 포함하고 있다.

소설로는 중국에서 전개된 한국의 반일독립운동을 소재로 한 신채호, 최서해, 강경애, 심훈, 장지락 등의 작품이 있다. 우선 아나키즘계열의 항일투쟁을 반영한 소설로는 신채호의 「용과 용의 대격전」, 장지락의 「기묘한 무기」 등이 대표적이다. 신채호의 소설 「용과 용의 대격전」은 환상적인 구조 속에서 일제 침략자를 상징하는 미리와 한국 민중을 상징하는 드래곤 사이의 격전을 그리면서 민중의 승리를 확인하고 있다. 「꿈하늘」(1916)에서 신채호가 국민국가 상상을 보여주었다면 「용과 용의 대격전」에서는 무산민중 주체의 민족국가 상상을 보여주었다고 할 수 있다. 장지락의 소설 「기묘한 무기」는 1922년 김익상 등 한국의 반일지사들이 상하이 황포공원에서 일제 육군대장 다나카를 저격한 사건을 다룬 단편소설로 1930년 북경에서 창작된 작품이다. 이 소설에는 사회주의, 아나키즘, 인도주의 등 다양한 사상들이 혼재되어 있다. '만주'지역에서 전개되고 있던 독립투쟁을 소재로 한 소설로 최서해의 「해돋이」와 강경애의 「모자」, 「축구전」 등이 있다. 「해돋이」는 생활에 시달리다 독립운동에 투신한 주인공 만수의 형상을 통하여 '만주'지역 한국 이주민들의 일제와 그 주구들에 대한 분노와 항거를 보여주고 있다. 강경애의 「모자」는 간도지역에서 벌어진 항일유격투쟁을 배경으로 하면서 희생된 남편의 못 이룬 뜻을 어린 아들로 하여금 이어가게 하겠다는 한 어머니의 불굴의 의지를 보여주고 있고 「축구전」은 일제의 주구들이 조직한 축구경기에 참가하여 경기는 졌지만 민중들에게 반일정신이 살아있음을 보여준 진보적인 한국 이주민 중학생들을 그리고 있다.

반일투쟁 승리의 강력한 의지를 표출한 시작품으로는 신채호의 「매암의 노래」, 이육사의 「청포도」, 김창숙의 「넋이여 돌아오라」, 이두산의 「당신은 의용의 전사래요」, 문정진의 「4명의 열사를 추모하여」 등을 들 수 있다. 이두산의 시 「당신은 의용의 전사래요」는 중국에서 활약하고 있는 항일부대 '조선의용대'의 영용한 모습과 필승의 신념을 노래하면서 항전의 승리와 조국 귀환의 절절한 정감을 읊고 있다. 김창숙의 시 「넋이여 돌아오라」는 중국

하르빈에서 독립운동을 지도하다 일경에 체포되어 옥사한 독립투사 김동삼을 기린 시로 일제에 대한 불타는 적개심과 구국의 염원을 노래했다. "신계(神溪)는 목 메이고/ 한수(漢水)는 슬픈데/ 한 치의 묻을 땅이 없어/ 다비(茶毘)에 부치더니/ 아, 나라 찾을 그날/ 다가오리니/ 넋이여 돌아오라/ 주저치 말고"라고 하면서 전편에 걸쳐 혁명동지에 대한 뜨거운 애도 그리고 원수격멸의 의지를 그려내고 있다.

이밖에 항일투쟁의 제일선에서 싸운 군인들의 실기, 수필 등은 실제적인 체험을 기록했다는 의미에서 상당한 가치를 가진다. 예를 들면 '조선의용대' 대원들이 창작한 「전선에서의 조선의용대」, 「중국 전장에서의 조선의용대」, 「화평촌통신」 등은 항일전장에서 조선인 대원들의 대적 무장선전, 중국 항일부대와의 협동작전, 민중교육 등 상황을 그려내고 있는바 한국 근대 독립투쟁의 역사와 한중관계를 조명함에 있어서도 중요한 가치를 가진다고 할 수 있다. 중국에서 전개된 한국인들의 독립투쟁을 반영한 작품 『청산리 혈전실기』, 「조선혁명일사」 등과 신채호의 수필 「단아잡감록」, 「조선의 지사」, 이두산의 연작수필 「억(憶)」(「산중 40일」, 「중국 항전에 참가하다」 등 11편) 등 작품들은 중국에서 한국 독립지사들의 투쟁과 생활 그리고 그들의 정신적 궤적을 반영하고 있다는 의미에서 높은 문학적 가치를 가진다고 할 수 있다.

3. 정착과 이민서사

한국근대문학의 탈경계 서사에서 가장 많은 비중을 점하는 작품은 한국 이주민들이 중국에서의 생존체험을 소재로 한 이민서사로 그 주제적 경향에 있어서도 다양성을 보이고 있다.

우선, 한국 이주민과 중국인들과의 갈등은 이민서사에서 가장 많이 보이는 소재이다. 토지의 주인인 중국인들은 '지주'의 신분으로 등장하여 민족·계급이라는 이중적인 갈등구조를 이룬다. 최서해의 소설 「홍염」, 강경애의 소설 『소금』 등이 대표적이다. 「홍염」의 중국인 지주 '은 서방', 『소금』의 중국인 '팡둥'은 토지의 주인이라는 절대적 우위를 이용하여 한국 이주민들을 억압하고 있고 극한적인 생존환경에 처한 한국인 이주민들의 자연발생적인 항거가 계급적 인식으로 나아가게 된다. 이런 의미에서 중국으로의 이주는 한국작가들로 하여금 계급적 대립에 의한 억압의 보편성을 확인할 수 있게 하였고 나아가 현실 인식에 대한 깊이와 정확도를 획득할 수 있게 하였다.

다음으로, 중국에서 새로운 삶의 터전을 건설하려는 정착의식을 그린 작품들이 많이 있다. 안수길의 「벼」, 「북향보」 등과 현경준의 「선구시대」, 이기영의 『대지의 아들』, 『처녀지』 등 소설이 대표적이다. 안수길의 「북향보(北鄕譜)」는 주인공 정학도를 비롯한 이주민들이 어려운 여건 속에서 '북향농장'을 운영하는 과정을 통해 '만주'에 뿌리를 내려야 한다는 정착의식 혹은 지역의식(locality)을 상징적으로 보여주고 있다.

하지만 '만주'의 실질적인 지배자가 일제였기 때문에 '만주'를 향한 정착의식은 '상상적인 탈식민'으로 흐르게 되고 자칫하면 '만주'에서의 일제의 식민주의 담론에 포섭되게 된다. 마약중독자들을 '만주국' 건설에 필요한 인재로 '갱생'시키는 과정을 그린 현경준의 「유맹」, '내부 식민주의'적인 시각에서 원시적인 초원에 사는 몽고인들을 '개량' 하는 주인공의 노력을 그린 한찬숙의 「초원」 등이 대표적이다. 이러한 정착의식은 일제에 대한 철저한 순응으로 타락하는 경우도 있어 박영준의 「밀림의 여인」과 같은 노골적인 친일문학작품을 낳기도 했다. 그럼에도 이러한 작품들은 '태평양전쟁' 이후 일제의 전시총동원체제 등 특수한 시대적 상황 속에서 한국문학의 현실대

응의 다양한 예시를 보여준다는 점에서는 상당한 가치가 있다.

중국 도시에서의 한국 이주민들의 삶을 그린 작품으로는 주요섭의 「봉천역식당」, 김광주의 「북평서 온 영감」, 「남경로의 창공」 등 소설이 있다. 주요섭의 「봉천역식당」은 화자가 봉천역 식당에서 우연하게 만난 한 한국 여인의 10년간의 변화를 그리고 있다. 처음 만났을 때 이 여인은 행복이 넘쳐흐르던 처녀였으나 점차 남성의 노리개로 전락하여, 나중에는 우울한 모습으로 목석처럼 변해버리고 만 비참한 운명을 그리고 있다. 김광주의 「북평서 온 영감」은 살 길을 찾아 '만주'와 북경 등지를 전전하다가 상하이에 온 한국 이주민의 정신적 소외를 보여준 작품으로서 식민주의와 봉건주의의 이중적 억압 하에 놓인 한국 이주민의 삶을 그리고 있다.

한국 시인들의 중국체험도 주목되는 바이다. 백석, 유치환, 이용악, 서정주 등은 중국체험을 통해 상상력의 확장, 이미지의 다양화 나아가 민족적, 시대적 인식의 전환을 이루게 되었다. 백석은 「조당(澡堂)에서」란 시에서 목욕탕의 벌거벗은 중국인들을 보면서 이방인인 '나'와 중국인들 사이의 역사와 문화, 언어와 몸짓, 그리고 표정 등의 차이를 느끼다가 인간은 결국 벌거벗은 우스운 몸에 지나지 않는다는 초월적 인식에 이르고 있다. 서정주는 취직을 위해 8~9개월 간 중국에 있었던 체험을 바탕으로 "저 만치의 쑥대밭 언덕에서는/ 역시나 때 절은 靑衣의 한 滿洲國 아줌마가/ 누구의 것인가 새 棺널 하나를 앞에 놓고/ <끅! 끅! 끄르륵……/ 끅! 끅! 끄르륵……>/ 꼭 그런 소리로 울고 있었다./ 우리 단군할아버님의 아내가 되신/ 그 잘 참으신 암곰님처럼/ 씬 쑥과 매운 마늘 많이 자신 소리 같았다."(「만주제국 국자가(局子街)의 1940년 가을」) 등 살아서 숨 쉬는 이국 이미지를 창조했다. 또 이용악은 중국 '만주'에서 목격한 망국노의 슬픈 모습을 "울 듯 울 듯 울지 않는 전라도 가시내야/ 두어 마디 너의 사투리로 때 아닌 봄을 불러줄게/ 손때 수집은 분홍

댕기 휘 휘 날리며/ 잠깐 너의 나라로 돌아가거라."(「전라도 가시내」)와 같은 주옥같은 시구에 담아내고 있다. 그런가 하면 유치환은 중국체험을 바탕으로 대체로 여성적인 한국 근대 시단에서 「생명의 서」, 「바위」와 같이 단연 돋보이는 역동적인 시를 써낼 수 있었다.

4. 타자와 중국서사

한국문인들의 중국체험은 중국과 중국인을 소재로 한 다양한 문학작품들의 출현을 가능토록 하였다. 이러한 작품은 중국에서의 전통문화체험을 통한 동양문화의 가치에 대한 재인식, 자본주의적 근대체험을 통한 서양적 가치에 대한 비판, 반식민지 반봉건 사회체험을 통한 현실사회의 부조리에 대한 비판, 항일투쟁체험을 통한 한·중 연대의식 등 다양한 주제를 표현하고 있다.

우선, 전통문화체험을 통한 동양적 가치의 재발견을 보여준 작품으로는 정래동의 수필집 『북경시대』, 한설야의 수필 「연경의 여름」 등과 주요섭의 소설 「진화」, 「죽마지우」 등을 들 수가 있다. 정래동과 한설야 등은 수필창작을 통하여 중국 전통문화의 거대한 힘에 대하여 예찬하였고 주요섭은 소설 「진화」에서 중국문화의 전통성을 인정하면서 동양의 정신적 가치를 발견하려고 했으며 소설 「죽마지우」에서는 북경을 자신의 정신적 고향으로 묘사하는 등 다원적인 문화정체성을 보이기도 했다.

다음으로, 반식민지 반봉건 사회체험을 통한 현실비판을 보여준 작품으로 심훈, 피천득, 박세형 등의 시편들과 최독견의 「벌금」, 주요섭의 「살인」, 「인력거꾼」, 강노향의 「상해야화」 등 소설 작품들을 들 수가 있다. 심훈은 시

「북경의 걸인」에서 걸인의 형상을 통해 하층민에 대한 동정을 보여준 동시에 동등한 운명에 놓인 자기 민족의 고통도 하소연하고 있다. 피천득의 시 「1930년 상해」는 옷을 전당 잡혀 먹을거리를 사야 하는 현실과 곧 팔려갈 어린 생명을 시적 대상으로, 하층민들의 비참한 생활에 대해 공소하였고 박세영의 시 「북해와 매산」은 군벌혼전으로 피폐해진 북경의 암울한 현실을 비판하였다.

이와 더불어, 최독견과 주요섭은 소설 창작을 통해 제국주의 침략과 문화 헤게모니로 하여 식민지화된 상하이 도시문명의 가치결손에 대하여 비판함과 동시에 하층민들의 소외를 적나라하게 폭로하고 있다. 이러한 소설들은 참신한 시각과 심각한 문제의식을 보여주고 있는바, 최독견은 소설 「벌금」에서 중국옷을 입고는 공원으로 들어갈 수가 없는 현실과 서양 여인이 개에게 먹이던 빵조각을 고맙다고 받는 중국인 여성을 통해 굴욕적으로 살아가야 했던 하층민에게 연민의 정을 보이고 있으며 중국의 반식민지 사회현실을 신랄하게 비판하고 있다. 또한 강노향은 소설 「상해야화」에서는 조계지 프랑스인 집에서 노예살이를 하는 중국인과 프랑스 여인의 부정당한 관계 등을 통해 서양의 가치결손과 식민지 조계지에서의 남성의 소외 내지는 타락을 보여주기도 했다. 한편, 주요섭은 소설 「살인」에서 도시 최하층 기생인 우뽀의 형상을 통해 버림받고 소외당한 하층민들의 운명을 보여주면서 그들의 각성을 촉구하기도 했다. 작가의 다른 한 소설인 「인력거꾼」 역시 자본주의 문명이 최하층 인간에게 들씌운 불행에 대하여 묘사하고 있다.

이처럼 상기 다양한 소설작품들은 근대 도시인 상하이를 배경으로 그 속에서 살아가는 하층민들의 불행한 운명, 특히는 생존권을 박탈당하고 소외되어가는 인물들을 통해 식민주의의 죄행을 공소하고 있다. 물론 이러한 문제의식은 한국문인들의 중국에서의 근대적 도시체험에서 얻어진 것이라 해야 할 것이다.

또한, 유자명, 이두석, 이관용, 문일평, 이광수, 최남선, 주요섭, 김광주, 정래동, 강경애 등 쟁쟁한 한국문인들의 수백 편의 기행문들에서는 중국체험과 시대인식이 다양하게 보이고 있다. 즉 이러한 기행문은 중국전통문화와 서양문명에 대한 새로운 인식, 시국에 대한 인식과 비판, 망국 국민으로서의 애환, 민족에 대한 뜨거운 사랑, 민족독립에 대한 열망 등으로 일관되어 있다. 특히 이러한 기행문들은 근대 중국사회를 인식하는 역외시각(域外視角)으로서 귀중한 문헌적 가치가 돋보이는 바이다.

5. 가치 수용으로서의 번역과 비평

한국근대문학과 중국의 관련 양상은 중국근대문학에 대한 번역과 비평에서도 잘 드러나고 있다. 한국에서의 중국근대문학작품에 대한 번역은 주로 양건식, 정래동, 유수인, 이육사, 김광주 등 중국 유학경력이 있는 문인들에 의해 전개되었다. 소설로는 루쉰의 「아Q정전」, 「광인일기」, 「고향」, 궈모뤄(郭沫若)의 「목양애화(牧羊哀話)」, 딩링(丁玲)의 「떠나간 후」, 위다푸(郁達夫)의 「피와 눈물」, 린위탕(林語堂)의 「북경호일」, 샤오쥔의 「사랑하는 까닭에」 등이 있으며, 시작품으로는 후스(胡適)의 「등산」, 「11월 24일 밤」, 궈모뤄(郭沫若)의 「봄 맞은 여신의 노래」, 「죽음의 유혹」, 쉬즈모(徐志摩)의 「가거라」, 「우연」, 주즈칭(朱自淸)의 「잠자라, 작은 사람아」, 저우쭤런(周作人)의 「소하」 등이 있으며, 연극으로는 궈모뤄(郭沫若)의 「탁문군 삼경」, 톈한(田漢)의 「상상의 비극」, 어우양위첸(歐陽予倩)의 「반금련」 등이 있다. 그 외에도 루쉰 등의 산문이 번역 소개되었다.

이외, 중국근대문학과 관련된 비평으로는 양건식의 「호적 씨를 중심으로 한 중국의 문학혁명」(1920, 번역문), 김태준의 「문학혁명 후의 중국문예관」
(1930), 정래동의 「중국 양대 문학단체 개관」(1931, 번역문), 「노신과 그의 작품」
(1931), 「중국문단의 신작가 파금의 창작태도」(1933), 김광주의 「중국 좌익문
예운동의 과거와 현재」(1931), 이육사의 「노신 추도문」(1936) 등이 있다.

이러한 중국근대문학 작품의 번역과 비평을 통해 한국 근대 문인들의 중
국문학에 대한 인식과 수용 자세, 한국 근대에 있어서의 중국의 사회사상과
미학사상이 미친 영향, 나아가서 한국 근대 문학번역사와 문체의 변천과정
도 이해할 수가 있다. 주지하다시피, 한국 근대 문인들은 대부분 일본을 통
해 서구문학을 수용하였고 또한 서구문학에 대한 번역과 소개도 적지 않게
진행한 바이다. 그럼에도 프로문학 등 특수한 영역을 제외하고는 한국 근대
문단에서 일본문학이 별로 번역·소개되지 않았음은 주목이 필요한 대목이
다. 이에는 식민지시기라는 특수한 시대적 상황 속에서 형성된 이질감과 거
부감이 작용했을 것이다. 이러한 점을 염두에 둘 때 한국에서의 중국 근대문
학의 전파와 수용은 근대 한국 문인들이 중국 근대작가들과 함께 20세기의
동아시아적 가치를 창출하고 공유하고자 한 시대의식과 무관하지 않을 것
이다. 바로 이런 의미에서 중국근대문학에 대한 번역·소개와 비평은 한국근
대문학과 중국근대문학, 나아가 중국과의 관련을 해명하는 데 불가결한 중
요한 영역이기도 하다.

6. 편찬 동기와 총서의 구성

일찍 2014년 연변대학 통문화센터에서는 중국어로 된 『'중국현대문학과
한국' 자료총서』(1~10권)를 간행한바 있다. 베이징에서 열린 이 총서의 출판
기념 좌담회에서 중국의 근대문학 연구자들은 필자에게 『'한국근대문학과

중국' 자료총서』를 편찬할 것을 제안한 바가 있다. 이에 상기 자료집 편찬의 중요성과 절박성을 깊이 인식하게 된 나머지 편찬위원회를 묶어 총서의 편찬사업을 시작했다. 한국근대문학과 중국 관련 자료는 이미 적지 않은 자료집에서 수록되기도 한 바이다. 예하면 연변대학 문학연구소에서 편찬한 『중국조선족문학대계』, 북경민족출판사에서 편찬한 『중국조선족 문학유산 정리편찬』 등에 수록된 적지 않은 작품들은 편찬자 나름의 시각에 따라 중국 조선족문학의 출발점으로 인식되어 중국 조선족문학 권역에 귀속시켰지만, 한국근대문학사에 있어서도 중요한 작가와 작품들이다. 물론 상기 자료집들은 한국근대문학과 중국 관련 연구를 위해 정리된 자료 총서가 아니며 한국근대문학과 중국과의 관련 양상을 살피기에는 전체적이지 못함도 짚고 넘어가야 할 것이다.

한국근대문학과 중국 관련 연구는 1990년대부터 학계의 주목을 받기 시작하여 적지 않은 연구 성과를 내고 있다. 그럼에도 아직까지 중요한 자료들에 대한 발굴과 정리가 진일보 요청되고 있으며 일부 연구들은 충분한 자료적 검토가 확실하지 못한 점도 없지 않다. 이러한 상황은 한국근대문학과 중국 관련양상의 전반적 검토와 연구의 심화에 장애로 작용하고 있으며, 이에 본 자료집은 그에 대한 극복을 목적으로 하고 있다.

『'한국근대문학과 중국' 자료총서』는 편찬 의도를 구현하기 위해 작품 선정에서 첫째로, 한국근대작가들의 중국체험을 바탕으로 중국의 시간과 공간에서 벌어진 인물과 사건들이어야 하며, 둘째로, 중국인들의 생활 혹은 중국에서의 한국인들의 생활을 소재로 해야 하며, 셋째로, 중국체험을 기반으로 하는 동서양 관련 문화인식을 다룬 작품도 가능하다는 원칙을 지키고자 했다. 한편, 편찬과정에서 적지 않은 애로에도 봉착하였는바, 일부 작품들은 당시의 중국 경내에서 꾸려진 신문, 잡지들에 발표되었으나 신문과 잡지의 보존상태가 완전치 못하여 그 전모를 알 수가 없으며, 아울러 신문, 잡지의 경우 여러 곳의 도서관과 서류관에 분산되어 있었다. 또한 일부 작품들은 유고로서 분실된 것도 있었기 때문에 편집자들은 이러한 난제를 풀기 위해 국내외 도서관들을 찾아다녀야 했고 따라서 관련 인사들을 찾아 방문하기도 해야 했다. 비록 편찬자들이 많은 노력과 심혈을 기울였지만 아직 미비한 점이 적지 않다.

본 총서는 총 16권으로서 창작편 11권(소설 4권, 시 3권, 기행문 2권, 정론·실기·수필·희곡 2권)과 비평집 5권이다. 편집과정에서 편찬자는 발표 당시의 원본 형태를 그대로 보여주기에 노력을 경주하였으며, 섣불리 개정이나 첨삭을 시도하지 않았다.

본 총서는 편찬과정에서 국내외 많은 한·중 문학관계를 연구하는 전문가들의 열정적인 관심과 도움을 받았으며 특히 국내외 도서관, 서류관의 지지와 성원을 받은 바 있다. 총서의 편집에 도움을 주신 모든 이들에게 진심으로 되는 감사를 드리는 바이다. 앞으로 본 총서가 한·중 문학관계 연구자들과 독자들에게 도움이 되기를 진심으로 바라며, 미진한 점에 대해 전문가들과 독자들의 기탄없는 비평을 기대하는 바이다.

2020년 2월 1일

차례

서문을 대신하여 _ 김병민
한국근대문학과 중국체험서사 ················· 5

1932년

天台山人 中國時調 小論 ····················· 27

金光洲 文藝와 宣傳 - 中國 文藝理論 紹介의
一部로(발췌)··································· 31

牛山學人 中國 新興文學의 『阿Q』時代와 魯迅 ···· 34

丁來東 短文數篇(발췌) ······················· 41

金台俊 硏中一題 ······························· 51

1933년

天台山人 蔣光慈氏 著『碎了的心』을 넑고
··· 57

丁來東 中國文壇의 新作家 巴金의 創作態度 ······· 64

丁來東 氷心女士의 詩와 散文 ······························· 68

盧子泳 詩歌에 낱아난 新中國의 悲哀 ······················ 81

丁來東 中國의 女流作家 ··· 90

梁白華 中國 現代文人 綺談 ································· 104

金光洲 南國片信(발췌) ··· 147

丁來東 中國文壇 現狀 ··· 151

金光洲 中國劇壇 一瞥 - 上海 劇界를 中心으로
··· 158

丁來東 中國文學과 朝鮮文學 ······························· 166

1934년

丁來東 歌謠로 본 中國女性 ································· 177

丁來東 中國 文藝作品 中에 나타난 農村의 變遷
··· 186

申彥俊 中國의 大文豪 魯迅 訪問記 ······················ 195

丁來東 長江에 永古한 詩人 朱湘과 中國詩壇 ··· 202

盧子泳 中國 新文藝의 百花陣 ······························· 213

丁來東 中國文壇 雜話 ··· 223

申彦俊 中國 文藝復興의 烽火 - 大衆語文運動

·· 235

丁來東 中國 女流作家의 創作論과 創作經驗談

·· 238

小隱生 中國의 女學生 生活(五) 張資平의
　　　 戀愛小說을 사가지고 오는 日曜日 午後

·· 251

丁來東 周作人과 中國의 新文學 ·········· 254

丁來東 中國의 「國故」整理에 對한 諸說 ········· 290

洪海星 中國 劇藝術의 硏究 ······················ 318

丁來東 屈原小考 ······································· 333

金光洲 中國劇壇의 動向과 學生劇運動의 躍進

·· 340

1935년 1~3월

丁來東 現代의 中國語 ······························ 361

李　達 現代 中國文壇의 十大 女作家論 ········· 366

○　生 中國: 新詩의 流派 及 詩人 ············· 377

金光洲 中國文壇의 現勢 一瞥
　　　 - 一年 間의 論壇, 創作界, 刊行物界 等

·· 380

梁建植 中國의 現代作家 ······················· 393

梁建植 元曲 槪說 ································· 422

盧子泳 詩歌에 나타난「靑年中國」 ································ 436

李 達 中國 新詩와 戲劇 ································ 444

일러두기

1. 본 총서는 1919년 중국의 '5·4운동' 전후시기부터 시작하여 1948년 남북한 단독정부 수립에 이르기까지 중국인 및 중국에서의 체험을 소재로 창작한 문학작품 중 문헌적, 문학적 가치가 높은 작품들을 수록하였다.

2. 본 총서는 총 16권으로 구성되었는바 소설(1~4권), 시(5~7권), 기행문(8-9권), 평론(10-14권), 정론·실기·수필·희곡(15-16권)으로 나누었다.

3. 초간본을 저본으로 하여 원본의 표기를 최대한 보류하는 것을 원칙으로 하였으나 일부 초간본을 확인할 수 없는 작품의 경우 초간본에 가장 가까운 판본을 수록하였다.

4. 독자들의 읽기와 이해를 돕기 위하여 표기법은 아래와 같은 원칙을 적용하였다.

   • 근대 모음을 현대 모음으로 바꿨다.

     예: ·→ㅏ

   • 근대 겹자음을 현대 겹자음으로 바꿨다.

     예: ㅺ→ㄲ, ㅆ→ㅃ

   • 띄어쓰기는 현행 한국어 표기법의 기준을 따랐다.

   • 소설의 경우 문장부호를 현행 한국어 표기법의 문장부호로 통일하였다. 대화는 " ", 간행물과 단행본의 명칭은 『 』, 기사와 작품의 명칭은 「 」, 음악작품의 제목은 < >, 연극작품은 ≪ ≫로 통일하였고, 명확하지 않으면 ✷ ✷를 사용하였다.

   • 기행문, 평론, 수필, 정론, 시가, 희곡의 경우 원본의 문장부호를 보류하였다.

   • 원본에서 판독이 불가한 문자는 □로 표시하고 판독 불가한 문자가 1행 이상일 경우에는 주해에 "이하 × 자 판독 불가"를 밝혔다.

   • 원본의 오탈자, 오식은 보류하고 해석이 필요한 경우에는 주해에 "편자 주"를 밝혔다.

     예: 1) "淅江"은 "浙江"의 오식 — 편자 주

5. 외래어는 원본의 표기를 보류하였다.

6. 인명, 지명 등 고유명사는 원본의 표기를 보류하였다.

7. 한자는 원본의 표기를 보류하였다.

8. 잘못된 인명, 작품명, 신문·잡지명 등과 한자들을 중국어 원문과 대조해 바로잡았다.

1932년

中國時調 小論[01]

天台山人

筆者는 매양 中國의 時調를 조선의 歌謠學上 時調와 어떠한 因綠이나 있지 아니할가 생각하엿다. 그리하야 多少 專斷的이나마 交涉이 없은 듯 하기로 몇날 前에 東光 新年號에 『數노름』이라는 題目으로 紹介하면서도 조선 時調와의 關係를 말치 아니하고 數月 前에 拙稿 『別曲의 研究』를 쓰면서도 時調와 別曲의 由來를 말하고 中國의 時調에 밎이지 아니하엿다. 그런데 인제 丁來東氏의 『民間文學慨說』讀後感 속에 中國 時調와 조선 時調와의 共通性을 다음 세 點을 들어 말하엿다.

1. 그 時調라는 名稱이 中國에서 온 것이 아닌가 疑心한 것.

2. 調子가 中國 佛曲에 나온 것이 事實인 것 갓다는 것.

3. 時調가 漢詩를 번역하면서 發見된 詩形이 아닌가고 하는 것.

勿論 丁氏의 論說은 書籍 紹介 속에 집어 내놓은 挿話에 지나지 못하지만은 조선 歌謠學으로서는 한번 吟味해 볼 必要를 늣김으로 나는 다시 이 小論을 妄發하노니 諒解하기를 바랜다.

---

01 『東亞日報』 1932.1.11, 4면.

첫재, 조선 時調의 源流를 보면 高麗의 李益齋, 安謹齋集 숙에 『別曲』이라는 것이 發見되고 이는 高麗의 翰林曲과 가티 形式이 一定하야 末端이 『에—景幾 어떠하니잇고?』로 結末되여 이는 李朝에 들어 卞季良의 華山別曲, 權近의 霜臺別曲 以後까지 그 形式이 傳하야 白光勳의 關西別曲, 鄭澈의 諸種 別曲에 닐으러 이 形式이 破綻된다. 이 別曲은 宮中樂章을 漢文體로 지은 것을 쓰는 代身에 俗言으로 지은 것——即 舊調에 對한 反動的인 別다른 曲調라는 意味로서 太平曲을 新調(或은 詩調)라고 稱한 것으로 보든지(忠烈王 때 金元祥條——麗史) 華山別曲을 新調라고 한 것으로(卞季良集序) 알 것이다. 太平曲, 別曲 等을 一面으로 신됴 詩調라고 불으다가 詩調의 詩(시)字는 漢詩와 混同될 嫌忌가 잇슴으로 이를 時調라는 文字로 쓰게 되며 이전에는 長歌, 短歌라는 區別 밖게 업든 것이 인제는 歌詞(長篇)와 時調의 對立을 보게 되며 더욱 時調는 漠然히 時體曲調라는 意識에서 그 漢字가 愛用되는 것 같다. 그런데 中國의 時調를 보면 그 名稱이 文獻에 올으지 못하고 또 그 노래가 安徽, 江蘇, 浙江에 局限된 듯하다. 明淸 以後의 中國文化가 浙江, 江蘇를 中心으로 하야 이것이 조선에 流傳된 바 아님은 아니나 名稱을 그대로 집어썻다는 議論은 首肯하기 어려울 것 같다.

調子가 中國의 佛曲에서 나온 것이라는 根據도 寡聞한 나로서는 알 수 없다. 朝鮮의 時調는 『三四四四, 三四四四, 三五四三』라는 거의 固定된 形式이 있고 徐有榘[02]가 林園經濟志에 紹介한 時調의 五十三 音階로 이를 唱한 것은 아닌가고 하나 中國의 佛曲과는 風馬牛는 아닐지라도 距離가 먼 듯하다.

第三에 筆者는 時調가 漢詩를 번역하면서 생긴 詩形이라고 하얏지만 李奎報의 詩例는 疎雨禪師의 詩가 成忠의 時調로 되여잇는 例에서도 發見하고

---

02 원문에는 '榘'자가 탈락되어 있다.

崔六堂의 時調類聚에는 漢詩를 거위 그대로 時調로 쓴 것도 적지 아니하다.

麗末에는 鄭圃隱의 時調——『이 몸이 죽고 죽어 일백번 죽고 죽어 백골이 진토되고 넉시야 있건 없건 님 向한 一片丹心야 變할 줄이 있스랴?』라는——極히 通俗化한 詩句도 있엇고 또 新羅 때의 薯童歌, 處容歌 같은 것은 그 簡明한 句法이 時調의 前身이라고까지는 말할 수 없어도 古代의 三代目에는 반다시 이와 같은 詩形이 있어스리라고 臆斷되며 三四 或은 四四의 發音이 가장 조선어에 和바한 自然聲으로서 長久한 時日에 淘汰를 받아 高麗의 中葉에서 末期까지에 別曲과 함께 發展되어 내려온 것 같으니 차라리 時調가 잇슨 후 그 詩形으로 漢詩를 번역한 듯하고 疎雨禪師의 詩句도 번역되어 成忠의 作으로 訛傳되는 것 같다. 조선의 時調는 다른 機會에 詳細히 論하기로 하고 中國의 時調만을 본다면 大略 다음과 같다.

中國의 時調는 文人의 文學詩律의 影響을 받아 된 것으로 格律도 있고 音調도 있어서 五更調와 같은 것은 唱의 調頭가 固定하고 語句도 相當히 長短이 있어서 五更이 四更으로나 六更으로 變할 수 없다. (民間文學慨說 P二三)

그런데 中國의 時調를 楊蔭深氏는 時間的, 數目的, 呀呀的, 其他의 四種에 난호아 崔六堂의 時調類聚에서 分類한 것과는 너무도 틀린다. 所謂『時間的時調』라는 것은 四季調, 十二個月調, 五更調 等이니 이 例는 東光 新年號에 若干 揭載하엿기 略하기로 한다.(民間文學慨說 P八九) 이 十二個月調 같은 것은 十二月花名歌, 十二月採茶歌 等과 함께 中國의 顯著한 『數놀음』 或은 『댱타령』流의 歌曲이며(胡懷琛 著 中國民歌研究 P四九) 五更轉은 中國 蘇州地方에만 四五十種이 있는 것 같으며 吳立模氏의 收集한 串花鬧五更 , 雙串侉侉調, 湘江郎, 小尼僧, 五更十送 等과 樂府 속에 있는 從軍五更轉과 劉半農氏가 巴里圖書舘에서 發見한 燉煌 遺書 속의 太子五更轉 其他 一首 等 같이(鍾

敬文 編, 歌謠論集) 中國에는 이런 種類의 노래가 매우 많다.

數目的 時調라는 것은 조선의 『투전불림』과 가티 數目으로써 時調에 冠한 것이니 一盃酒에서 十盃酒까지 들면서 불으는 노래 같은 것이 그것이다. 呀呀的 時調라는 것은 우의 두 가지와 달은 格調로서 例컨대 『天緣呀, 巧遇, 知心呀……』等 句末에 반다시 『呀』라는 感嘆詞를 붙이고 數노름으로 冠한 것도 아니다. 其他의 時調라는 것은 唱道情과 滑稽調 같은 것이니 우의 三種에 比하면 別種인 것 같다. 그러나 形式은 그 各種에 딸라 句數 字數에 一定한 形式이 잇는 것 같다. 이러케 보아오면 조선 時調와의 相似性을 發見하기에 더욱 더욱 困難할 따름이다. 이것은 나 個人의 臆見을 적어 보는 데 지나지 못함으로 斯界 大家들의 注意를 喚起코저 管見을 添附하야 둔다.

(完)

文藝와 宣傳 - 中國 文藝理論 紹介의 一部로(발췌)[01]

金光洲

(一)[02]

現今의 複雜多端한 國際情勢의 焦點이 中國에 잇다 해도 過言이 아닌 만큼 이에 對한 各 方面의 硏究가 날로 깁허감을 깨달을 수 잇는 바이다. 따러서 한 社會 한 時代의 文化運動에 업지 못할 文藝方面으로도 過去 一年 間——一九三一年——에는 끈임 업는 注意와 硏究가 顯著하엿다고 할 수 잇다.

첫재로 最近 『움즉이는 中國文壇의 最近相』을 發表한 北平 丁來東氏와 亦是 『朝報』를 通하야 『그 後의 魯迅』, 『中國文人의 受難과 榮譽』 等으로 中國 푸로文壇의 動態를 不斷的으로 紹介해 내려온 上海 李慶孫氏 等의 努力을 記億할 수 잇다.

自體의 괴로운 環境 아래에서 어느 餘暇에 남의 文壇을 注意하겟는가 하는 늣김이 업지 아흐나 도리켜 生覺해 볼 때 中國이 朝鮮과 歷史上으로나 人文上으로나 密接한 關係가 잇느니 만큼 그것이 우리에게 무슨 色다른 特殊

---

01 『中央日報』 1932.4.3~4.4, 4.10~4.11, 4.17, 4면. 여기서는 역자 서문에 해당한 제1회 일부만을 발췌한다.

02 매회 연재분 표기로서 5회에 걸쳐 연재되었다.

한 研究材料를 提供해 준다느니보다도 얼마마한 程度에서 어듸서 어듸로 엇더케 움즉이고 잇는가를 一瞥해 둠도 그다지 無意味한 일이 아닐가 한다.

이러한 生覺알에서 筆者는 去年에 『中國 푸로文藝運動의 過去와 現在』라는 拙文을 草하야 『朝報』에 紹介한 일이 잇섯스나 그것은 硏究材料 收集의 不充分, 觀察의 細密을 缺한 點 等으로 보아서 未洽한 곳이 적지 안헛스니 이 붓을 듬에 잇서서 慚塊함을 마지 못하는 바이다.

압흐로 紹介하고자 하는 拙譯 亦是 얼마마한 參考材料로서의 效果가 잇슬가 하는 것은 筆者 스스로도 疑問이나 中國 푸로文壇에서 云謂된 文藝理論의 一部를 엿볼 수 잇스리라 밋는다.

國際的 情勢에 빗최여 볼 때 中國 푸로레타리아文藝運動은 朝鮮의 그것보다도 오히려 오랜 歷史를 갖지 못햇다고 할 수 잇다. 中國에서 階級文學의 崩芽를 보게 된 것은 一九二七年 末이라 할 수 잇스나 一九二六年 春期에 郭沫若이 月刊誌 『創造月刊』에 『××과 文學』[03]을 發表하고 成仿俉가 『文學과 그 永遠性』[04]을 吼出하든 그 當時를 胚胎期라고도 할 수 잇는 것이다. 그러나 그 發端을 一九二六年에 두고 結局 四五年에 不過하는 時期의 努力이엿다. 여긔서 이 四五年 間의 過程을 細密 分析할 餘裕를 갓지 못하나 丁來東氏가 일즉이 『中國文壇 沈滯에 對하야』라는 一節에서도 말한 바와 가튼 中國 左翼文壇도 그러하지만 ——은 完全히 沈滯에 싸혀 잇다고 할 수 잇다.

勿論 이 沈滯의 原因을 그들이 理論다운 理論의 建設이 업섯고 다만 『루나찰스키ー』, 『업톤·씽크러내』 等과 日本의 文藝理論 復寫에 끗치는 點에 잇다는 것도 속일 수 업는 事實이나 一九三〇年 春期로부터 現今에 이르기까지……(三行 畧)呻吟하고 잇슴을 저바릴 수 업는 일이다.

---

03 郭沫若, 「革命與文學」, 『創造月刊』 제1권 제3기, 1926.5.

04 成仿吾, 「革命文學與他的永恒性」, 『創造月刊』 제1권 제3기, 1926.6.

그러나 一九三二年을 마지하면서 世界情勢로서의 中國 社會相의 動向이 우리에게 커다란 注意를 提起케 함과 가티 尖銳化하여 가는 情勢아래에 잇는 中國 左翼文藝運動에도 우리는 적지 안흔 注意와 期待를 가지지 안흘 수 업는 바이다.

다음으로 紹介코저 함은 一九三〇年 五月에 刊行된 『文藝批評集』[05]의 一節인 『新興文藝와 中國』中의 抄譯으로 著者『錢杏却[06]』의 理論이 完璧 無缺하다 함이 아니나 그가 『現代中國作家論』(上 下 二卷, 上海 泰東書局 刊行)과 『現代 中國 女流詩人과 散文家』等으로 푸로文藝 理論을 爲하야 努力해 온 이 만치 이것의 一瞥의 必要를 늣기며 誤謬를 誤謬로서 正當히 認識함에 우리의 參考할 바 잇스리라 밋는다.

『文藝와 宣傳』에 對한 問題는 푸로레타리아 文藝運動의 現階段에서 벌서 云謂할 아모런 興味를 갓지 못할 것이나 朦朧한 槪念 속에 흘려 버릴 일이 아님도 事實이다. 即 이 問題에 對하야서 中國 푸로文壇에서는 如何히 云謂되엿는가 하는 것을 參考하랴 함에 다음 題目알에 翻譯 紹介하랴는 本文의 本意일까 한다.

一. 標語 口號와 文藝宣傳(原文『幻滅動搖時代의 推動論』[07]

二. 新寫實主義 問題에 關하야

(以上 二題『文藝批評集』頁 一四二 至 頁 一七八)

(하략 - 엮은이)

---

05 錢杏邨,『文藝批評集』, 神州國光社, 1930.5.

06 '錢杏邨'의 오식이다.

07 ')'가 누락되었다.

中國 新興文學의 『阿Q』時代와 魯迅[01]

牛山學人

中國의 新興文學運動은 一千九百十五六年부터 始作되야 胡適, 陳獨秀 等이 白話文學을 主唱하야 大衆化할 民衆文學運動을 이르키든 中國의 르네쌍스運動의 發興이 곳 今日 新文學의 黎明期엇섯다. 이 르네쌍스運動은 中國의 五四運動 後 急激하게 全國的으로 展開된 運動이다. 當時 陳獨秀는 一九一五年에 『新青年』을 創刊하엿고 이를 前後하야 郭沫若의 『創造』와 魯迅의 『吶喊』等이 續出하야서 封建思想에 對한 文學上 鬪爭이 展開되얏섯다.

中國의 文學革命과 五四運動은 直接 關聯이 되야 잇는 것만큼 注意하야 볼 바이다. 五四運動의 前哨戰으로서 文學上에 革命的 이데올로기를 主張하게 된 것이 新興文學의 生長을 意味하는 것이엇다.

辛亥革命이 一九一一年에 이러나 淸朝의 專制政府가 倒壞되고 中華民國이 되야 共和政府를 取하게 되자 政治的 支配權은 所謂「軍閥」의 手中에 들어가고 마랏다. 그리하야 北京政府는 政權 獲得 競爭의 巢窟이 되얏섯다. 그리고 各 帝國主義 列强은 各 軍閥을 利用하야 中國內의 經濟的 利益을 謀策

---

01 『東方評論』 제1권 제2호, 1932.5.

하얏든 것이다.

如斯히 外國資本의 侵入은 中國의 近代的 工業를 發興케 하얏고 工業의 發達은 中國民族 뿌르죠아지의 出現을 可能케 하얏다. 世界大戰으로 因하야 外國資本의 活動이 中斷된 期間에는 土着 資本의 活躍으로 더욱 民族 뿌르죠아지의 發達할 機會를 엇게 되얏든 것이다. 그러나 世界大戰 以後에는 다시 外國資本이 侵入하얏슴으로 民族 뿌르죠아지는 對外로 外國 資本主義 列强과 싸우지 아니할 수가 업스며 國內的으로는 軍閥과 싸우지 아니할 수가 업섯다. 이리하야 民族 뿌르죠아지의 革命運動이 시작되야 急進的인 小뿌르 인텔리겐챠를 筆頭로 하야 學生組織을 先頭에 세우고서 近代的 民族革命을 이르키게 된 것이다. 이것이 이른바 中國의 五四運動이다.

이 五四運動을 前後하야 文學革命運動은 大衆의 이데올르기 組織에 적지 아니한 役割이 잇섯다. 첫재로는 文章體의 用語를 反對하고 白話를 썻스며 舊劇 等을 排擊하고 新藝術運動을 提唱하는 等 封建思想의 舊禮敎와 儒家의 人生哲學을 攻擊하얏다. 이 新文學運動은 當時의 新靑年社를 中心으로 하야 그 陣營을 펴고 잇섯다.

魯迅은 이 때에 이 新靑年 雜誌의 그의 맨 첫 作品인 『狂人日記』를 發表하얏다. 그리하야 讀書界에 적지 아니한 波紋을 이르켯다.

一九一八年 四月 魯迅의 「狂人日記」가 新靑年誌에 發表되자 靑年 사이에는 적지 아니한 興奮이 떠돌게 되얏다. 「狂人日記」는 妄想的 日記體로 된 小說이엇다. 精神病者의 立場에서 封建 遺習의 社會 諸 習俗과 制度를 痛罵하얏다. 第一 家庭制度에 向하야 攻擊이 甚하얏섯다. 中國의 大家族制度 그것이 封建社會의 社會的 單位가 되는 것이며 儒敎流의 宗法社會 觀念下에서 當然히 崩壞될 運命을 가지고도 依然히 存續하야 近代的 社會 成長에 큰 桎梏이 되야 잇섯다. 魯迅은 狂人日記로써 이 모든 傀儡의 巢窟가튼 封建 舊殼

을 罵倒하고 形式的인 孔子哲學을 비우스며 儒敎風의 仁義主義的 虛僞 道德을 一蹴하얏다.

이 狂人日記는 中國의 舊社會의 因襲制度 等 무거운 桎梏을 박차고 뛰어나와 부르짓는 新人의 喊聲이다. 狂人日記는 中國 新人日記라고 보는 것도 조흘 듯하다. 다만 말을 함부로 하야 痛罵하는 까닭에 그에 合하도록 狂人日記라는 名稱을 부젓다. 엇잿든지 再來의 묵은 이데올르기를 깨트리고 勇敢하게 나오는 新興 氣分이 이 小說의 內容을 構成하는 主志가 되는 것이라 하겠다.

魯迅은 狂人日記를 發表한 댐에 繼續하야서 「孔乙己」, 「藥」, 「明日」, 「小事件」, 「頭髮之故事」, 「風波」, 「故鄕」 等을 新靑年誌에 發表하야 讀書界에 新鮮한 刺戟을 주엇섯다. 그러다가 一九二一年에 有名한 「阿Q正傳」을 北京新報에 發表하게 되자 魯迅은 完全히 第一人者의 文壇的 地位를 엇게 되얏다.

上記한 諸 作品은 淸朝 末期의 封建社會의 生活相을 테―마로 하야 必然的으로 舊社會의 崩壞할 것과 新社會의 到來할 不可避的 事實을 力說하얏다. 그의 作品의 特色은 늘 農民의 生活相을 寫實的 手法으로 讀者의 眼前에 如實하게 보여 주는 것이다. 無知한 그들의 怪異한 習癖, 우스웁기도 하고 애처러웁기도 한 일, 或은 어리석게도 正直한 일 等은 作者의 平素生活이 農民들과 늘 接近되여 잇던 것을 보여주는 것이엇다. 「孔乙己」의 主人公 孔乙己라던가, 「阿Q正傳」의 阿Q가 모다 때 무든 쾨쏙한 사람들이엇다. 「阿Q正傳」은 朝鮮新聞에도 翻譯되얏든 것이다. 主人公 阿Q는 中國人을 代表하는 典型的 人物이다. 룬펜 農民으로서 일하고 남는 시간이 잇스면 여러 사람을 차자가 떠들고 작난을 치며 허풍을 무섭게 때리는 마음 조흔――그러나 허풍선이 가튼――사내다. 더욱 政治方面의 이야기는 제 혼자 아는 척 하고 떠들며 無限히 길거움을 늣기는 사람이다. 이것이 中國人의 針小棒大的인 誇

張風이다. 말로는 그럴 듯한 勇氣가 잇다. 그러나 한 번 일을 當한 댐에는 卑怯하기 말할 수 업다. 實力 업는 헛 勇氣만 가지고 잇다. 그러나 豪言壯談으로 大氣焰을 吐하며 自大風에 自己 스사로 欺瞞되는 것이 中國人의 共有한 性格이엇다.

魯迅은 이 「阿Q正傳」을 發表한 댐에 그 文壇的 地位가 널리 알리워젓슬 뿐만 아니라 그 가운대에 笑話 가튼 事實은 魯迅과 사이가 그러케 조치 못한 親舊 몃 사람은 自己들의 缺點을 暴露하고 욕한 것이라는 非難을 하게 되얏섯다. 事實 그만큼 中國人의 共通된 習癖을 描寫하엿든 것이다. 當時 中國에는 阿Q와 가튼 人物이 農村에만 잇는 것이 아니오, 全國的으로 國民性의 封建 遺習을 그대로 가지고 잇는 人物이 普通이엇든 것이다. 그리하야 이 阿Q 的 存在는 當時 中國社會 全般을 通하야 잇는 普遍的 存在이엇든 것이다. 時代가 그러하엿든 것 만큼 魯迅의 이 「阿Q正傳」이 發表되자 이 時代를 불러서 阿Q時代라고 하얏다. 阿Q는 그 時代에 잇서서 中國社會의 한 典型的 人物이엇든 까닭이다.

이 「阿Q正傳」은 朝鮮, 日本, 露西亞는 勿論 世界 各國에 거이 다 飜譯되얏다. 勞農露西亞에서는 라디오로 宣傳을 하얏스며 佛文壇에서는 로만 로—란 가튼 大家가 激讚을 하얏다.

魯迅은 一八八一年 浙江省 紹興府에 낫다. 집은 겨우 生活을 이을만 하엿고 그의 祖父는 翰林學士엿섯다. 그러나 그가 十三歲 되는 해에 그의 祖父는 무슨 事件으로 投獄하게 되얏다. 그리하야 그나마 家産은 모조리 빼앗기게 되엿고 家族은 迫害를 當하게 되얏다. 그리고 그의 父親은 그때부터 不治의 病에 걸려 三年을 呻吟하다가 別世하게 되얏다. 어린 그는 아버지의 病을 爲하야 家寶의 少少한 物件을 가지고 典當舖를 거처 藥房을 다녀오는 것이 그의 每日의 日課가 되얏섯다.

父親의 死後 그는 어머니의 周旋에 依하야 八元의 돈을 가지고 工夫를 하량으로 南京을 갓다. 매우 어려운 苦學이엇다. 처음에는 鑛山學校에 入學하얏다. 그리하야 그는 洋學에 趣味를 늣기고 따윈의 進化論에 陶醉되얏스며 生理, 解剖, 衛生學 等에 만흔 努力을 하게 되얏섯다.

魯迅은 日本 維新의 文化가 西洋醫學 硏究로부터 始作된 것을 깨달엇다. 그는 南京 鑛山學校를 卒業한 后 醫學을 硏究하량으로 日本을 건너갓다. 東京 弘文學院에서 二年 間 日語를 배웟다. 그리고 그 담은 仙臺 醫學專門學校에 入學하얏다.

學校에서 午后 實驗이 끗난 댐에는 先生들이 흔이 戰爭에 關한 映畵를 보여주엇다. 當時는 日露戰爭 中이엇슴으로 그에 關한 寫眞이엇다. 하로는 寫眞 가운대에 露國의 스파이가 되여잇든 中國人 하나이 日本軍에게 捕圍되여 虐待 밧는 것을 보앗다. 中國人은 巨軀엿섯다. 健康한 사람이엇다. 그 때에 魯迅은 늣겻다. 愚弱한 國民은 아모리 醫學을 硏究하야서 조은 體質을 갓는다 하야도 ××이 업스면 그 國民은 늘 ××하는 것이라고 미덧다.

그 때로부터서 그의 生活은 方向을 轉換하얏다. 그리고 政治的 時事에 만흔 關心을 가지게 되얏다. 그리하야 言論紙도 民衆의 注意를 喚起하려고 『新生』이란 雜誌를 發刊하려고 하얏다. 그러나 不意한 事情으로 結局은 産出되지 못하얏섯다.

그는 二十九歲 時에 그의 어머니를 도으량으로 歸國하지 아니하면 아니되게 되얏섯다. 그리하야 杭州師範學校에 物理, 化學先生이 되엿다가 고만두엇다. 紹興中學校 校務長이 되얏다가도 고만두엇다. 校長 及 先生들과 思想이 合하지 아니한 까닭이엇다. 그 다음 魯迅은 危險靑年으로 認定하게 되얏다. 都督이 殺害를 하러 온다는 風說이 잇섯다. 그리하야 그는 南京으로 도망을 하얏다. 그 때 南京은 革命 後 政府가 統一되야 孫文이 大總統이 되얏다. 魯迅은 孫文을 만나 거긔에서 敎育部 僉事로 잇섯다. 그리다가 南京 政府가 北京으로 옴기게 되자 그도 北京人이 되얏다. 그리하야 政府의 敎育 部 일을 힘쓰는 一面에 兼하야 京師圖書館長이 되고 北京大學, 師範大學, 女子師範大學 等에 敎員이 되얏섯다. 그의 作品은 이 동안에 만히 쓰게 되얏섯다. 그의 敎授로서의 또는 作家로서의 安定된 生活이 깨어지자 그는 作品을 쓰느니보다도 도망을 다니기에 더 밧벗다. 一九二五年 三月 孫文이 죽고 廣東에 國民政府가 成立되얏다. 蔣介石이 總司令이 되얏다. 그리하야 軍閥打倒의 國民革命이 이러낫다. 革命이 完成되자 蔣介石은 豹變하야 左翼分子를 드르혀 彈壓하얏다. 魯迅은 다시 逃避의 生活을 繼續하지 아니하면 아니 되게 되얏다. 이 동안 北京 五十日 間의 그의 生活은 實로 悽慘한 것이엇다.

五十日 後 그는 北京을 떠나 廣東方面으로 갓다. 福建 廈門大學에서 招聘하얏슴으로 다리고 간 學生 數名과 그 大學에 잇게 되얏다. 魯迅이 廈門大學으로 가자 新聞은 廈門大學의 將來를 企待하며 改新될 것을 떠들엇다. 大學에는 씩씩한 靑年들이 만히 모엿다. 그리하야 그는 人氣의 中心이 되자 諸敎授와의 猜忌가 甚하여지며 身邊이 危險하야짐으로 그 곳을 고만두고 다시 떠돌기 시작하얏다. 그 다음 廣東 中山大學 校長이 累次 電報로 招請하얏다. 魯迅은 自己의 다리고 가는 學生을 無條件으로 入學시킬 것을 約束하고 그 곳으로 갓다. 廣東의 쩌낼리스트는 革命兒 魯迅의 來着을 떠들엇다. 魯迅은 늘 新聞의 宣傳은 自己를 滅亡케 하는 것이라고 非難하얏다. 얼마 잇지 못하야 그는 다시 亡命의 길을 떠낫다. 이와 가티 그의 生活은 轉轉하야 그칠 길이 업섯다. 그러므로 그를 실허하는 評家는 말하기를 「魯迅은 決코 革命兒가 아니다. 참으로 革命兒엿드면 그는 발서 죽엇슬 것이다.」라고 말햇다. 그의 亡命生活은 그로 하여금 作品을 쓰지 못하게 되엿스며 그로서도 發表하기를 실혀하얏다. 그의 作品行動은 그 가장 힘잇는 表現이 「阿Q正傳」으

로 마첫다고 볼 수 잇다. 그 다음 萬一 作家의 生活을 繼續하엿다면 무슨 作品이 나왓슬지 모른다.

「阿Q正傳」은 勿論 眞情한 意味로 今日이 要求하는 프로作品은 아니다. 그 作家의 生活과 當時 社會生活이 中國文壇에 잇서서 프로前 時代이엇든 것이다. 다만 阿Q正傳은 宗法社會에 對한 革新的 改良主義의 作品이엇든 것을 注意해야 한다. 그럼으로 그 時代를 特히 阿Q時代라고 한다. 勿論 프로文學期는 아니다. 프로文學의 完全한 出現은 五卅運動以[02] 일이다. 五卅運動이 마치고 國民革命의 高潮期가 來到하자 革命文學으로부터 文學革命을 提唱하게 되얏다. 그리하야 그로부터 프로文學의 進出을 보게 되얏다.

(꿋)

---

02 '後'자가 누락되어 있다.

短文數篇(발췌)[01]

丁來東

(3)[02]

原稿 回送에 關하야

오늘 偶然히 北平 某 新聞의 原稿募集의 規約을 보니 이러한 말이 잇다.

『本欄은 完全히 公開한 것이여서 外間의 投稿라도 選擇의 標準에만 合格되면 登載하지 안한 것이 업고 絶對로 門戶의 偏見과 親疎의 分別이 업다. 登載한 分은 自然 略干의 稿料를 보내고 登載하지 안한 分은 萬若 送稿 時에 郵票만 添附하얏스면 回送도 한다. 이와 가티 社會經濟가 恐慌하고 知識階級 生活이 困難한 때에 누가 殘忍하게 그들이 嘔心絞腦한 生產品을 任意로 沒收하고 抛棄하고 詐取한단 말인가?』

이 告白의 字字句句는 筆者가 數年 以來에 經驗하여 온 苦痛을 如實하게

---

01 『朝鮮日報』 1932.5.15, 5.17~5.19, 5.21, 5.24, 5.26~5.28, 4면. 여기서는 중국과 관련된 5.18, 5.19, 5.21, 5.24, 5.27, 5.28일자의 부분 내용만을 발췌한다.

02 연재분 표기로서 9회에 걸쳐 연재되었다.

表現하엿스며 朝鮮 新聞 雜誌에서도 이러케 靈通한 揭白이 一日이라도 速히 나오기를 바라는 바이다. 上記한 規約 中에도 여러 가지 討論할 點이 잇스나 다른 問題는 後에 다시 論하기로 하고 爲先 原稿 回送에 關한 것만을 論하여 보겟다. 朝鮮서는 新聞 雜誌社를 勿論하고 原稿는 回送한 規定이 업다. 그 原稿가 數百頁가 될 때거나 數十頁가 될 때거나 一律的으로 回送은 하지 안한 模樣이다. 或 親分의 關係라던지 旣成 文壇人의 待遇 等으로 或 融通되는 例는 잇는 模樣이나 萬若에 아는 사람도 업고 文名이나 鼎鼎하지 못하여서는 原稿에 關하야 편지를 하여도 回答이 업는 것이 常例다. 勿論 原稿紙가 一二頁에 不過하다던지 或은 草稿 等이 잇는 것이라면 原稿紙 十頁 內外 되는 것이야 다시 秒[03]하는 데도 이러타는 큰 問題는 아니지만은 적어도 數日 乃至 數十日 或은 幾月 間 精力을 드린 것도 잇슬 것이다. 그러나 新聞 雜誌社에서는 發表하지 안는 때면 無言中 沒收하여뿔고 만다. 甚한 社에서는 幾個月 間 原稿를 發表하지 안코 잇다가 오래 後에 글의 題目과 姓名을 고처서 發表하는 일까지 잇다. 이 얼마나 文筆業者로 不道德한 일인가! 이것이야말로 『知識階級의 嘔心絞腦한 生産品을 任意로 沒收하고 抛棄하고 詐取』한 것이 아니고 무엇이겟는가? 그러나 奇異한 일로는 이러한 問題가 朝鮮서는 公公然히 討論이 되지 안코 그저 舊状대로 保守하는 데 滿足한 模樣이다. 勿論 朝鮮과 가티 發表機關이 적고 그런 우에 大槪는 同人制 비슷해서 相當한 內容을 가진 것도 그저 發表하기도 어려운 環境이니까 그러키는 그러켓지만 그러나 所謂 公公의 機關이라고 命名한 紙面은 公公히 쓰도록 하고 舊習의 惡弊는 곳처가야 할 것이다.

　이러한 意味에서 新聞 雜誌 當事者나 一般 寄稿家들이 共同으로 努力하

03　'抄'의 오식이다.

야 發表치 안는 原稿는 回送하는 規定을 만들 必要가 잇다. 勿論 原稿 回送이라도 ——히 다 할 수는 업슬 것이니 假令 原稿의 長短이라던지 回送料 添付 等 規約을 定하야 可能한 範圍內에서 꼭 實行하여야 할 것이다.

(4)

『故鄕』을 再譯하면서

누구나 그럿켓지만 筆者는 飜譯하면서 퍽 무거운 責任을 늣기게 된다. 勿論 筆者의 譯에 言語의 流麗치 못한 것과 表現의 不自然한 點이 잇는 것은 自認하지만은 筆者의 能力 밋는 限에서 誤譯은 하지 안하려 努力한다.

그리하야 昨年 이만 때 魯迅의 短篇小說 『故鄕』을 飜譯하야 某 新聞 文藝欄에 投寄늘 하엿더니 近 一年이 되도록 發表되지 안코 今年 어느 달號 日本 中央公論의 廣告를 보니 佐藤春夫가 『故鄕』 飜譯하야 發表하엿섯다. 그 廣告를 볼 때 筆者는 새삼스럽게 그 前에 寄稿한 생각이 낫다. 筆者는 勿論 中國文學 專攻은 아니지만은 中國文學을 朝鮮에 紹介할 때에는 첫재로 不偏한 態度를 取하여 오고 둘재로 價値 잇는 作品을 紹介하고 셋재로 남의 나라에 지지 안케 迅速히 紹介하는 데 努力하려고 하여왓다. 그래 昨年에 魯迅의 長篇研究늘 朝鮮日報에 發하 表하더니 今年에 새 『改造』에는 魯迅傳이 發表되얏다는 廣告가 낫다. 이 번 廣告를 볼 때에는 筆者는 多少 남보다 速히 紹介하엿다는 데 快感을 늣긴다. 딸하서 魯迅의 『故鄕』이 發達[04]되지 안코 문듯 『中央公論』의 廣告에서 日譯이 난 것을 보니 當時 某 新聞 文藝欄

---

04 '發表'의 잘못이다.

責任者에게 如干한 不滿을 늣기지 안는다. 더군다나 『新潮』 四月號를 보니 佐藤春夫의 『故鄕』 翻譯에 關한 辯明이 揭載되얏다. 그 內容은 某氏가 『故鄕』과 가티 無價値한 作品을 翻譯하엿다는 데 對하야 該氏의 그러치 안타는 解明이다. 그 글을 보니 魯迅의 世界的 作家라는 데 조금도 遜色이 업다는 것이요, 『故鄕』은 英譯과 露譯까지 잇다는 것이다. 나는 나의 『故鄕』 譯文이 流暢치 못한 點을 自認하며 專然히 그 譯文을 發表하지 안는 當事者에게만 責任을 돌리는 것은 안이다. 더군다나 그 譯文 後에는 名詞 멧 개를 翻譯하지 못한 것이 잇서서 原文대로 쓴 것과 兼하야 아는 분이 잇스면 敎示하여 달라는 附記를 썻섯다. 나는 佐藤氏의 譯을 보지 못하엿거니와 昨年 翻譯 時에 만흔 幇助를 하여준 P氏가 그 譯文을 보고 昨年에 내가 譯하지 못한 單語를 적어 보냇는데 亦是 더러는 略하야 버리고 翻譯도 하지 안하얏며 『猹』라는 것은 『海狸』라고 譯하엿다 한다.

(5)

그러나 그 原文의 諸 部分으로 聯想하야 보면 오히려 『쌀가시(狸[05]라고 한 것만 갓지 못하다. 이것은 方言에 屬한 것임으로 別로 字典에서도 차즐 수가 업고 다른 地方 사람으로는 알지는 못한 말이다.

『故鄕』의 譯文을 發表하지 안흔 原因은 끝에 그러한 未譯의 單語가 잇단 附記에 잇슬 것이라고 推測된다. 그러나 알지 못한 것은 略하야 버리고 譯하지 안한 囷다던지 或은 誤譯을 하는 것보다는 譯文에 크게 障碍되지 안흔 範

---

05 ')』'가 누락되어 있다.

圍에서 原文을 그대로 쓰는 것이 오히려 낫다고 생각한다. 勿論 飜譯한 以上 完譯하는데 더 조흔 일은 업지만은 그러치 못한 境遇에는 上記한 方法이 오히려 더 낫지 안흔가?하는 筆者의 意見이다.

또『故鄕』의 內容을 보면 勿論 魯迅의 回憶한 글에 屬한 것임으로 무슨 鬪爭의 內容이라던지 社會問題를 露骨的으로 取扱한 短篇은 아니다. 다못 作者의 幼年 時代를 回憶하는 글인만치 散文詩와 가튼 글이오, 中國 鄕村生活을 窺知할 수 잇는 조흔 作品이다. 萬若 한 번 보면 다시 한 번 보고십흔 引力이 잇는 作品이다. 魯迅의 短篇小說은 大槪 作者의 眞意늘 了解하지 못할 作品이 만흔데 이 作品은 그 內容이 明哲하고 그 事件은 凄慘한 것이만은 亦是 詩味가 豊富하다.

原稿料 問題

中國의 新聞 雜誌는 三四의 例外를 除하면 朝鮮보다 發達이 되지 못하엿다고 하야 過言이 안일 것이다. 假令 例를 들자면 北平에 잇는 新聞 中에는 아즉까지 輪轉機를 쓰는 新聞社가 업다. 더구다나 그 印刷의 粗雜한 것은 말할 수 업시 幼稚하다. 萬若 朝鮮 新聞과 比較한 時에는 天壤의 別이 잇슬 것이다. 그러나 그 內容을 살펴보면 이와 相反되는 差異를 發見할 수 잇다. 몬저 原稿料에 關하야 말하면 中國은 엇더한 刊物을 勿論하고 한번 揭載된 글이면 多少間에 原稿料는 잇다고 한다. 間或 稿料 업는 欄도 잇지만은 그러한 때에는 그런 意味를 미리 宣言한다. 그럼으로 一般的으로 稿料 업는 것이 例外요, 原稿料를 주는 것이 常例라고 한다.

朝鮮의 刊物은 엇더한가? 雜誌 新聞을 莫論하고 그 表紙의 裝訂이라던지 目錄의 꿈임꿈이라던지 編輯의 體裁 等은 참으로 그럴 듯하다. 그러나 그 內部에 살린 글에는 一般으로 原稿料 업는 것이 大部分이오, 原稿料 잇는 글이

例外라고 한다. 勿論 朝鮮은 外華를 조와하고 內容이 虛弱한 일이 만타. 이런 것도 그런 例의 하나일 것이다. 勿論 그 裏面에는 經濟的 破滅, 互相 競爭의 苦衷이 업는 바가 아니지만은 글 쓰는 사람의 方面으로 생각할 때에는 그런 苦衷을 생각할 餘裕가 업는 것이다.

그러고 보니 朝鮮의 文筆生活은 그 大部分이 生活하여 가면서 餘裕한 時間이 잇스면 끄적그린 데 不過하다. 或 理想社會가 되야서 萬人이 다 勞働을 하고 餘裕잇는 時間이 잇는 때 各各 嗜好에 따라 硏究도 하고 創作도 한다면 누구나 甘受하고 願하겟지만은 現今과 가티 十年이고 二十年을 文筆生活하는 技能을 배와 가지고 그 技能으로써 生活을 維持하지 못하고 굴머가면서라도 閑暇한 時間에 노름꺼리로 글을 쓰게 되야서야 너무나 抑鬱한 일이 아니겟는가! 勿論 現今과 가티 모든 것이 不完全하고 모든 制度가 畸形的으로 發達한 곳에서 무슨 正當하고 不正當하고를 가릴 바가 못되지만은 文筆을 專門으로 하는 사람으로서는 무슨 方策이나 打開치 안흐면 안될 것이다. 爲先 目前의 生活을 爲하야서라도 文人의 生活과 直接 問題되는 것은 곳 原稿料問題다. 엇더한 經濟의 恐慌이 잇다 하드래도 發表한 原稿에는 稿料를 밧도록 奮鬪하여야 할 것이 안인가? 或 旣成 文壇人으로서도 稿料를 밧는 것을 求乞가티 哀乞하는 記事를 보앗지만은 應當 바들 것을 그러케까지 求乞하게 되는 데에는 文人들의 奮鬪하지 안흔 原因도 잇슬 것이다. 稿料가 업는 反面에 우리 文壇에는 좀 價値잇고 注意할만한 作品은 한아도 어더볼 수가 업다. 그저 더러는 심심 消日로 쓰는 것이요, 더러는 責任上 하는 수 업시 쓰는 것이요, 더러는 發表하는 好奇心에서 쓰는 데 不過하다.

朝鮮에서도 좀 더 文化에 注意하고 文學 及 其他 學術의 發展을 企圖하려면 몬저 文人의 待遇에 注意하여야 할 것이다. 이것을 實現하려면 新聞 等의 文藝欄을 縮少하드래도 한번 發表하는 글에는 多少間에 報酬가 잇는 習慣

을 내여야 할 것이다. 或 社會의 重鎭이라고 評을 밧고 또 그러케 自處하는 者들은 文學은 有閑者의 玩弄物로 알지만은 歷史上 各 時代의 變革 時에 文學이 얼마나한 役割을 하엿는가를 注意하여야 할 것이다. 그럼으로 우리는 무엇이나 經濟의 一元論的 解釋을 바리고 社會의 發展을 多元的으로 解釋하는 데 眞實性이 잇는 것을 注意하여야 할 것이다.

(6)

이러케 社會를 解釋할 때 文學의 重要性도 發見할 수 잇스며 文人의 生活의 關節인 原稿料 問題도 等閑視하지 안하게 될 것이다. 이것은 客觀的으로 觀察할 때의 말이요, 一面 文人 內部에서는 組織的으로 이 問題에 對하야 抗爭할 必要가 잇는 것이다. 文人生活이 絶頂에 達한 近頃에 더구나 이러한 問題를 提起하야 對策을 講求하여야 하지 안흘가?

(하략 - 엮은이)

(10)⁰⁶

(상략 - 엮은이)

發表機關의 公開에 對하야

朝鮮 雜誌나 新聞은 擧皆가 公開的 性質임은 一面으로 보아 祝賀할 일이

06　실제는 '(8)'이어야 하며 이하 연재분도 표기가 잘못 되었다.

다. 그러나 그 公開에도 自然 制限이 잇는 것이 事實이다. 或은 그 編者가 一定한 主張과 意向이 잇다면 自然 그 編者의 主張과 意向이 다른 文字는 除外되기가 쉬운 일이요, 또한 編輯者와 意見이 敵對되는 때에는 大概 그런 意見은 그 公開紙面에서는 抹殺되고 마는 것이다. 이런 意味에서 公開된 紙面이라도 制限이 잇다고 할 수 잇다. 그런데 朝鮮의 公開된 紙面은 本來는 公開的의 性質이것만 制限되는 例가 적지 안타. 勿論 朝鮮의 刊物이 全部 그러타는 것이 아니다. 그의 한 例로는 筆者가 滋味스러운 이야기를 몬저 말할 必要를 늣긴다. 筆者의 中國人 친구로 각금 놀려오는 同學이 잇다. 그 사람은 내 방에 오기만 하면 朝鮮 新聞을 뒤직이고 본다. 勿論 그 사람은 朝鮮文을 모른다. 그러나 第一面의 外國消息은 漢字가 만흠으로 大概는 짐작하며 더군다나 言論 壓迫이 甚한 中國에서는 中國 內部問題를 一一히 發表를 못함으로 오히려 朝鮮 新聞紙에 몬저 실린 關係上 더욱 興味를 늣기는 模樣이다. 그 다음에는 寫眞과 連續小說의 揷畫 等을 留深히 본다. 그러자니 여러 해 동안을 그 친구는 朝鮮 新聞을 본 셈이다. 어느 날은 新聞을 뒤적이다가 『朝鮮에는 人材가 적은 模樣이여!』 하고 혼저 말 비슷이 한다. 엇지 그러냐고 나는 無意識 中에 反問하엿다. 그랫더니 그 사람은 『長篇小說은 늘 한 사람이 쓰고 그람은 항상 한 모양이 안인가?』 하고 反答한다. 나는 그때 그저 自然 한사람이 오래 동안 가튼 新聞에 잇게 되면 더 만히 쓰게 되지 안는가 하고마라 뿌럿다. 그리고 나서 더욱이 長篇의 作者와 揷畫의 畫家늘 해아려보니 長篇 쓰는 이가 요 몃 해 동안에 한 新聞에 每日 三四篇式 실리면서 六七人에 不過하고 揷畫는 靑田氏와 夕影氏 外에는 더 세일 수가 업다. 그 中國친구가 그러케 물른 것도 勿理는 안이라고 首肯된다. 新聞의 揷畫를 보면 한 新聞에는 靑年은 모다 監獄에서 나오는 사람 模樣으로 머리는 밤숭이 갓고 항시 갓 쓰고 행전 친 사람이 칼은 들고 눈을 부름뜬 것이 朝鮮 固有한 것을 聯想하는 것보다 오히려 中國 古代裝飾을 聯想식히며 한 新聞에는 恒時 모껠, 모쁘가 딴쓰나 곳하고 나오거나 劇場에 드나드든 것가티 잘 뀌미고 나오는 것 가튼 것이다.

사람은 本來 새것을 조와하며 新聞은 새것을 알리는 것인데 朝鮮 新聞 보는 사람은 恒時 가튼 小說, 가튼 그림을 보면서도 시름증이 나지도 안는 模樣이다. 小說도 朝鮮日報에서 試驗하는 模樣으로 各樣의 小說을 실으며 揷畫도 日本 新聞의 揷畫와 가티 鐵筆畫 等도 試驗하는 것이 讀者의 口味를 밧구는 데 一策이 되지 안흘까?

또 近來 燕京大學에서 新聞週를 定하고

(11)

中國 新聞의 專家를 請하여다가 講演을 하엿다는데 그 中에 成捨我라고 하는 분이 『中國新聞의 將來』라는 題에 講演한 原稿가 發表되야 筆者가 보는 中 이러한 말이 잇다. 成氏는 中國 新聞界에 二十年을 貢獻하엿는데 그 前에는 自己가 總編輯으로 잇스면서 모든 것은 모도 다 自己가 編輯하고 글은 혼자서 大部分 지으며 그 外에는 外埠의 新聞을 抄하야 내엿다고 한다. 또 그 前에는 한 文章家가 혼자서 新聞을 하여 가려고 한 野心을 가지게까지 한 일이 잇다 한다.

勿論 只今에 와서 혼저 新聞을 한다면 퍽 우수운 笑話가 되고 말 것이다. 그러나 成氏와 갓흔 實例도 中國에는 잇스며 朝鮮에서도 新聞 雜誌를 勿論하고 그 글 쓰는 사람은 亦是 幾人에 不過한 例를 볼 수가 잇다.

朝鮮과 가티 글 쓰는 사람의 待遇가 업고 事實에 잇서 有閑者의 玩弄으로 밧게 되지 안한 境遇임으로 글 쓰는 사람도 적기는 적겟지만은 一面으로는 編輯者의 偏見이나 發表機關의 獨占 等 成見을 다 바리고 發表機關을 絶對로 解放하여야 하지 안흘까 하고 생각된다.

(하략 - 엮은이)

硏中一題[01]

金台俊

조선의 文學은 中國의 文學보담 한 時代씩 뒤떠러진다는 것이 李德懋를 비롯하야 一般 古代 文學 研究者들의 見解이엿다. 그럿다! 中國의 唐詩가 隆盛할 때에 조선서는 四六騈儷를 배호고 中國 宋學의 勃興할 때에 조선서는 인제야 唐詩를 專主하엿고 中國의 塡詞 戲曲과 考證學이 크게 風靡할 적에 조선에는 宋學, 宋文이 한참 隆盛하게 되엿다가 그나마 幕을 닷치고 말엇다. 『허허, 漢文만 가지고는 안되겟다.』——이 말은 어느 싀골서도 數十年 前의 陳腐한 標語처럼 불으는 말이엿다. 여러 번의 큰 政治的 大勢가 貓眼처럼 變할 적에 그리고 집에 앉어서 西半球 저편의 壽府會議 消息을 『라디오』로써 들으며 日本의 來往쯤은 時間으로써 單位를 삼게 된 오날에 있어서 日本 가나(假名)나 羅馬字 몰으는 사람은 지나간 世紀 사람으로 埋葬코저 하게 되고 『인테리』層의 거위 全部가 日本語를 通하야 歐米의 文化를 맛보고 잇는만큼 日本의 『책』이라면 創作이 번역되는 대로 조선 讀者에게 傳入된다. 한 時代씩 뒤떨어진다는 말은 通用치 못하리라——나는 中國과 朝鮮의 新文藝

---

01   『朝鮮日報』1932.11.30, 4면.

를 倂呑하여 보고저 하는 狂妄한 智識欲의 驅使를 밧어 그거 죽어라도 할터 보랴 하엿스나 그러나 兩便의 文藝運動은 結局 同一한 目標를 向하야 勇進 하고 잇슬 뿐이다. 그러나 滿洲事變 後의 中國文學界의 □□한 發展에 反하 야 朝鮮은 너무 陣痛症에 걸리고 잇다. 過程이라니 언제까지 過程이냐? 前 夜라니 언제까지 前夜이냐? 眞實한 싸움꾼이 가장 □할 때이다. 그런데 中 國사람은 朝鮮에 많은 關心을 가진 듯도 해서 侯曜가 安重根 劇을 짓고 郭 沫[02]若이 金剛山哀話[03]를 짓고 蔣光慈가 鴨綠江上을 짓고 또 氏는 『異邦에 故國[04]에서 朝鮮靑年에 많이 言及하고 또 崔曙海의 脫出記가 『現代學生』에 朝鮮 牛步(누구?)의 作品 『臺灣』이란 六幕劇이 또한 雜誌 『拓荒者』에 번역된 지라 兩者의 文學的 交涉은 인제부터 더욱 多端할 터이니 中國文學 硏究 乃 至 中國社會의 硏究——일흘터면 硏中 俱樂部 組織의 必要가 識者의 사이에 云云하여 오는 것도 當然하다. 中國을 硏究할 必要가 업다면 엇지 朝鮮의 新 聞 雜誌의 紙面의 大部分을 中國問題 記事에 消費하고 잇는가. 그리고 마찬 가지 文明의 後進國인 中國은 어떠한가? 그들도 文學革命으로써 古代의 漢 文——文言體——를 廢止하고 白話文을 쓰며 近日에 와서는 蔡元培, 錢玄同 諸氏가튼 先進들이 陣頭에 서서 漢字廢止論까지 웨치고 잇다.

그리하야 日本의 文學을 大量으로 輸入하야 或은 『□呑』도 하며 或은 『鍍金』도 더해서 五四運動 當時의 商工階級 覺醒을 招來한 新文學運動, 그 후 土豪劣紳의 頹廢 沒落으로 因한 浪漫主義文學, 또는 小資産階級의 沒落 으로 因한 自然主義文學, 또는 以上의 混合型의 文學, 最近에는 푸로階級의

---

02 ‘洙’는 ‘沫’의 오식이다.

03 중국어 원제는 ‘牧羊哀話’이다.

04 중국어 원제는 ‘異邦與故國’이다.

階級××이 激烈化와 尖端化됨을 딸아 푸로階級文藝가 擡頭되여 인제는 作家의 自己 淸算보담도 創作의 形式問題보담도 大衆과의 關係와(더욱 中國 ××區에서는) 旣成文壇 劇界들의 掃蕩에 애를 쓴다. 아— 中國에서 日本의 것이라면 무엇이든지 排斥한다 해도 日本文學만은 『보이코트』할 수 업다. 그러하나 조선에 比할 적에 어떨가? 新興文學을 爲해서 周圍가 不自由하고 不自然하기는 서로 갓고 出發한 時日도 비슷해서 進展하는 步調는 大差가 업지만은 조선보담 熱情的이요, 大量生産的이요, 또 舞臺가 크고 量이 만흔 만큼 質로써 勝한 것도 만타. 그러나 인제 와서 조선文學이 中國文學보담 中國을 硏究하는 이가 몃 분이나 될가? 黃河를 건너 저들의 高喊치는 소래를 듯는 것이 바로 우리네의 警鐘이 되며 提携가 되지 아니할 것이냐? 나는 다시 中國보담 한 時代씩 떨어지는 時代가 잇슬가 둘여워 한다. 그럼으로 좀 더 白話文 卽 中國의 現代文을 배워야 할 것이고 그러함에는 『硏中』俱樂部 가튼 機關이 急速히 必要될 것이다.

畧歷: 一九三一年 京城大學 卒業. 中國文藝 專攻, 筆名 『天臺山人』 著——朝鮮漢文學史, 朝鮮小說史(지금 出版中.[05] 經學院 兼 明倫學院 講師.

---

05 ‘)’가 누락되어 있다.

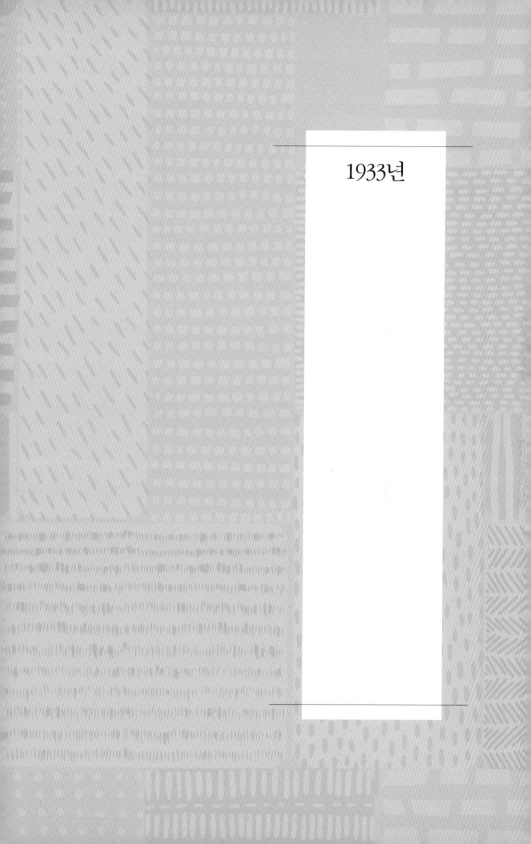

1933년

蔣光慈氏 著『碎了的心』을 넑고[01]

天台山人

(上)[02]

　『碎了的心』은 『鴨綠江上』과 함께 合本된 小說集 속의 한 短篇이요, 인제는 故人이 된 蔣光慈氏의 作品이다. 蔣氏는 一九二四年 아라사留學에서 돌아온 후 一九三一年 八月 三十一日 그가 病死하기까지 中國 左翼文壇의 重鎭이엇다. 그러나 氏의 一九二七年 以前의 作品은 말하자면 아즉도 充分히 『로맨티씨즘』과 『센티멘타리즘』을 克服하지 못한 때엿고 軍閥과 ××[03]主義에 對한 激烈한 ××[04]的 文辭를 野虎처럼 吐하되 特別히 ××[05]을 指導하는 아무런 것을 보여주지 못하엿섯다. 거긔에는 勿論 周圍의 情勢도 支配하고 잇엇다. 氏가 이러한 時代의 作品 『碎了的心』(一九二六年)은 時勢에 잇어서 뒤느즌 듯한 反宗敎的 作品이지만 現實은 아즉도 이런 作品을 要求하

---

01 『朝鮮日報』 1933.1.20~1.21, 4면.

02 매회 연재분 표기로서 2회에 걸쳐 연재되었다.

03 '帝國'으로 추정된다.

04 '革命'으로 추정된다.

05 '革命'으로 추정된다.

엿든 만큼 朝鮮에서도 벌서 淸算되엿을 宗敎問題가 다시금 말성이 될 적에 나는 이에 心絃을 울린 것은 아니로되 아즉도 어떤한 生活層에는 이런 作品의 必要를 늣긴다. 『碎了的心』(부서진 마음)의 內容은 이러하다.

『××[06]黨員인 汪海平이가 天安門 데모에 負傷하고 入院한 때에 『크리스찬』의 看護婦 吳月君은 海平이 神을 밋지 안는 것을 보고 깜작 놀라는 것이 엇다. 月君의 어머님은 빨래를 해서 生計를 세우다가 月君의 열두살 적에 過度의 勞働으로서 病을 엇어 돌아가고 月君의 아버지는 人力車를 끌어서는 到底히 父女의 목숨을 유지할 수가 업슴으로 딸님을 修道院에 너엇드람니다. 月君이 『神의 愛護』란 말을 듯고 信者가 되기는 이 때부터엿다. 그 후 月君은 하로갓치 父親의 幸福을 빌엇지만 過激한 勞働에 極度로 피곤한 父親은 肺病으로 죽어버렷다. 孤兒가 된 月君은 그러면서도 『神』을 恨치 아니하고 이와 갓은 不運은 自己 信仰이 不足된 理由라 생각하고 다시 神에 對한 奉仕를 굿게 盟誓하고 赤十字病院의 看護婦가 되여 患者에게 對하야 神의 福音을 說敎하는 것으로 그의 天職을 삼엇다. 또한 月君의 說法을 밧게 된 海平은

『당신의 어머님도 苦楚와 生活難으로 죽지 안엇습니까.

現在의 당신은 혼자서 만흔 苦楚를 밧지 안습니까──

神이 당신에게 준 것이 大體 무엇이엿드람니까.』

月君:『저의 運이 낫버 그런 것이지요. 神을 나무럴 수는 업스니까요.』

海平:『運! 運이란 뭐입니까. 그런데 무엇 때문에 神을 밋게 되는 것입니까.』

月君:『神──하나님은 우리들의 救主올시다. 神은 매우 慈悲하신 분이니

---

06 '革命'이다.

까요.』

海平:『그러면 神은 어째서 당신 아버지와 어머님과 또는 당신에게 對해
　　서는 조금도 慈悲를 주시지 안엇는가요.』

月君:『……』여긔서 對答할 수가 업섯다. 그러나 두 사람 사이에는 점점
　　사랑이 생겨서 海平이 退院해서 北京으로 온 때에 두 사람은 中央
　　公園 못가에서 最初의 抱擁을 하엿다. 海平——『月君! 나는 ××[07]
　　黨員입니다. 나는 당신까지 함께 끌어너키를 무서워 합니다……』
　　月君:『저는 ××[08]이 무엇인지 몰으지만은 당신을 밋습니다. 당신
　　께서 하시는 일이면 저도 함께 할까 합니다……』그리하야

月君은 多忙한 海平의 좋은 慰安者가 되고 生存의 意義와 歡喜를 거기서
發見하엿지만 三月 十八日 그가 病院門 압에 섯을 적에 重傷을 當한 海平이
가 담겨 들어오는 것을 보앗다.

그래서 月君의 神을 向하야 뜨거운 平癒의 禱祈를 올림에 不拘하고 海平
은 最後의 一言도 입을 벌리지 못하고 죽어버렷다.

月君의 信仰의 塔은 여기서 俄然히 崩壞하엿다. 그날 밤 白衣를 쫒어바리
고 빠이불을 불살으고 聖像을 부서버린 그는 追憶 깁은 中央公園 못 속에 몸
을 던젓다.[09]

07　‘革命’이다.

08　‘革命’이다.

09　‘』’가 누락되어 있다.

미스·크리스찬·吳의 沒落, 吳의 追死가 아즉도 로맨틱하고 作中에 ×
×[10]主義에 對한 아모런 說明이 업고 作中에는 赤十字病院, 修道院 갓은
곳에서 두 사람이 救助됨으로 反動的 效果를 더할 뿐이다. 吳의 沒落을 보
임으로써 ××[11]文學 作家가 다하엿다고 할 것인가? 이 作品이 되기 前인
一九二四年 여름 上海에서 組織된 非基督教同盟은 다음과 갓은 宣言을 하
엿다.

『우리가 예수教에 反對하는 것은 一般的 意味에서 다른 宗教
와 갓다. 即 그들은 虛僞한 平和觀念을 呼號한다. 現實의 生死
榮枯는 神과 天의 定하는 것이요, 人力의 長短에 依한것이 아
니라고 한다. 그럼으로 暴君과 ××[12]하여도 不可, 富豪와 ×
×[13]하여도 不可라고 한다. 그들은 全世界의 飢寒에 해메이는
平民을 거느려서 『神을 밋으라』는 虛僞를 좃게 하려 한다. 또
特殊한 意味에서는 예수教는 資本制度의 支配階級의 有力한
武器일 뿐이다. 本國에서는 工人階級을 麻卑케 하고 貧富는

---

10 '革命'으로 추정된다.

11 '革命'으로 추정된다.

12 중국어 원문은 '與抗'이므로 응당 '저항'일 것이다.

13 중국어 원문은 '與爭'이므로 응당 '투쟁'일 것이다.

神意니 階級××[14]으로서 現 制度의 ××[15]을 企圖함은 不可하다고 한다. 그들은 殖民地 半殖民地 民衆에 對하야는 그들의 軍艦, 軍隊의 派遣은 上帝의 福音敎化 其他 一切의 文化를 선물하기 爲하야 巨費를 악기지 안고 하는 것이라고 말한다. 神父가 先頭에 서고 軍艦이 그 뒤에 온다. 一切의 神父는 모다 國際 資本主義의 ××[16]者로서 先鋒으로서 中國民族의 覺悟의 破壞에 工作하여서는 안된다.[17]

이런 意味에서 蔣氏의 碎了的心은 宗敎의 一般的 意味에서만 말하고 特殊的 意味를 빼엇다.

朝鮮에서도 이 作品과 보로 한 해 一九二六年 五月에 지은 李箕永氏의 『外交員과 傳道夫人』 一篇은 機智와 유모어—가 몃 倍나 勝한 短篇이엿다고 記憶된다.(單行本 『民村』 속의 一篇)

『호래비로서 職業을 일은 김인수는 自己의 良心의 鞭撻을 밧으면서도 목숨을 유지하기 爲하야 生命保險 外交員이 되엿다. 外交員이 된 그는 거즛말도 일수 잘하게 되엿다. 하로는 寡婦

---

14 중국어 원문은 '與爭'이므로 응당 '투쟁'일 것이다.

15 '破壞'이다.

16 '宣傳'이다.

17 겹낫표 '』'가 누락되어 있다.
「非基督敎大同盟宣言」, 『民國日報·覺悟』 1924.8.19, 1면.

로서 篤實한 傳道夫人이는 安마리아를 찾어가서 저금하는 셈 잡고 保險에 한구지(一口) 들나고 권고하엿다. 김은 처음에 保險에 들면 예수 밋기보담 利하다고 하엿다.

安마리아:『保險은 죽어야 돈을 타는 것이요, 一種 會社이니까 하나님을 밋고 天堂에 올나가고 살어서도 올흔 도리로 잘 살게 되는 것이며 貯金이야 보험이 아니라도 할 수 잇지 안흐냐』하엿다.

김:『保險에 들면 一定한 金額대로 돈이나 타 먹지요. 天堂에야 누가 가 본 사람이 잇슴니까? 올흔 도리로 가는 교훈이야 예수교가 아니라고 얼마던지 잇지 안슴니까……외교원이 거즛말쟁이면 傳道夫人도 것즛말쟁이라.』고 하엿다.

그래 두 사람은 서로 勸에 못익여 마리아는 保險에 들고『김』은 예수를 밋게 約束하엿다. 마리아는 外交負의 말을 두고두고 생각해 보고 마침내 信仰上의 懷疑를 늣길 적에 어느 날 禮拜堂에서 外交員을 맛나 우리가 거짓말쟁이가 되지 안코 살 수는 업는가고 하엿다.

김:『그러면 당신의 傳道夫人 노릇을 그만두고 내가 外交員을 그만두고 당신이 寡婦 노릇을 그만두고 내가 호라비 노릇을 그만두고 당신은 무명을 짜고 나는 밧을 갈게 되면 우리의 생활이 비로소 참될 것』이라고 하엿다. 그들은 그 후 東大門 밧 어느 오막사리에서 農夫의 家庭을 일윗다.……』

勿論 蔣氏와 李氏의 作品이 모다 初期的 作品인 만큼 神! 天堂의 否定에

는 忠實하엿슬는지 몰으되 그보담 나아가 ××[18]行動에 對한 아무런 暗示가 업섯다.

돌아보건대 朝鮮에도 웨 이리 宗敎가 만으냐. 曰 天道敎, 靑林敎, 普天敎, 太極敎……그것이 아즉도 猖獗해서 때때로 말성이 된다 할진대 우리는 좀 더 이의 正體를 究明하야 兄弟 姊妹의 압해 披露하지 아니치 못할 것이다. 조금 學問에 눈을 뜬 사람이면 宇宙의 歷史가 經濟的(物) 客觀情勢의 推移를 따라 辯證法的으로 變遷하여 온 것을 안다면 모든 宗敎의 『神』과 天道敎의 『物心並行』的 고마까지 折衷에 속을 사람은 업슬 것이다.

(妄言多謝)

---

18 '革命'으로 추정된다.

中國文壇의 新作家 巴金의 創作態度[01]

丁來東

中國文壇에 『巴金』이라는 『펜넴』이 낫타나기는 一九二九年 『小說月報』 新年號의 『滅亡』이란 中篇小說의 作家로부터일 것이다. 이 『滅亡』은 當時 沈滯되엿든 中國文壇에 크다란 波紋을 일으키엿섯다. 勿論 當時 文壇에서도 一部에서는 맑쓰主義文學이 새로히 擡頭하고 旣成 文壇人들도 相當히 努力하지 안흔 바는 아니엿지만은 그러나 새 思想을 가젓다는 맑쓰主義文學도 口號와 宣傳만은 놉앗섯스나 이러타는 力量 잇는 作品을 내여놋치 못하엿고 新文壇의 老大家인 魯迅도 『野草』라는 小品文(?)集을 出版한 後 約 二年 間[02]이나 創作界에서 沈默을 직히엿든 때요, 다못 老舍, 矛盾[03] 等 멧 作家가 比較的 새로운 內容의 作品을 내여노앗섯스나 그저 그 前 文壇의 延長에 不過하엿섯다. 이 때에 巴金은 創作界에 新場面을 打開하엿섯다. 그의 創作態度는 무슨 生硬한 主義 理論을 作品에 移植한 것도 아니요, 맑쓰主義文

---

01 『朝鮮日報』 1933.2.28, 4면.

02 '間'의 오식이다.

03 '茅盾'의 잘못이다.

學에서와 갓치 한 테一제를 履行하기 爲하야 事實을 千遍一律的으로 解決하며 그려내지 안코 다못 下層社會에 恒 茶飯 잇는 悽慘한 『이야기』 或은 權力者, 財産家의 壓迫에 反抗하는 個人 或은 團體를 그려내는 데 忠實하엿섯다. 그럼으로 그의 小說은 取題 方面에 잇서 퍽으나 多方面이며 그의 短篇小說集 『復仇』, 『光明』 等에는 外國의 題材도 적지 안코 小說의 結局에도 여러 種類의 結末이 잇다. 巴金은 『現代』의 編輯者 施蟄存에게 하는 書間[04] 中에 이러한 一節이 잇다. 『나의 短篇小說의 다른 缺點은 이것일 것이요. 結局 이 恒當 陰暗하야서 讀者의게 一條 出路를 指示한 것이 업는 것일 것이요. 여러 親友들이 恒常 나를 이 點에 對하야 譴責합니다. 이 過失은 나도 承認하지만은 亦是 辯明할 必要가 잇슴니다. 내가 비록 某一種 主義의 信徒이지만은 그러나 나는 決코 說敎者는 아니여서 나는 文章의 結尾에 여러 口號를 加하기를 願치 안하고 그리고 實際上 만은 참 事實은 늘 結束이 퍽 陰暗한 것이여서 나는 己往 죽은 親友들을 살여 내여가지고 口號를 불니며 前進식힐 수가 업소.』 이 簡單한 一節로써 넉넉히 巴金의 創作態度를 엿볼 수가 잇다. 그럼으로 그는 恒常 上流社會人과 下層社會人을 比較할 뿐 아니라 어느 때에는 한사람의 悽慘한 逆境을 自初至終까지 그려내여서 그 逆境의 自身은 反抗이라던지 或은 革命事業에 從事하지 안하얏드래도 그 小說의 讀者의 마음에는 反抗의 心境이 끄러오르고 忿怒의 피가 끄러을르게 하는 反作用을 하는 例가 적지 안타. 이 곳에 巴金의 天才는 파뭇처 잇다고 말할 수 잇다. 그는 勿論 少年期부터 文學에 從事한 者가 아니요, 바로 몃 年 前부터 創作에 從事하엿섯다.

上記의 引例에도 말한 것 가티 그는 『某一種 主義의 信徒』 卽 無政府主

04　巴金, 「與施蟄存書」.

義者엿섯다. 只今도 勿論 無政府主義者다. 그의 本名은 李芾甘[05]이요, 크로
포트킨의 名著를 中譯하엿스며 李石曾의 飜譯한 『夜未央』이란 革命劇을
修改한 作家로서 一般 社會에 널리 알엿섯다 한다. 그의 處女作 『滅亡』은
一九二九年──一九三〇年 間의 中國文壇에서 第一 큰 收穫이엿섯다. 既成
文壇人, 맑스主義文學者 할 것 업시 다 이 作品을 讚揚하엿든 것이다.

그 後로 『死去了的太陽[06]』이란 中篇을 發表하얏섯고 그 後로는 中國 文
學雜誌의 어느 期에나 巴金의 短篇小說, 文章 等이 실리지 안흔 雜誌가 업섯
다. 이에 關하야는 年前에 多少 紹介한 바가 잇섯슴으로 이에 略한다.

巴金의 文壇上 地位로 말하면 아마 魯迅 後의 처음 낫타난 作家라고 말
할 수 잇다. 어느 評家는 露西亞의 볼세빅政府 以前의 作品에 遜色이 업다고
까지 한다. 그는 文章에 잇서서 이러타는 修飾이나 細密한 것을 돌보지 안는
다. 그러나 그의 短篇은 어느 一節을 勿論하고 情感이 흐르지 안흔 곳은 업
다. 엇던 作品은 읽어 나려가면서 피로써 나려간 것 갓튼 感이 업지 안타.

그의 許多히 만은 作品 中에 나는 『奴隷의 마음』을 佳作이요, 力作이라고
헤인다. 『奴隷의 마음[07]은 勿論 現在의 都市를 中心한 作品은 아니다. 그러
나 中國 鄕村에서는 封建制度가 아즉 그대로 남어잇서서 所謂 現在 資本主
義社會의 內幕을 잘 把握한 反動靑年은 在來의 封建制度를 더 一層 擴大하
는 데 新猾氣를 發揮한다. 그러한 內幕에는 別別 慘憺한 黑幕이 만타. 巴金
은 그 契機를 삽아서 銳利하게 描寫하얏다. 露帝政 末에 만은 農奴를 그려낸
作品이 만지만은 奴隷의 內幕, 더구나 中國社會에서만 볼 수 잇는 奴隷의 生

---

05 巴金의 본명은 李堯棠이며, '芾甘'은 그의 자이다.

06 중국어 원제는 '死去的太陽'이다.

07 '』'가 누락되어 있다.

活를 如實하게 그려내 논 作品은 아마 이 作品을 首位로 들 수 잇슬 것이다. 그 뿐 아니라 奴隷의 三代孫이 모든 忿怒를 忍痛하면서 最後까지 反抗에 專力한 것은 이 作品을 奴隷生活의 描寫에만 근치지 안코 一步를 나아가 未來社會를 指示하는 方途의 指針이라고 볼 수 잇다.

巴金의 이러한 創作態度는 非但 아나키즘 作家의게만 創作의 新方途를 開拓한 것이 아니요, 其他 一般 作家의게도 만은 影響이 잇스리라고 밋는다.

이 後 機會를 보아 詳細한 紹介와 硏究를 하는 一方으로 그의 創作을 譯出하야 보려 한다.

(끗)

氷心女士의 詩와 散文[01]

在北平 丁來東

略歷: 本名은 謝婉瑩. 故鄕은 福建. 北平 燕京大學 卒業, 米國에 留學. 最
　　　近까지 燕京大學에서 「中國新文學」과 「戲劇」을 講하엿엇는데 病으
　　　로 因하야 休講中.

著書:

　　　詩集——「繁星」(一九二三年)

　　　　　　「春水」(一九二三年)

　　　　　　「氷心詩集」(最近刊)

　　　小說集——「超人」(一九二三年)

　　　　　　　「往事」

　　　　　　　「姑姑」(最近刊)

　　　散文集——「寄小讀者」

　　　　　　　「南歸」

　　其外에 全集을 刊行 中.

01　『新家庭』제1권 제8호, 1933.8.

【一】

　　중국신시(中國新詩)의 기원을 찾자면 여러 가지 방면이 잇다. 첫재는 중국 고래의 사곡(詞曲)에서 탈화(脫化)한 것을 들 수 잇고 둘재는 외국의 시에서 받은 영향을 헤일 수 잇다. 또 외국에서 들어 온 영향 중에서도 두 가지를 들 수 잇으니 첫재는 일본의 화가(和歌), 배구(俳句)의 영향을 받은 것이오, 둘재는 인도 타고아의 영향이다. 인도 타고아 시의 영향을 말할 때 우리는 빙심(氷心)여사를 잊을 수가 없다. 잊을 수가 없을 뿐만 아니라 중국신시의 한 구각(區角)을 점하고 잇는 빙심여사를 말하지 않을 수 없는 것이다. 빙심여사의 시집 「번성(繁星)과 「춘수」(春水)가 나올 때 곳 一九二三년 당시에 빙심여사의 시와 같이 구시의 탈을 완전히 벗어나고 백화(白話)를 그렇게 아름답게 쓰는 시인은 퍽으나 드물엇엇다. 그의 시는 형식에 잇어 어떠한 정형(定形)을 예상하지 않고 느끼는 대로 쓰는 것이 완연히 나타나며 시를 짓는다고 마음이 우쭐하여지거나 혹은 시어(詩語) 등에 고심한 것 같은 흔적이 조금도 보이지 안는다.

　　이만큼 그의 표현이 자연스럽기는 하지마는 그 반면에 얻은 시는 너무나 평범하고 너무나 산문적이어서 오히려 시미를 더는 수도 많고 또 그의 소시(小詩)는 치밀한 묘사와 표현이 없고 대개의 「아우트라인」만을 적은 것이 많어서 독자로 하여금 그 시경(詩境)을 추구하게 하고 사색하게 한다. 그러자니 그의 시는 자연 두 줄의 한 수(首)도 잇게 되어 경구(警句)와 격언(格言)에 비슷한 시가 많다. 이러한 례의 시를 두어 수 들자면 아래와 같다.

　　　「침묵 속에 승리자의 개가(凱歌)가 충만하엿다」

　　　　　　　　　　　　　　　　　　　　──「春水」十五

「큰바람이 일어나자! 가을 버레 우는 소리 다그친다!」

　　　　　　　　　　　　　　　　──「春水」二七

　그러나 그의 시를 읽어나려 갈 때에는 시라고 부인하지 못할 그 무엇이 잇으니 그것은 곳 중국 당시의 오언사구(五言四句) 곳 이십자 한 수의 시가 절창(絶唱)이 많고 일본의 배구 곳 열일곱자 한 수의 시가 시로서 고위에 처하는 것과 같이 그 간단한 표현 속에는 넘치는 시미가 포함되어 잇는 까닭이다.

　　「물은 동으로 흐르고
　　달은 서으로 떨어지는데
　　시인이어
　　너의 마음은
　　그들을 멈칠 수가 잇는가?」

　　　　　　　　　　　　　　　　──「春水」三九

　그 표현은 이와 같이 퍽으나 평범하고 대범하지마는 한 번 읽고 두 번 읽을수록 시를 읽는고나! 하는 마음이 자연히 일어나는 것이다.
　또 그의 시 내용을 볼 때 그는 이와 같이 동경의 눈으로써 인생과 자연을 추구(推究)하며 자기 주위에 잇는 모든 것을 의혹(疑惑)하고 추구(推究)하고 사색(思索)한다. 이러한 것은 우에 든 몇 수의 시에서도 다소 엿볼 수 잇엇지마는 이 다음에 든 시로서 더 확실히 알 수가 잇다.

　　「나의 마음이어!
　　어제 너는 나더러

세게는 깃검이라드니

오늘은 또 세게는 실망이라고

래일의 말은

또 무엇인가?

도무지 믿을 수가 없구나!」

　　　　　　　　　　　　——「繁星」一三二

「류성(流星)은——

그저 인류의 공중에서만 빛난다.

그는 암흑에서 나려와서

또 암흑으로 나려간다.

생명도 이같이 분명치 못한 것인가?」

　　　　　　　　　　　　——「春水」六十

　이와 같음으로 일반 평가들이 빙심녀사의 시를 평하면서 철리시(哲理詩)
라고 하는 것도 그리 근거 없는 평은 아닐 것이다.

【二】

　그러나 한 시인의 시를 어느 한 파로 구결하야 명명(命名)한다든지 혹은
한 방면으로 몰아붙여서 평하는 것은 그 시인에 대하야 너무나 가혹도 하거
니와 또한 적확한 평이 되지 못할 위험성이 잇는 것이다. 대개 빙심녀사의
시를 철리시(哲理詩)라고 하지마는 그의 시 전부를 철리시라고 하는 것은 너
무나 국부적 평이라고 하지 않을 수 없다. 물론 시인의 사상(思想), 성격(性格)

에 따라서 각각 사물(事物)을 관찰하는 방면이 다르고 그 관찰하는 정도에 잇어 심천(深淺)이 잇을지언정 한 시인이 한 종류의 시만을 쓰는 례는 퍽 드물다고 볼 수 잇다.

빙심녀사의 시의 특증으로 자연과 인생을 동경의 눈으로써 관찰한다는 것을 우에서 잠간 말하엿거니와 그의 시에서 또 한 가지 느끼게 되는 것은 그의 시를 읽는 순간에는 깨끗한 바우 틈을 흘러가는 맑은 시내물과 같이 조금도 불결한 것, 불순한 것을 느끼지 않는 것이다. 빙심녀사는 이러한 아름다운 마음을 가지고 잇는 것을 알 수가 잇다. 인간의 암흑면을 조금도 경험하지 않은 것 같은 순결한 소녀의 마음을 그대로 가지고 잇는 것을 알 수 잇다. 그 마음은 백옥(白玉)이나 금강석같이 틔끌도 뭇지 않거니와 오점(汚點)도 물들일 수가 없는 것 같다.

> 들 가운데 백합화는
> 그저 자연만이
> 너의 벗이지!
>
> ——「春水」五五

이 소시는 시인 자신의 고결한 심경을 그 얼마나 잘 표현한 것인가? 이런 종류의 시를 또 한 수 들어보자.

> 버들가지 날 때면
> 제비가 오고요
> 갈꽃이 날 때면
> 제비가 가지요

그들은 다 결백하지!

——「詩水[02]」六三

그러나 그의 이와 같이 아름답고 깨끗한 반면에는 또 강직하야서 굽힐 수 없는 의지가 잇는 것을 알 수가 잇다. 이 시인의 그 자연과 인생을 동경하는 마음, 그 결백하고 순결한 마음은 붉은 꽃이나 푸른 잎과 같이 연약하게 아름다운 마음이 아니요, 백옥이나 금강석과 같이 투명하고 순결하고 강직한 미(美)를 가지고 잇는 것을 알 수가 잇다.

그러므로 그의 시에는 다른 여작가들과 같이 회억(回憶)에 잠겨서 애수한다든지 혹은 염세의 퇴페(頹廢)적 경향이 적고 어듸까지나 용감스럽게 전진하고 주위 환경에서 벗어나려는 힘이 보인다.

「청년이어!
그저 회고만 하는가?
이 세상은 끊임없는 전진이라네.」

——「春水」八七

「적막은 울울함을 더하고
바쁜 것은 번민을 던다네——
나의 벗이어!
쾌락은 쉬지 않고 일하는 데 잇다네.」

——「春水」七六

---

02 ‘春水’의 잘못이다.

「물결이 더욱 커지면
잔뜩 섯는 반석은
잠자코 바수고 잇는 속에
쾌락도 또한 더 크다네.」

──「春水」 一一二

　이러한 경향은 당시 중국문단에 과거의 일체를 부인하는 사상, 곳 구사상, 구습관, 구제도에 반항하고 자유를 찾으며 해방을 부르짖고 전진을 고함치든 사상이 미만하엿든 까닭도 잇을 것이오, 이 시인의 성격이 그러한 방면을 깃거하는 관게도 많은 까닭일 것이다.

　그는 녀성인 만큼 많은 녀성 독특한 심경을 그린 시도 많지마는 그가 자유를 사랑하고 무력(無力)한 것을 가련히 여기고 기ㅅ발을 높이 들고 전진하려는 용기 잇는 시가 허다히 많다,

「반듸는 자유스럽게 날아간다.
힘없이 남아 잇는 연꽃이어!」

──「春水」 四八

「해방되지 않은 행위는
자유의 사상을 만든다네!」

──「春水」 四六

「기발을 바로 들어라
총명한 선구자여!」

──「春水」 四四

그는 그저 이와 같이 고함만 치는 것이 아니요, 이 암흑한 세상을 가는 데에는 상당한 「의지」와 「자신」이 잇어야 할 것도 각오하고 잇고 언제나 분투하고 고전(苦戰)하여야 한다는 각오가 충분히 잇는 것을 그 시의 곧곧에서 발견할 수 잇다.

> 「충명한 사람아!
> 이 막막한 세상에선
> 다못 「자신」(自信)의 등을 들고야만
> 암흑 속을 진행할 수 잇다네.」
>
> ——「春水」九十

> 「청년의 어깨에서
> 무거운 짐이 급작이 나려질 때
> 그의 용감한 마음은
> 적막하야 슬퍼진다네.」
>
> ——「春水」百

> 「선구자여!
> 앞길을 정하엿거든
> 부대 머리를 돌리지 마소!
> 한 번 머리를 돌리량이면
> 영혼 속에 숨어 잇든 비겁(卑劫)이
> 그대를 멈춘다네.」
>
> ——「春水」一五八

그의 이와 같이 용감하게 나어가고 악전고투하는 것은 다 누구를 위하는 것인가?

> 「선구자여!
> 당신은 중생(衆生)을 위하야 전도를 개척하는 거라오.
> 당신의 마음띄(帶)를 단속하세요!」
>
> ──「春水」 二二

또한 시인의 임무는 무엇인가?

> 「시인이어!
> 붓대를 삼가하소!
> 중상의 번민은
> 그대의 위안을 기다린다네.」
>
> ──「春水」 一九

그러나 어떤 때면 시인을 퍽으나 힘없는 것으로 본 때도 잇다.

> 「청년이어!
> 그대 바람같이 날지 못하량이면
> 산같이 조용히 앉엇소.
> 뜬구름같이
> 힘없는 생애는
> 그저 시인의 자료(資料)밖에 안 되는 거라네!」
>
> ──「春水」 三

그러나 그는 어듸까지나 한 개의 시인이요, 사회의 상에 대한 확호불발할 무슨 신념이 잇는 것은 아니엇다. 그러므로 혹 어느 때에는 이러케도 늦기지마는 또 혹 어느 때에는 그와 정반대되는 사상을 표현하는 때가 잇다. 그는 어느 때에는 「중생」을 위하야 분투하고 전진한다고 하엿지마는 다음 순간에는 개인주의의 경향 혹은 독고(獨高)하야 이 세상 중생과 보조를 달리하는 의미의 시도 읊은 것이잇다. 또 이 인간 현실에서 만족을 구하지 못하고 꿈속을 그리워하며 현실을 떠난 환상에서만 자긔의의[03] 상을 발견활 수 잇는 것을 말할 때도 많다.

> 「나의 벗이어!
> 나는 따라오지 마소.
> 나의 심영(心靈)의 등불은
> 나의 전도만을 빛윈 것이라네!」
>
> ──「春水」一一四

> 「꿈속에서 잘 놀게나!
> 그 곳에만
> 자유의 웃음
> 솔직한 마음이 잇다네.」
>
> ──「春水」一四○

---

[03] 오식이다.

【三】

우에서도 말한 바와 같이 그의 시는 우에 예거한 종유의 것뿐만 아니라 여러 가지 방면의 시가 많다. 그러므로 혹 어떤 평가는 그의 시상이 불순(不純)하다고까지 말한 사람이 잇다. 아래에 그 시상이나 시어에 잇어서 그의 독특한 일면을 나타내는 몇 수 시를 역출하고 그의 시에 관한 소개를 끊으려 한다.

「침묵하자!
이 무궁한 세상에서
미약한 나로서
본래 미소만 하여야지
호언(放言)해서야 되겟는가.」

　　　　　　　　　　　　　　　　——「春水」一三七

「버들가지 깍아 돛대 만들고
연꽃으로 편주 지어——
우주 속에 적으나 적은 영혼을 실고
슬슬 봄 바다로 떠나가세.」

　　　　　　　　　　　　　　　　——「春水」一五四

「바우밑 음침한 곧
바다 물결 깊은 곧에서
낙시줄 드리고 혼자 낙시질하네.

고기야!
오지 않어도 좋다.
나는 벌서 파란 물속에서
시취(詩趣)를 낚앗단다.」

──「春水」一六二

「나의 벗이어
돌아다니지 말고 앉엇소.
그림자 물속에 떠러저
행여나 노는 고기 놀래게 하리.」

──「春水」一六五

이런 시들은 그 얼마나 아름다운 시들인가!

【四】

빙심녀사의 산문은 그의 시가가 중국 신시단의 한 구각을 점하고 잇는 것과 마찬가지로 산문 방면에도 역시 한 이채를 띄우고 잇다.

중국에서 백화문학을 제창한 이후로 산문 방면은 시, 소설, 희곡 방면보다 더 일층 진보하엿다는 것이 일반의 평이다.

이 산문은 시, 소설, 희곡에 비교하야 과거 문학사상에 백화 산문의 예가 퍽 적음으로 더욱 곤난을 느껏든 것이다.

그런데 周作人, 魯迅, 徐志摩, 陳西瀅, 孫福熙, 兪平伯 等 많은 문사와 및

빙심녀사는 이 가장 어렵다고 생각하든 산문 방면을 개척하엿섯고 지금에 잇서 거이 완성하엿다고까지 말하게 되어 잇는 정도이다.

빙심녀사는 이와 같이 산문작가 중에 중요한 한 사람이다. 그의 산문집으로는 「寄小讀者」와 「南歸」 두 권이 잇고 최근에 또 산문집이 발간되엇다는 소식이 잇다.

「寄小讀者」는 빙심녀사가 미국 가는 도중에서부터 재미생활 등을 아동에게 알리는 감상문이다. 그 체재는 편지체로 전부 되어 잇서서 더욱 친근한 맛을 주고 잇다. 우리는 그의 시가에서 녀성의 완곡하고 우미한 감정에 접할 기회가 적엇섯지마는 이 아동을 상대하고 쓴 작품에서는 얼마든지 모성에, 동심(童心), 순정(純情)을 느끼게 된다.

특히 그의 자연 묘사에는 다른 작가의 및지 못할 점이 많다.

「南歸」는 자긔 모친이 병에 걸려서 북평에서 고향으로 간 후의 감상문이다.

우리는 「남귀」를 보면 그의 가정이 얼마나 원만하엿으며 그 부모가 얼마나 화평한 사람들이란 것을 알 수가 잇다.

그 가정은 중류 이상의 가정이다. 역경이 없는 가정이다. 그러므로 우리는 그의 산문에 심각한 인생을 불 수는 없다.

그러나 미만한 녀성이란 이런 것인가 하고 감탄하게 된다.

그의 시를 소개하면서 편폭이 너무 길어저 그의 미문을 한 편도 역재하지 못하게 된 것이 퍽 유감이다.

(끝)

詩歌에 낱아난 新中國의 悲哀[01]

盧子泳

　어느 나라를 勿論하고 그 나라의 國家的 悲哀가 없는 나라는 없을 것이다. 그러나 오늘 날 中國과 같이 受難과 悲哀에 쌓인 나라도 그 例를 보기가 어려울 것이다. 年中行事로 해마다 멧 번式 國內戰爭을 일으키는 軍閥들의 暴狀, 끈임 없이 侵潤하는 帝國主義者들의 魔手, ○○事變, ○○事件, 共軍의 猖獗, 大飢饉, 大洪水, 西南의 反目, 東北의 反目, 이리하야 꽃피고 기름저야 할 中國의 江山이 피로 물드리고 눈물로 적시고 한숨으로 덮어버렷다. 언젠들 그 江山에 銃소리 않들닐 때가 잇으며 헛터진 屍體가 없을 때 잇엇든가. 그네들도 눈물 잇고 피 잇는 사람들이라, 應當 그네들의 가슴에는 悲哀, 悲憤, 咀呪, 恐怖 等 모든 感情이 용소슴하고 물ㅅ결처 흐를 것이다. 그렇나 그네들의 悲哀를 우리의게 말치 아니하니 알 길이 없거니와 여기는 新中國의 文人으로써 詩歌에 써 잇는 그네들의 悲哀와 呼訴를 들어보기로 하자. 그렇나 筆者의 淺識과 材料 蒐集의 困難과 紹介의 不自由 等으로 充分히 쓰지 못하는 것은 讀者 諸氏의 海諒을 바라는 바이다.

01　『新東亞』 제3권 제8호, 1933.7.

黃河와 楊02子江03(叙事詩)

郭沫若

(郭沫若은 前年 人氣 投票에 一位를 點한 사람으로 現 中國作家에 第一人者이니 이 詩
는 中國의 內亂을 諷刺한 것으로 매우 有名한 詩라 한다.)

黃河와 楊子江은 中國을 貫流한 후 黃海에서 우연히 맛나게 되
엿다. 그들은 黃海 한 中央에서 이렇한 니야기를 始作하엿다.

(黃河) 여보, 兄弟. 오래간만이구려.

(楊子江) 아, 黃兄. 우리가 崑崙山에서 서로 떠나 兄은 北으로
나는 南으로 가게 되엿드니 여기서 두 번 맛나기는 참말 뜻밧
기구려.

(黃) 아, 말하기는 좀 어렵지마는 兄은 北方사람이 얼마나 苦生
하는 것을 몰으시겟지오. 나는 黃土(地名)를 지나서부터는 血
水 까닭에 숨이 막힐번 햇구려. 北方사람들은 요새 하로도 피
를 흘니지 않은 날이 업서요. 그들은 품에 「毒菌」과 「菌隊」를
품고 잇지오. 이 毒菌과 菌隊는(軍閥을 稱함) 晝夜 間斷없이 서
로 죽이고 서로 물어서 그들의 피에 내가 뭋이게 되엿구려. 참
氣가 막히지오.

(楊) 兄, 南方도 마찬가지라오. 兄이 보다싶이 내 몸도 피투성

---

02 '揚'의 잘못이다. 아래도 마찬가지다.

03 중국어 원제는 '黃河與揚子江對話'이다.

이가 안이오. 내가 四川省을 지나 올 때에 많은 사람들은 눈물을 흘립듸다. 그들의 血液은 毒菌과 菌隊(軍人을 稱함)의게 吸收되여 那終은 몇 방울 눈물밧게 아니 남두구려. 내가 洞庭湖를 나려올 때에도 피를 보앗고 鄱陽에서도 보앗소이다. 途中 處處가 모다 血水로써 那終은 내 몸까지 피투성이 되여 피스비린내에 죽을번 햇서요. 그 菌隊와 菌隊들은 人肉을 못 먹어 서로 싸우고 서로 야단입듸다. 그래서 죽기도 많이 햇지오. 나는 屍體까지 몇 萬個 運搬햇소이다.

(黃) 그렇슴니까? 참 생각이 남니다. 「赤縣」이란 것은 이렇한 것을 意味한 것이 않일가요? 나는 넷날에 中國을 「赤縣」이라고 불넛다는 말을 들엇소이다. 끊임없이 붉은 피로 물드린 土地? 中國의 歷史는 一部의 流血史라고 하겟지오. 나는 有史以來로 恒常 보고 잇지만은 流血은 참말 끈일 때가 업서요. 「赤縣」이라는 말은 참 잘된 말임니다.

(楊) 참 그럿슴니다. 그렇나 中國도 넷날 一時는 繁榮햇다오. 偉大한 思想家도 나고 藝術家도 輩出햇지오. 이 少數의 사람들은 中國 國史上에 燦爛한 꽃을 피우기 위하야 매우 心血을 傾注햇다오. 그래서 「中華」니 「赤縣」이니 하고 불넛지오. 그렇나 現在는 얼마나 悲慘함니까? 燦爛히 피엿든 「文化」의 꽃은 모다 떠러저 바리고 流血의 天地가 되엿지오. 아, 불상함니다. 이 「中華」의 大民族은 그만 그 「毒菌」에 먹혀버린 셈임니다.

(黃) 그렇지 안소. 그 災禍는 自己가 모다 招來한 것이지오. 그들은 古來 思想을 誤解하고 外來思想을 不消化 그대로 먹어버렷슴니다. 그들의 祖先은 「싸우지 말나」하고 不義에 戰爭을

反對하도록 敎訓하엿지오. 또는 惡魔의 義戰에도 反對하엿슴니다. 그의 祖先이 너머도 「愛의 哲學」을 高潮한 結果 人類愛도 여긔서는 마참내 害蟲을 사랑하고 惡魔까지 사랑하게 擴張되엿지오. 그들은 毒蛇를 보아도 따려 죽이려고 하지 않고 도리혀 부처님이라고 절하게 되엿다오. 그들의 親友 中에는 蠅, 蚋, 靑蠅, 蚤, 虱, 臭蟲 等 수두룩하지오. 그렇나 그들은 이것을 하나도 驅除하랴고는 아니하고 도리혀 그 惡蟲들의게 自己 몸둥이를 내여 맛기고 죽게 되여도 도리혀 菩薩이라고 절만 햇다오. 얼마나 어리석슴니까?

(楊) 그렇나 兄은 그 外에 이렇한 것을 아서요? 요새는 一群의 畸形兒가 생겨낫다오. 그들은 流血을 무서워하고 또는 毒菌 驅除를 그만두라고 宣傳한담니다.

(黃) 그렇슴니까? 그렇나 그들의 毒은 아직 完全히 傳染되지 않엇겟지오.

(楊) 그렇지오. 그렇나 그들은 사람의 腦에 毒菌를 培養식히고 菌隊 驅除에 障害를 식힌다오. 무엇보다도 强烈한 消毒劑로 이 모든 毒菌을 滅殺식히지 않으면 않되겟서요. 一切의 小手段, 一切의 宗敎的 行爲, 護符의 迷信, 偶像, 妄言을 吐하는 巫男 巫女, 이 모든 것을 자최도 없이 掃除해 버리고 그 菌隊를 驅除해 버린 後 새로운 土臺를 세우지 않으면 안되겟서요.

(黃) 참 자미잇는 말임니다. 그렇나 나는 나히 늙엇으니 所用이 없고 兄은 나보다 젊으니 힘껏 좋은 方法을 案出하야 많이 活動해 보구려.

(楊) 고맙슴니다. 그렇나 兄은 나와 둘 없는 좋은 친구이니 우

리 協力하여 그들의 迷夢을 깨처줍시다.

黃河와 楊子江은 이렇한 이야기를 한 후 둘이 一體가 되여 그 半分은 水蒸氣가 된 후 昇天하엿다. 그들은 間接的 暗示로써 모든 사람을 깨우치고 直接的 音聲으로써 모든 사람들을 불너내엿다.

그들은 눈과 우박이 되여서 大地에 나리며 사람들의게 불우지젓다.

「그대들아! 一刻이라도 빨리 榴散彈을 가지고 毒菌隊의 머리를 부서버려라!」

그들은 다시 구름과 번개가 되여 모든 사람들의게 暗示하엿다.

「그대들은 빨리 陳涉, 吳廣과 같이 旗를 들고 불을 켜고 毒菌隊와 싸우라.」

그들은 다시 雷聲이 되여 모든 사람의게 소래처 불럿다.

「깨라! 일어나라! ○○[04]行動을 하라!」

그들은 또 暴風과 회오리바람이 되여 모든 사람들의게 소래처 불넛다.

「○○[05]하라! 깨라부!시라![06] 일하라!」 그들은 사람이 일어나지 않을 때 비가 되여 눈물 흘니고 깨지 않을 때 바람이 되여 痛哭하엿다. 이리하여 모든 사람은 깨여 일어나게 되엿다.

---

04 중국어 원문에서는 '直接'인바, 저자는 자의로 '혁명'을 연상시키고자 한 것으로 보인다.

05 중국어 원문은 싸우라는 뜻의 '殺'인 바, 여기서 저자는 자의로 '혁명'을 연상시키고자 했던 것으로 보인다.

06 '깨라! 부시라!'의 오식이다.

黃河와 楊子江은 一年 동안이나 浩漠한 大黃海 中에서 終日
終夜 銅鑼를 두다리며 노래하엿다. 그 노래는 黃河와 楊子江
을 올으고 나리며 또는 모든 支流로 퍼저 나갓다. 그리하여 그
銅鑼聲의 노래는 全 中國에 퍼지게 되엿다는 것이다.

(世界詩選에서)

白暴歌[07]
章衣萍

(이 노래는 甚酷한 軍閥들의 內亂으로 모든 것에 希望을 잃고 술이나 먹고 그 괴로움을
잊어보자는 노래인대 作者 章衣萍은 中國 現詩壇에 知名의 士라 한다.)

술을 마시자 한숨에 꾹—마시자!
슬어저 가는 煖爐 넢 타다 남은 불덩이
눈을 감고 그 꿈속에! 안개 같이 깊은 꿈을

술을 마시자 한숨에 꾹 마시자!
저 하날 높다마는 날개 없는 이 몸이니
어이하리 저 별 보게 永劫의 푸른 별을

---

07 중국어 표제는 '醉酒歌'로서 『語絲』 제54기, 1925.11.23에 발표, 나중에 衣萍 시집 『種樹
集』, 北新書局, 1929에 수록된다. 그리고 여기서는 시의 부분 내용만이 번역되어 있다.

술을 마시자 꾹 한숨에 마시자!
東에서 西에서 밤낮하는 그 戰爭!
피와 肉이 썩어저 이 江山을 채웟나니!

술을 마시자 한숨에 꾹 마시자!
술만 깨면 공연히 슯어지는 이 가슴
어이하리 이 가슴 남타 남은 그 재빗!

(中國詩人選에서)

一輪花[08]
聞一多

(이 詩는 南北戰爭으로 많은 사람들의 愛人과 愛妻를 잃은 苦痛을 노래한 것이다. 作者
聞一多는 中國 新詩壇에서 잇다금 일홈을 볼 수 잇는 軟派 作家 中에 하나이라 한다.)

彼女는 슬어젓네 한 떨기 꽃같이
아참 안개 뭉키인 그 꿈속에 잠자나
어이써 잊으리 이 가슴에 숨여든
한 줄기 빛나는 그의 香氣를…….

잊어볼가? 그를 한 떨기 꽃같이

---

08 중국어 표제는 '忘掉她'이다.

봄바람에 잠기인 一齣의 꿈?
꿈속에 들니는 먼 鍾소래 같이
잇으리 눈을 감고 그를 잊을가?

어엽분 一輪花! 나의 사랑아?
어이써 잊으리 이 몸에 숨은 그 香氣!
그 무덤에 푸른 풀 가울 바람에 시들 때
蟋蟀의 우는 소래 그대의 생각……….

(世界詩人硏究에서)

戰死兵
陸志韋

(이 詩는 題目과 같이 內亂에 죽은 兵士를 弔喪하는 詩이니 作者 陸志韋는 中國 新詩壇
에서 硬派 中에 하나이나. 그리 일홈 잇는 사람이 아닌 듯하다.)

臺城下有一個新墳, 墳上寫的……
『陸軍○[09]師步兵某團[10]某連某棚副兵
某人, 河南信陽州人』
重壓하다 ××![11]

---

09 중국어 원문은 '某'이다.

10 '某營'이 누락되어 있다.

11 '制度'이다.

불상히 죽은 兵士여! 내 어찌 너를 책망하리! 배곮고 먹을 것
없서 너는 그 兇惡한者의 압잡이가 되엿섯나니

그들은 너를 얼거매고 종을 삼고
그리고 피 빠라먹는 싸홈에 너를 죽엿다.
불상한 生命아! 배부르게 먹지도 못하고
路傍에 허터진 屍體여 피투성이 된 哀鬼여!

내 너를 어찌 殺人者라 일홈하리
너는 殺人도 몰으고 掠奪도 몰으고
주림을 참아가며 萬人의 손꼬락 아레
嘲笑와 모욕 받어섯스리!

지금은 臺城路傍의 土饅頭보다도
보잘 것 없는 무덤이여 너의 죽음터여!
나는 이제 보지 못한 너를 弔喪하노라 우노라.

아, 恩義에는 道가 잇고 怨忘에는 主가 잇다.
불상한 蓬髮居士 피투성이 된 哀鬼여!
너는 中國人의 괴로움을 알고나 자는지!

(支那詩人集에서)

(以下 一百八十行 不得已 略)

中國의 女流作家[01]

丁來東

一. 緒言

본래 작가를 남작가이니 여작가이니 하고 구별하야 논할 것이 없는 것이다. 그러나 혹 편이상 남녀를 구별할 수는 잇다. 여작가를 떼어서 따로 논할 때에는 일반의 예로 비추어 보아 그 창작의 수준이 족곰 낮드래도 될 수 잇는 대로 떠받히어서 평하는 수가 많다. 이렇게 되는 것은 여자해방의 역사가 오래되지 못한 만큼 일반 여성의 지력이 일반 남자에 비교하야 저하하고 또 사회적 속박이 남자보다도 더 심하엿음으로 만약 출중한 여작가가 출현할 때에는 다소 신기한 눈으로 대하게 되엇섯고 같은 수준의 남자보다 더욱 우대하게 되엇든 까닭이다. 그러나 지금과 같이 남녀의 교육이 평등하고 사회적 입장이 동일한 이상 벌서 그런 구별을 할 필요가 점점 없게 될 것이다.

중국에서 여류작가를 논한 서적은 신구를 물논하고 퍽 많으나 역시 우에 말한 우대의 범위를 벗어나서 남작가와 같은 정도로 논할 서적이 퍽으나 드물다. 여작가에 대한 또 한 가지 폐해는 글 쓰는 여자가 혹 문사의 부인이거

---

01 『新家庭』 제1권 제10호, 1933.10. 목차에는 '中國의 女流作家에 對한 總評'으로 표제가 되어 있다.

90 '한국근대문학과 중국' 자료총서 ⑫

나 혹 출판업자의 친우거나 되는 때에는 그 작품의 좋고 낮고를 막론하고 인쇄되어 시장에 나오게 됨으로 역시 다른 문예작품과 동일한 수준으로 평하기가 곤난한 때가 많다. 또 여작가가 어느 문학단체와 관계가 잇다든지 혹은 문학단체인과 친척이거나 친우이거나 하면 그 여자의 작품을 서로 치고 떠받히고 하야 일반문단에 문제를 일으키어서 완연히 대가(大家)같이 꾸며놈으로 그런 소개문이나 평문만을 보고 그 작품을 실지로 보기 전에는 평자의 눈이 부시부시하야 옥석을 구별하기가 어려운 경우가 많다. 딴은 이러한 폐해 쯤이야 남작가 간에도 흔히 잇는 일이지마는 유독히 여작가에게 심하다는 것이다.

가령 청대의 여문학사(淸代女文學史—謝无量 著)[02]를 보면 작가가 구백여인이나 된다.

그러나 당시의 남작가와 비견할만한 작가가 몇 사람이나 되는가 하는 데에는 많은 의문이 잇을 것이다. 또 근래에 잡지사 등에서 중국 현대 여작가 전호(專號) 등을 낼 때에는 수십인 근 백인이나 드는 예가 잇다. 그러나 그 중에는 거개 일반문단에서 이름이 없는 사람들이 많고 또는 문학 이외의 과학을 연구한 사람들까지 많이 섞이어 잇다. 중국문단에서 서적을 일, 이권 출판한 여자라든지 신문 잡지에 작품을 발표한 여자 수를 계산하면 삼십여인이나 된다 한다. 그러나 그 중에서 남작가와 비등한 여작가를 골라보면 몇 사람에 불과할 것이다.

대개 중국 여작가를 논할 때 이상과 같은 여러 가지 곤난이 끼어 잇음으로 필자는 그 중에서 비교적 일반 남작가와 그리 차이가 없는 여작가를 몇

---

02 정보가 잘못되었다. 謝无量의 저서는 『中國婦女文學史』(中華書局, 1916년 10월 초판)이며, 『淸代婦女文學史』(中華書國, 1924년)의 저자는 梁乙眞이다.

사람 골라서 이에 소개하기로 하고 그 외의 작가는 각 부문에서 그 이름만을 드는 데 그치려 한다.

중국 여작가 중에서는 아직까지 문단에서 이름이 쟁쟁한 노신(魯迅), 파금(巴金), 곽말약(郭沫若), 욱달부(郁達夫), 모순(矛盾[03]), 전한(田漢), 웅불서(熊佛西), 주작인(周作人) 등과 같이 출중한 작가가 나지 못한 것이 유감이다. 그러나 시단에 잇어서 빙심(氷心), 평매(評梅)여사라든지 소설에 잇어서 려은(廬隱), 정령(丁玲), 록긔(綠漪), 숙화(叔華), 원군(沅君)여사라든지 희곡에 잇어서 백미(白薇)여사라든지 소품문(小品文)에 잇어서 학소(學昭), 오서천(吳曙天) 여사 등은 일반 작가들과 그리 차이가 없다고 볼 수 잇다.

또 일반으로 중국 여작가의 문학부문의 경향을 본다면 흔히 연애서간(戀愛書簡)식 창작을 발표함으로써 문단에 이름을 내는 작가가 많고 그 다음에는 소설을 쓰는 작가가 비교적 많다. 중국에 잇어서 시사(詩詞) 방면은 문인으로서 거개 시험하는 습관이 잇지마는 근래에 와서 시가를 전문으로 쓰는 여작가가 퍽 적으며 희곡 방면에는 더욱 적어서 백미여사 이외에는 제이인을 찾을 수가 없고 소품문, 수필을 전문으로 쓰는 여작가도 적고 평단(評壇)에 잇어서는 거위 한 사람도 없는 현상이다.

이제 여작가의 취제(取題) 방면을 분류하여 본다면 그 대부분이 (一) 남녀의 애정, (二) 과거의 회억, (三) 청년시대의 고민의 호소, (四) 일상가간소사(日常家間小事) 등이요, 사회문제, 사회운동, 여자의 해방요구 등 내용을 가진 작품이 퍽으나 적다. 그 중에서 다소 주의되는 것은 려은여사의 일부분 소설에서 중국 부녀해방운동과 사회문제, 공포시대(恐怖時代), 주의운동(主義運動) 등 내용을 엿볼 수 잇는 것과 백미여사의 희곡에서 중국의 변란 곳 곽송령(郭松

---

03 '茅盾'의 잘못이다.

齡)의 변, 상해(上海)사변 등 내용을 볼 수 잇는 것이다. 또 정령여사가 최근에 볼세비즘운동을 하다가 그 생명을 희생하엿다는 보도가 잇으나(혹은 이 사실을 부인함으로 그 진상을 알 수 없거니와) 그의 작품에서는 이렇다는 것을 볼 수가 없다.

二. 詩歌

중국 과거의 부녀문학사를 본다면 소부분의 수필(隨筆)을 제하고는 그 대부분이 시가에 관한 것이엇다. 중국의 부녀는 그와 같이 시가에 접근하엿든 것이다. 또 과거의 중국 문학형식(文學形式)을 고찰하여 보면 시가를 제한 외에는 감정을 주로 한 문학형식이 없엇든 것이다. 그러므로 많은 문학부녀가 자긔네의 성격에 적합한 시가의 길을 밟은 것도 당연한 일이엇을 것이다. 현중국 여작가가 많이 서간체소설을 발표한 것으로 보드라도 과거 급 현재까지의 부녀들이 그 감정을 표현하기 쉬운 문학형식을 취한 것을 알 수가 잇다. 이와 같이 과거의 중국부녀는 중국시가에 많은 이채를 띄웠든 것이다.

현대의 중국 여작가들도 시를 쓰지 않은 작가가 드물다. 우에서 말한 것과 같이 시를 전문으로 쓰는 작가는 적지마는 소설, 희곡, 수필을 쓰는 여작가들도 시를 쓰는 예는 많다. 이러한 예를 들자면 역사를 전공하는 진형철(陳衡哲)여사, 소설가인 금여사(淦女士) (본명은 馮淑蘭), 희곡작가인 백미여사들이 시를 쓰는 것 등일 것이다.

중국 신시단에서 가장 이름을 떨친 여시인은 먼저 필자가 「신가정」에 소개한 빙심여사일 것이다. 빙심여사의 시에 관하여는 먼저 번에 비교적 상세히 기술하엿음으로 여기서는 략하기로 한다.

중국 문학혁명 당시에는 많은 여자들이 신시를 썻엇든 것이다. 지금에 기억되기로는 지주(智珠)여사, 석평매(石評梅)여사, 소매(蘇梅)여사들이다. 이 중에서 석평매여사는 발서 옛 사람이 되엇으나 그의 시는 신구를 물논하고 평이 높앗든 것이다. 평매여사는 신보(晨報) 문예난 등에 수필도 쓰고 소설도 더러 발표하엿으나 그의 시와 같이 유명하지 못하엿섯다. 소매여사는 소설 작가로서는 녹의여사라는 필명으로 이름이 잇고 그의 시도 상당히 평판이 높다.

여작가의 시집으로는 빙심여사의 시집을 제한 외에 진형철여사의 「꿈과 希望」, CF여사(본명은 張近芬)의 랑화(浪花), 노사(露絲)여사(본명은 林錫棠)의 「성야(星夜)」, 우염(虞琰)여사의 「호풍(湖風)」 등이 잇다. 노명(露明)여사[04]와 같은 작가는 특히 영시에 연구가 깊어서 에드가·알람·포—의 「가마귀」의 오역(誤譯) 등을 지적한 일까지 잇엇다.

이외에도 신문 잡지에 시를 발표하는 여자가 많으나 다 일일히 들 수가 없고 중국시단에 이채를 나타낸 여시인이 아직까지 나오지 않은 것이 유감이다. 이것은 비단 여시인 뿐만 아니라 현재 중국의 신시단은 참으로 침체상태에 잇는 것이 사실이다.

끝으로 첨가할 것은 현대여성으로서 구시가를 쓰는 여작가들에 관한 것이다. 청말의 여혁명가 추근(秋董)여사는 또한 비분감개한 여시인이엇섯다. 그의 표현형식은 물논 신시가 나기 전임으로 고시의 형식을 취하엿든 것이엇다. 현대여성으로도 중국 고시사(古詩詞)에 연구가 깊은 작가도 많고 실지에 쓰는 작가도 허다히 많지마는 지금 문단에는 그런 작품을 발표하는 기관이 없고 또 그들의 작품은 현대 사상, 감정과 차의가 많음으로 그런 숨어 잇

---

04 실은 중국의 현대 작가이자 문학연구자였던 趙景琛(1902~1985)의 필명으로서 여류작가가 아니다.

는 여시인의 작품은 우리가 접할 기회가 없다.

三. 小說

여류작가의 소설 방면을 보면 장편소설은 퍽으나 적어서 점[05]령여사의
「위호(韋護)」, 소품문(小品文)으로 이름이 잇는 진학소 여사의 「南風의 꿈」이
잇고 또 일긔체로 쓴 려은여사의 「귀안(歸雁)」이 잇다. 이 세 개 작품은 소설
로서 완성한 작품이라고 볼 수 없다. 정령여사의 「위호」는 무정부주의자인
여성과 맑쓰주의자인 남성 사이에 일어난 연애 관게를 그려낸 것이다. 본래
정령여사는 무정부주의자라고 하엿는데 후에 호야빈(胡也頻)이란 문인과 연
애를 하여가지고 자긔 사상에 변동을 일으킨 여자다. 상해에서 호야빈과 홍
흑(紅黑)이란 잡지도 간행한 일이 잇엇고 그 후에 「北斗」라는 잡지를 편집한
일도 잇엇다. 호야빈이 죽은 후에 다른 맑쓰주의자와 연애를 하다가 이 번에
우에 말한 참변을 당하엿다는 것이다. 정령여사의 작품의 특색은 연애의 경
험이 많은 관게인지 연애시대의 여성심리(女性心理)를 잘 묘사하는 데 잇을
것이다. 여자심리 묘사로는 중국 소설게에서 그리 빠지지 않을 것이다. 그의
이러한 특색은 단편소설에서도 엿볼 수 잇다. 진학소여사의 「남풍의 꿈」도
역시 「불란서」 유학시대에 일어난 다각연애를 그려낸 것이다. 그러나 이 장
편은 쓸 데 없는 장면이 너무 많하야서 일반의 평은 그리 좋지 못하다. 려은
여사의 「귀안」 역시 「실연」, 「재연」(再戀)을 그린 것이나 그 묘사의 심각한 점
으로는 다른 여작가로서 밎이지 못할 바이며 사형수에 대한 감상의 일절에

---

05 '정'의 오식이다. 아래도 마찬가지다.

이러한 말이 잇다.

> 「………아! 무엇이 정의고 무엇이 인도이며 누구는 또 영웅이
> 고 누구는 또 반역자이겟는가! 결국은 다 자리(自利)한 결과이
> 지! 얻은 놈이 운이 나쁘면 총 아래의 죄수가 되고 운이 좋으
> 면 반도(叛徒)가 곳 위인(偉人)이 되는 것이지……」

이 얼마나 중국에 흔히 잇는 사실을 여실하게 간파한 말인가!

이외에 희곡작가 백미(白薇)여사의 「애망(愛網)」이라는 장편소설이 잇다. 이 작품은 비교적 성공한 작품이다. 이 작품의 내용도 역시 삼각연애에서 시작되엇으나 결국은 서로 연애의 관계를 떠나서 동지의 관계로 사회개혁의 길로 나간다는 것이 이 작품의 스토리다. 희곡에서 예리한 관찰을 발휘한 백미여사는 이 장편에서도 상당히 성공을 하엿섯다.

여작가의 단편소설은 다른 방면의 작품보다도 그 량(量)에 잇어서 퍽으나 많고 그 작가 수효도 또한 많다. 그 중에서도 조곰 우수한 작가들을 들면 려은여사, 정령여사, 녹의여사, 원군여사, 침앵(沉櫻)여사, 숙화여사들이요, 여시인 빙심여사도 초인(超人), 「왕사(往事)」 등 단편소설집이 잇다. 이상에 열거한 여작가의 단편소설집은 근 이십부나 된다. 그러나 여기서 그 작가들과 작품들을 개별적(個別的)으로 소개할 지면과 여유가 없고 또 특출한 작품이나 잇엇으면 그 대표작이나마 소개하엿으면 좋겟으나 거개가 다 비슷하여서 특히 들어낼 작품도 없다. 여작가의 작품뿐만 아니라 중국의 단편소설은 일반으로 엄격한 의미에서 논한다면 단편소설이라고 이름 붙이지 못할 것이 많고 혹은 감상문의 연장이거나 혹은 수필의 장편이거나 하는 종유가 많다.

또 기교나 내용 방면에 잇서 작품으로서 결점이 너무나 많다. 아직까지 중국 여작가의 생활과 그 취재(取材) 범위는 가정과 학교를 벗어나지 못하엿음으로 일반 사회적 경험이 적고 또 작가로서 수련(修練)이 적음으로 대부분의 작품이 비교적 실감이 적으며 심지어 허구(虛構)한 사실 같은 흔적이 그 어느 곧에서나 나타나는 것이다. 소설 방면에 잇서서 중국 여작가의 성공은 물논 장래에 잇을 것이오, 결코 과거에 잇엇다고 볼 수는 없다.

이제 여작가의 단편소설의 사회적 배경을 보면 거위 전부가 중류가정 혹은 상류가정이다. 그러므로 그 작품에 나타난 인물은 대부분이 교양 잇는 청년남녀이며 그들이 연출하는 사건을 개괄하여 본다면 (一) 연애의 갈등, (二) 결혼생활의 무미와 리혼의 고통, (三) 구예교(禮教) 습관에 대한 반항, (四) 사회 속박에 대한 불평, (五) 신구사상 충돌로 일어나는 가정비극, (六) 모성애(母性愛), (七) 부호가정의 비륜(非倫)한 연애 갈등, (八) 다반주후(茶飯酒後)의 향락생활들이오, 사회문제를 제재(題材)로 한 것은 극히 소수다.

중요한 단편소설 작가와 단편소설집을 들면 아래와 같다.

一. 盧隱여사(本名은 黃英. 福建人. 北京某大學 卒業. 日本留學生)

　　小說集「海濱故人」, 「曼麗」, 「靈海潮汐」, 「玫瑰的刺」(第三篇만이 短篇小說集).

二. 丁玲여사(湖南 臨澧縣人)

　　小說集「在黑暗中」, 「自殺日記」, 「一個女人」.

三. 綠漪여사(筆名으로 雪林, 蘇梅 등이 잇고 北京女子師範大學 卒業)

　　小說集「綠天」, 「棘心」.

四. 沅君여사(本名은 馮淑蘭。淦女士, 易安, 士琦 等 筆名이 잇음. 河南人)

　　小說集「卷施」, 「刧灰」.

五. 沉櫻여사

小說集「喜筵之後」, 「夜闌」.

六. 叔華여사

　　小說集「花之寺」.

七. 陳衡哲여사

　　小說集「小雨点」.

(이상에 든 소설집은 단편소설집에 불과하고 장편소설집은 우에 논하엿음으로 약하고 서
간식 소설은 이 다음에 논하겟기에 이 곧에 들지 않하엿다.)

이상 작가 중에서 그 특색을 들자면 대개 아래와 같다. (一) 려은여사의 가
정문제, 사회문제를 심각히 그려낸 것. (二) 정령여사의 개인의 사회 환경을
소홀히 하지 않은 것과 여자의 심리묘사를 잘한 것. (三) 녹의여사의 자연묘
사에 묘를 얻은 것. (四) 원군여사의 구예교를 반항하는 정신과 자모애(慈母愛)
를 잘 그려낸 것이든지 「겁후(劫後)」와 같이 토비(土匪)의 난을 그려낸 것 등
이 주의된다.

중국에서 서간식 소설이 시작되기는 곽말약의 「락엽(落葉)」이란 연애소설
로부터일 것이다. 곽말약은 괴—테—의 「뻴—텔의 비애」를 번역하고 또 그와
체재가 비슷한 「락엽」이란 열정적 작품을 발표하엿섯다. 그 때 중국 청년남
녀는 욱달부(郁達夫)의 퇴페파(頹廢派) 소설과 아울러 곽말약의 랑만주의(浪漫
主義) 작품을 열광적으로 환영하엿든 것이다. 그 후로 서간식 소설은 유행하
기 시작하엿섯다. 여작가들도 처음으로 소설을 창작할 때 가장 모방하기가
쉽고(물논 성공하기는 어렵지마는) 또 자긔의 애정을 발표하기가 가장 쉬운 이 형
식을 많이 취하엿든 것이다. 려은여사의 「운구정서집」(雲鷗情書集)과 같은 작
품은 자긔 애인 리유건(李唯建)과의 러브·레—스타—를 공개한 것이라 한다.
서간체의 소설은 거개가 연애에 관한 것이오, 별로 특이한 것이 없다. 이 종

류의 작품을 들면 아래와 같다.

　　盧隱,「雲鷗情書集」

　　沅君,「春痕」

　　沉櫻,「某少女」

　　沄沁,「漫雲」

　　逸霄,「綠箋」

四. 戲曲

　희곡 방면은 원창영(袁昌英)여사의 「공작동남비 급 기타 독막극」(孔雀東南飛及其他獨幕劇) 등이 잇기는 하나 백미여사 한 작가만을 소개하면 그만일 것이다. 여작가로 희곡을 상당히 쓰는 작가를 든다면 백미여사를 제하고는 다시 찾아볼 수가 없을 것이다. 백미여사는 여작가로 희곡을 쓰는 단 한사람이지마는 그의 작품은 상당히 일반의 주의를 끌든 것이다.

　백미여사의 본성은 황(黃)이오, 그의 본명은 공개를 하지 않으며 그 본적은 호남(湖南)이라 한다. 일본에 가서 구년 간이나 유학을 하엿다 한다.

　그의 희곡작품으로는 이외에도 잇겟지마는 필자의 기억에 남아 잇는 것을 기록하면 아래와 같다. (一) 琳麗(詩劇), (二) 打出幽靈塔, (三) 炸彈與征鳥, (四) 薔薇酒, (五) 敵同志.

　「琳麗」는 그의 장편소설 「愛網」과 같이 작가 자신의 실연한 경험과 자긔의 생활을 쓴 것이라 한다. 그 내용은 삼각연애의 갈등을 그린 것인데 퍽으나 호평을 얻은 작품이다. 이 작품은 연애지상주의 작품이어서 연애가 없이는 생활도 없다고까지 부르지진 작품이다. 그러나 작자는 중국 여사의 사회적 불리한 환경을 잊지 않고 그려내엇다.

「타출유령탑」(打出幽靈塔)은 완전한 사회극이다. 이 희곡은 그 전에 「분류 (奔流)」라는 잡지에 련재된 삼막극이다. 그 내용은 퍽으나 과격하여서 중국 지방의 토호열신(土豪劣紳)을 중심으로 하고 그에게 유린당한 여러 여성과 남성을 그려냇으며 그를 휩싸고 도는 사회의 흑막을 여지없이 폭로하엿다. 그 토호열신에게 유린당한 여성 중의 한 사람인 「월림」(月林)이가 단총을 내들고 그 남자를 대하여 하는 말을 일절 역하여 보자. 이 여자는 실상은 그 토호열신이 친히 난 사생녀나 그 남자는 자기가 강에 던저 죽은 줄만 알고 친딸인지도 모르고 간음을 하려 하는 것이다.

> 월림(月林): 악마같으니! 너는 그저 너 한사람의 못된 생각을 위하여 많은 사람을 죽이고 많은 사람을 유린하엿다. 너는 종들을 시켜서 정노이(程老二)를 죽이고 암중에 뢰물을 썻지. 너는 네 손으로 자기 자식을 죽이고서 다른 사람보고 네 대신 죽으라고. 너는 우리 어머니를 죽이고서 지금 또 나를 유린하려고 하니?……나는 너의 사생녀인데 또 네 놈의 첩이 되라고? (뛰어가서) 나와 너는 불공대천의 원수다!(총을 들어서 쏘려고 한다).

이 극의 결국은 그놈에게 유린당한 남녀가 그놈을 죽이게 된다. 「중국현대여작가」(中國現代女作家)라는 책을 참고하여 보니 「타출유령탑」(打出幽靈塔)과 「작탄여정조」(炸彈與征鳥) 두 극은 발매금지를 당하엿다 한다. 그만큼 그 내용은 격렬하며 그만큼 사회의 흑막을 잘 탄로한 작품이다.

이 극은 입센의 「고—스쯔」, 「人形의 집」을 생각케 하도록 공통점이 많다. 극으로서 사건이 너무나 돌발적인 데가 많고 너무나 복잡하고 비교적 긴장미가 없다. 이와 같이 결점은 잇지마는 중국 녀작가를 통털어 놓고 이와 같이 대담하게 사회의 흑막을 그려낸 작가는 없을 것이다. 그의 사상은 확실히 명언하기는 어렵지마는 좌경의 색채가 퍽으나 농후하다.

「장미주」(薔薇酒)는 수년 전에 곽송령이 장작림을 반격한 사건에서 취재한 것인데 역시 군벌의 생활, 군벌의 흑막을 폭로한 것이다.

「적동지」(敵同志)는 저 번 상해사변 시에 공인들의 활동한 것을 그 제재로 한 것이어서 그 내용은 정탐사건, 전쟁의 내막이 그려저 잇다.

이 작가의 특색은 사회문제와 획시기적으로 일어난 중요한 사변을 잘 포착하여 희곡화한 데 잇을 것이다.

五. 散文

중국문단에서 산문이 상당히 발달하엿다는 것은 필자가 루차 소개한바 잇엇다. 여작가들도 대개는 시, 소설, 희곡 외에 소품문이나 감상문, 기행문 등 산문을 쓰기는 쓴다. 그러나 이 방면에 전력하는 여작가 또는 잘 쓰는 여작가는 퍽으나 적다.

먼저 필자가 소개한 빙심녀사의 「긔소독자」(寄小讀者)와 「남귀」(南歸) 등은 여작가의 산문으로 상승이 될 것이며 유독히 동심(童心)과 순진한 처녀심을 잘 쓰는 데 그 특색이 잇다. 그 외에 전문으로 산문을 쓰는 작가는 진학소(陳學昭), 오서천(吳曙天) 두 여사가 잇다. 학소여사의 산문은 퍽으나 세미(細美)하고 또 사물의 세밀한 데까지 주의가 주도하다고 일반의 정평이 잇으며 그의 산문집으로는 「권려」(倦旅), 「연하반려」(烟霞伴侶), 「촌초심」(寸草心)들이 잇다.

오서천(吳曙天)여사는 과거 회억의 산문을 미려하게 쓰는 것으로 유명하다. 그의 산문집으로는 「단편(斷篇)의 회억(回憶)」이 잇다. 이 두 여작가의 산문은 그 어느 곳이나 여자 독특한 감정과 세밀한 것이 나타나고 그 미려한 문장과 그 아름다운 시상은 독자의 마음을 황홀하게 하고 남음이 잇다.

일반으로 여작가의 산문은 자연의 미려한 묘사가 많으며 천진하든 과거의 회억, 소녀시대의 달큼한 꿈, 아름다운 여성의 감정, 청년시대의 공허한 심서가 농후하다.

六. 結論

중국 여작가의 작품을 연대(年代)의 순으로 보아가는 중 필자의 주의를 끌은 경향(傾向)이 세 가지가 잇다. 첫재는 랑만주의(浪漫主義)에서 점점 사실주의(寫實主義) 경향으로 가는 것이요, 둘재는 가정문제, 연애문제의 제재로부터 사회문제의 제재로 전이(轉移)한 것이요, 셋재는 남자의 속박, 가정의 속박만을 탈이하려 하는 것 뿐만 아니라 일반사회의 속박, 기타 일체의 압박에 반항하는 경향이 잇는 것이다. 빙심, 죽화[06], 침앵, 형천여사 등의 작품이 전자에 속한다고 하면 려은, 백미, 정령여사 등의 최근 작품과 원군, 록의여사의 일부 작품은 새 경향을 표시한 것으로 볼 수 잇다.

중국의 많은 여자는 다른 나라의 여자들과 같이 평온한 가정, 안락한 생활, 달콤한 연애를 희망한다. 그러나 그와 반대로 일방으로는 그런 것에 권태도 늣기게 되려니와 또 일방으로는 일반 사회의 환경이 유산유한(有産有閑)의 여자로 하여금 안일, 향락, 연애에만 빠저 잇도록 침체(沈滯)되어 잇지 않고 그들로 하여곰 일어나서 동하도록 동요(動搖)하고 잇으며 격변(激變)하고 잇음으로 여작가의 작품에도 이러한 경향이 잇게 되는 것일 것이다.

---

06 '숙화'의 오기다.

이상 각란에서 론한 이외에도 많은 작가와 저작가가 잇을 것이다. 그러나 대개는 아즉 일반에 알려 잇지 않음으로 여기서는 약하기로 하고 또 창작 이외에 활동하는 여저작가는 이 론문의 범위를 벗어나므로 약하고 말앗다. 그러나 문학과 관연된 방면에 저작이 잇다든지 혹은 문학작품의 번역 등이 잇는 여자로서 우에 한 번도 제기하지 않은 이의 이름을 들면 아래와 같다.

沈性仁(번역 방면에)

林蘭(民間故事 作家)

張嫻(번역)

高君箴

陸小曼(번역)

陳鴻璧(번역과 少年讀物 作家)

文娜 輝羣 등 여사

———끝———

中國 現代文人 綺談[01]

梁白華 抄

(一)[02]

【一】汪精衛의 橫塑賦

現 國民政府 行政院長 汪精衛는 孫文미테서 革命에 從事한지 三十年이
라 靑年의 與望은 크지마는 近年 馮玉祥, 閻錫山과의 聯繫, 擴大會議의 主持
또 聯蔣 等 失敗가 만타. 汪氏는 원래 南社同人으로 자못 吟詠에 豐富하니
舊作 中『情似春潮無畔岸, 思如幽草有芬芳』이라든가『一寸山河, 一寸傷心
地』等 가튼 것은 모다 佳句다. 昨年 末에 張學良을 下野케 하랴고 企圖하다
가 憤 끄테 病을 일우어 고만 佛國으로 가버렷섯다. 그 心中의 憂悶을 推察
할만하다. 汪氏가 去國하기 數日 前에 感懷詩 두 首를 지엇는데 前首 十二句
는 婉轉曲折하야 집이 亡하고 나라가 깨어저 民生 凋殘의 늣김이 자못 깁다.
前 數句에 이르되

---

01 『朝鮮日報』1933.10.12~10.15, 10.17, 10.19~10.22, 10.24~29, 특간 2면; 11.1~11.3, 11.5,
11.7, 특간 3면; 11.9~11.10, 11.12, 특간 2면.

02 매회 연재분 표기로서 23회에 걸쳐 연재되었다.

天下破壞易, 撫綏之則難.
誰爲濟世才, 轉厄而爲安.
可憐爭戰地, 民命盡凋殘.
朔風漸凜冽, 白骨遍野寒.

이로 보면 汪氏는 多情한 사람임을 알겟다. 政客이 政治에 失敗할 때에 藝術의 境界에 들어감은 容易하니 거긔서 慰安과 活路의 世界를 차저 내는 것이다. 孔子는 不遇하야 春秋를 짓고 司馬遷은 刑을 밧고서 史記의 名著가 잇다. 政治로부터 藝術로 들어가는 境地는 汪氏가 多分히 가젓다.

海風動人荒, 波瀾隨我有.
世界日冥冥, 淪胥恐不久.
達人自委運, 閉戶貞吾守.
彈琴復著書, 超潛尙可友.
生逢義熙年, 門前植五柳.
遵時以養晦, 所耽惟詩酒.

는 汪氏의 天分이 豊富함을 알 수 잇다.

(乙)[03] 蔣夢麟의 戀愛

北京大學 院長 蔣夢麟은 胡適之의 證婚으로 陶會[04]女士와 結婚하야 그

---

03 '二'의 잘못이다.

04 '陶曾谷'의 잘못이다.

情事는 各 新聞에 宣傳되엇다. 陶女士는 江蘇 無錫사람으로 北京女高師를 卒業하얏다. 風姿가 아름다우며 원래 藝術學院長 高仁山에게 出嫁하얏섯다. 高氏는 學生의 信仰을 엇고 잇섯지마는 張作霖의 北京大元帥 時代에 南京 側과 通謀하고 共産黨으로 被捕되어 死刑에 處한 배 되엇다. 被捕되기 前에 高氏의 父親은 誤解를 밧지 말라고 늘 타일럿지마는 그는 父親의 命을 좃지 아니함으로 父親은 憤怒하야 父子의 關係를 雜[05]脫하얏다. 仁山이 죽은 뒤 에 陶女士는 외로운 몸으로 의지할 데가 업서 生活에 窘迫을 當하고 잇섯는 데 居無何에 北伐軍이 南京에 이르러 當時의 北京大學 院長 蔡元培는 陶女 士 救濟策으로 南京政府 內에 職을 주엇다.

뒤에 蔣夢麟은 敎育部長이 되고 蔡元培의 紹介로 陶女士는 敎育部 秘書 處의 部員이 되엿다. 秘書處와 部長室은 이웃하고 잇슴으로 蔣陶 두 사람의 맛나는 機會도 만핫섯다. 陶女士는 孤閨가 오래어 寂寞한 느낌이 업지 아니 하얏고 蔣氏로 말하면 生活 萬事가 滿足한 情態에 잇섯지마는 戀變는 足지 못한 便이엇다. 그래서 中年의 한 雙 男女는 屬僚로부터 變하야 情人이 되엇 다. 當時 蔣部長과 陶秘書가 서로 잇글고 南京의 某 劇場에 나타나기를 가 끔함으로 敎育部 內의 所聞거리가 되엇다. 마침 某 秘書가 두 사람의 關係를 알기 까닭에 그것을 거리를 삼아가지고 科長 陞進運動을 하얏다. 蔣氏는 이 를 물리침으로 그 報復手段으로 某는 두 사람의 艶聞을 傳單을 맨들어 撒布 하얏다. 蔣部長의 艶聞은 滿城風雨를 일으키어 그 所聞은 한 때 굉장하얏다. 이럼에 不拘하고 두 사람의 爛熟한 戀愛의 熱은 더욱이 더할 뿐으로 自己들 의 戀愛에 남이 干涉하는 것은 우습다는 듯이 비웃는 사람을 비우섯다. 胡適 之는 크게 두 사람의 勇氣를 稱讚하얏다.

---

05 '離'의 오식이다.

두 사람은 結婚한 뒤에 北平에 寄寓하며 琴瑟이 조흠을 보히고 잇다. 蔣氏는 그 財産 全部를 들어 原夫人에게 贈與하고 北平의 家屋은 獨逸 留學의 長子를 주고 自己는 알몸으로 단 한 사람의 愛人을 어더가지고 至極히 滿足하고 잇다.

(二)

(三) 田壽昌과 創作社

田漢은 字는 壽昌이니 湖南사람으로 東京高師의 出身이요, 中國 新文壇의 劇作家이다. 東京 留學時代에 愛人 易漱瑜女史와 同居하고 잇섯다. 壽昌은 즐기어 舊書를 求買하야 돈이 잇스면 반듯이 書店으로 갓다. 漱瑜는 코를 알코 잇섯는데 舊書 購入이 累가 되어 醫師를 볼 수가 업섯다. 漱瑜는 코病으로 고만 죽엇다. 壽昌은 『漱瑜기 죽은 것은 코病이 原因이엇다.』하고 夫人을 말할 때마다 嗟嘆한다.

中國의 新文學運動과 關聯하야 創造者를 모르는 사람은 업지마는 田壽昌이 創立者인 줄은 그다지 알지들을 못한다. 當時, 新文學運動이 일어나자 田氏는 郭沫若, 郁達夫, 成仿吾, 張資平 等과 謀하고 가장 만히 出資를 하고 그는 本國 書店과 出版 聯絡을 마탓다. 議論이 다 되어 郁達夫와 成仿吾는 上海로 돌아와 週刊과 季刊을 發行하고 田漢은 東京에서 一幕劇을 보내엇다. 仿吾는 이를 넑어보고 족음 고칠 必要가 잇다고 認하야 郁達夫에게 囑하야 潤飾을 加하얏다. 이 劇은 創造 季刊 第一期에 發表한 『咖啡店之一夜』이다. 田氏는 原作이 改作된 것을 憤히 여겨 郭沫若에게 抗議를 提出하얏다.

郁達夫는『一二의 誤字를 고칠 뿐이다.[06]하고 辨解하얏스나 仿吾는『劇 中에 矛盾이 잇슴으로 이러케 고칠 必要가 잇섯다.』하고 主張하고 郭이 中間에 들어 疏通을 圖하얏지마는 田漢은 創造社와 絶緣하얏다.

(四) 郭沫若과 日本人

郭沫若이 民國 十五年 廣東의 某 大學敎授에 招聘되엇슬 때는 政治에 關心을 가지지 아니하얏섯다. 北伐軍이 일어나면서 政治風潮는 一世를 風靡하얏다. 郭도 地位 確立의 必要로부터 먼저 政治部에 들어가 宣傳科長으로 武漢에 이르러 政治部 副主任으로 活躍하얏다.

南京, 漢口가 分裂된 뒤에 郭은 蔣介石을 推戴하고 蔣에게 붓흐랴고 하얏스나 蔣이 拒絶하는 까닭에 武昌에 潛回하야『請看今日之蔣介石』의 一文을 發表하야 蔣을 攻擊하얏지마는 이것은 郭의 本意가 아니요, 當時 武漢의 左派分子가 郭의 蔣攻擊을 回避하는 까닭이엇다.

南京政府가 成立한 뒤에 武漢政府는 分裂하고 郭의 處地는 窮하야 生命의 危險도 顧慮가 됨으로 妻子를 잇글고 日本으로 건너가 千葉에 住居를 定하얏섯다. 從前의 左傾思想으로 因하야 警察의 監視가 甚하고 以前의 銀座事件으로 兩國 共產黨이 多數 逮捕되자 郭도 그 한 사람이엇는데 얼마 아니되어 釋放되엇다. 中國사람은 이를 日本夫人의 功이라고 한다.

郭沫若은 四川사람으로 日本 九州帝大 醫學部의 出身이지마는 歸國 後에 한번도 醫業에 從事한 일이 업고 創作과 飜譯에 專心하야 이미 싱구레아

---

06 ‘』’가 누락되어 있다.

의 『石炭王』, 『石油』, 톨스토이의 『戰爭과 平和』, 『甲骨文의 研究』 等 多數[07]한 著述이 잇다. 그는 青年時代로부터 文學을 愛好하고 思想에 富하야 高等學校 時代에 니체를 愛讀하고 醫科에 들어가서 醫學을 고만두고 哲學科로 轉學을 하랴고 하다가 成仿吾의 勸告로 中止하고 醫學部를 卒業하얏다. 이 것은 郭이 지금도 오히려 仿吾에게 感謝하는 바이다. 郭의 안해는 日本婦人인데 이에는 로맨스가 잇다. 某年에 郭의 友人 某가 某 病院에 入院하고 잇서서 때때 慰問을 갓섯다. 現 夫人은 그 病院의 看護婦이엇고 最初는 萍水相逢에 지내지 못하얏섯다. 暑中 休暇의 歸國에 病院에 友人을 찻고 그 看護婦에게 懇切히 友人의 看護를 付託하고 헤여젓다. 暑中 休暇도 맛치매 歸校하야 그날로 病院을 訪問하니 友人은 이미 數日 前에 死去하얏섯다. 郭은 慟哭悲傷을 오래마지 아니하니 그 모양이 사람을 動케 하야 그 看護婦는 겨테서 支那의 男子도 이와 가티 人情에 富하든가 하고 感激하야 一片의 情緒 纏綿한 바가 잇서 郭에게 죽은 者는 어쩌지 못할지니 슬퍼하야도 별 수 업다, 다만 몸을 自重하야 死者의 靈을 위로하라고 勸하얏다. 그 態度의 溫柔와 言語의 誠懇이 기퍼 郭을 움지기어 郭은 深謝하고 헤여젓다. 이로부터 두 사람의 交際는 頻繁하게 되어 뒤에 서로 言約하고 얼마 아니되어 一子를 나핫다. 現 夫人은 今年에 四十에 가깝고 四五人의 子女가 잇다. 當時 郭의 學資는 四五十圓에 지내지 못하야 一家 三人의 生活을 지탕하야 가기에 困難하야 舊書를 판다, 衣服을 入質한다 하는 것은 그 小說에 씨엇다.

---

07 '敎'는 '數'의 오식이다.

(三)

(五) 胡雲翼과 謝氷瑩

『從軍日記』로 이름이 난 謝氷瑩女士는 湖南 新化縣 사람으로 原名은 鶴岡[08]이요, 民國 十五年에 長沙第一女子師範에 배왓다. 氷瑩의 兄 謝國馨도 當時 武昌高等師範 國文科를 卒業하얏고 胡雲翼과 同窓이엇다. 胡는 謝國馨의 紹介로 氷瑩과 알게 되어 한 雙의 少年少女는 一見에 戀愛로 變하야 때로는 麓山에 놀고 때로는 湖水에 배를 띄어 두 사람의 사이는 남이 부러워할 지경이엇다. 氷瑩의 號는 當時 胡雲翼이 보낸 것이엇다.

翌年 北伐軍이 武昌을 占領하자 胡雲翼은 上海로 다라나고 氷瑩은 막 設立된 國民革命軍事政治學校에 入學하얏다. 當時 國民革命 思想은 澎湃하야 一切의 人生觀을 動搖하얏다. 이 뒤 두 사람의 往復은 끈히고 氷瑩은 武漢에 잇서서 交際 場裏에 活動하야 政界, 軍界, 學界의 男女 友人은 만핫섯다. 다음에 女子救國軍에 編入되어 從軍하야 河南에 들어갓다. 『從軍日記』는 卽 河南에서의 軍隊生活의 描寫가 뒤에 武漢과 南京이 分裂하야 對立하자 氷瑩은 單身으로 上海로 가서 어느 집에 寄寓하며 生活에 窘迫을 當하고 잇섯는데 男友와의 交際는 頻繁하얏다. 어떤 사람의 紹介로 林語堂과 알어 從軍日記를 語堂이 英譯하야 米國의 文學雜志에 投稿하야 好評이엇슴으로 氷瑩의 이름은 一層 놉핫섯다. 氷瑩은 顧鳳城과 結婚하고 胡雲翼은 依然 獨身으로 上海에 잇다. 近日 雲翼의 小品文에 憶氷이라 함은 心中 悶悶의 情을 뵈힌 것이라고 하야 友人 間에서 同情들을 한다.

---

08 '鳴崗'의 잘못이다.

[09]陳獨秀의 行狀

　陳獨秀는 原名은 仲이요, 後名은 仲甫며 安徽 懷寧 사람으로 本年 五十四 歲인데 連年 東雲西水에 生活이 無定하야 頭髮 半白에 一見 六十餘歲로 보힌다. 그는 淸末에 日本에 留學하야 正則英語學校에서 英語를 배웟다. 歸國 後 暫時 安徽督軍 柏文蔚의 秘書로 잇섯스며 民國 三年에 『靑年日刊』을 發行하얏다. 獨秀는 當時의 펜넴이엇다. 뒤에 章行嚴이 『甲寅雜誌』를 發行하자 陳은 그의 有力한 寄稿者이엇다. 뒤에 北京大學 文科敎授가 되어 만흔 艶聞을 맨들어 내엇는데 일에는 眞贄하기 까닭에 學生의 信賴를 바덧다. 暫時 뒤에 辭職하고 『新靑年』紙上에 新思想과 白話文學을 鼓吹하야 新文化運動에 寄與하얏다. 胡適之, 魯迅, 周作人, 劉半儂 等과 가티 新文化運動으로 全國 靑年의 崇拜를 바더 名聲이 자못 컷섯다.

　陳은 원래 共産黨員으로 嚮道[10]週刊을 創刊하야 共産主義를 宣傳하고 일즉이 數回 露西亞에 들어갓섯스며 民國 十六年 蔣介石의 거느린 國民軍의 上海에 들어오는 데 關係하야 汪精衛는 國民黨을, 그는 共産黨을 代表하야 有名한 共同宣言을 發表하얏다. 그로부터 陳獨秀의 이름은 婦人 小兒라도 아지 못하는 者 업슬 만치 有名하야젓섯다. 그는 토로츠키派로 알린 배 되어 共産黨 幹部派에게 除名이 되엇다. 이 數年來 各處에 潛行하야 一派 黨員의 組織에 從事하얏다. 이것이 即 今日의 『取消派』다.

　向者 上海의 共同租界에서 中國官憲에게 被捕되어 그의 斷罪 如何는 各 方面으로부터 注目하는 배 되고 友人들은 蔣介石에게 救命의 運動을 하얏섯다. 그러나 그는 理論上의 宣傳으로 幹部派와 가티 實際 運動에 從事치 아

09　'(六)'이 누락되어 있다.

10　'嚮導'의 오식이다.

니한 것과 幹部派와 對立의 地位에 잇슴으로 生命의 危險은 업스리라고 하더니 近着 新聞에 依하면 十三年 徒刑에 公權 剝奪을 當하얏다고 한다.

陳의 長男 陳延年도 또한 共産黨員으로 數年 前 南京政府 當局에게 逮捕되어 死刑에 處한 배 되엇다. 陳의 反對者는 그의 好色을 非難한다. 그는 平生에 色을 사랑하야 그에 依하면 戀變 即 性交니, 甘肅省을 除한 中國 十七省의 女人과 關係하야 그 數가 數百人이라고 한다.

有名한 詩人, 小說家 蘇曼殊는 一時 그에게 師事하야 在東京 時代의 『過若松町有感[11]』의를 뵈엇다. 그것은

契濶死生君莫問,
無端狂笑無端哭.
行雲流水一孤僧,
縱有歡腸已似氷.[12]

(三)[13]

(七) 郁達夫와 賢夫人 王映霞

酒豪로 天眞爛漫한 小說家 郁達夫의 著 『日記九種』을 닑은 사람은 王映

---

11 원제는 '過若松町有感示仲兄'이다.

12 시구의 순서가 잘못되었다. 원문은 '契濶死生君莫問, 行雲流水一孤僧. 無端狂笑無端哭, 縱有歡腸已似氷.'이다.

13 응당 '(四)'이어야 하며 따라서 다음 회 연재분도 잘못 표기되었다.

霞를 안다. 王映霞는 杭州의 産으로 嘉定 某 學校의 敎師놀읏을 하고 잇다가 上海로 굴러와 達夫와 相思하는 사이가 되어 同居하면서 赫德路에 산지가 五年이 된다. 新聞紙上에 兩人의 感情 惡化를 傳하얏스나 터문이 업는 謠言이엇다.

王女士는 모던 女子가 아이니 達夫와 結婚한 뒤에는 勤儉 治家에 專心하야 무슨 일이든지 혼자서 해어낸다. 達夫는 原稿 以外에 一定한 職業이 업시 술을 조와하고 古書를 뒤적거리는 것으로 樂을 삼는 까닭에 언제든지 窮하게 지내나 映霞는 족음도 이를 苦痛으로 알지 안코 잘 삶혀가는 까닭에 友人들은 新女性의 精神과 舊女性의 美德을 兼備하얏다고 稱讚한다.

郁은 數個月 前 杭州로 가서 친구의 집에 寄寓하며 『蜃樓』 創作에 沒頭하고 잇슴으로 夫人은 月 四十圓식을 변통하야 送金하며 郁이 創作에 실승이 나서 歸滬의 뜻을 말하야 오나 夫人은 그것이 다 되기까지는 歸宅을 못하게 하며 그 完成을 督勵하고 잇다 한다. 最近 이 郁達夫의 作 『亦是一個弱女子[14]』라는 小說은 公安局의 忌避에 觸하야 그 告發에 依하야 地方法院으로부터 出版物의 差押과 發賣 禁止가 되엇다.

(八) 張資平과 一輛車

張資平은 廣東 梅縣人으로 東京帝大 地理科의 出身인데 小說家로 알리어젓다. 張은 身體가 矮小하고 빗이 검고 얼굴이 커 文人이라고는 생각할 수 업게 特異한 相貌를 가젓다.

資平은 多作家로 數十種의 著作이 잇서 收入이 豐富한 데다가 儉約家임

---

14 소설 원제는 '她是一個弱女子'이다.

으로 近者에는 貯蓄도 相當히 늘어 暨南에 李家閣의 집을 購入하야 그 속에다가 文化住宅을 세우고 『雲□客廬』라고 命名하얏다. 本年부터 張은 創作 外에 上海 大廈大學에 一週 네 時間식의 講座를 맛허 두 時間을 地學槪論, 두 時間은 日本外史를 講義한다. 氏는 眞茹에 寄寓하면서 거긔서 大學까지 오는 대 一時間을 要하야 往復 車代에 一日에 一元이 들므로 그것을 除하면 學校의 收入이 얼마 남지 아니하는 까닭에 儉約家인 그는 時間과 經費를 생각하얏다.

(四)

한 村人이 그에게 『鄕間 ××路에서 一輛車를 타고 가면 鋼貨 三, 四十枚로 足하다.』하고 가르처 주엇다. 그는 대단히 깃거하야 이튼 날부터 一輛車를 어더 삐걱삐걱하는 소리와 허리가 압흔 것도 참고서 約 半時間만에 大廈에 到着하얏다. 張은 每日 이를 反覆한다.

先生님은 어재서 小車를 사랑하십니까? 하고 生徒가 물으면 『節約하랴고』하고 주저안코 대답한다.

(九) 汪靜之의 蕙的風

汪靜之는 安徽 績溪 사람으로 胡適之와 同鄕이다. 杭州에 修學할 때 마침 胡適之가 新文學運動을 불으지즈고 잇섯다. 靜之는 白話(口語)詩 百餘首를 지어 『蕙的風』이라고 題하고 胡適之의 長文의 序文을 부처 發行하야 一時 靑年 讀書界를 風靡하얏다. 當時는 新文學運動의 初期임으로 完全한 白話詩는 적엇다. 蕙的風은 某 文士의 紀念詩로 靜之가 杭州 修學時代에 한 女

學生 蕙君과 相思하는 사이가 되어 日外詩를 짓고 愛情을 기울이다가 뒤에 失戀하얏다. 오늘의 蕙的風은 그 때의 追憶의 詩作이다. 이는 十二三年 前의 일로 아즉도 十八九歲의 翩翩한 少年이엇섯다.

靜之의 作 이 外에 『寂寞的國』라, 小說 『翠英及其夫的事業[15]』 等이 잇는데 一般 靑年의 愛讀하는 바다. 지금 나이가 겨우 三十一, 二에 지내지 못하지만은 敎育에 從事하기 十餘年에 近年에는 족음 貯蓄도 생기엇슴으로 數年 前에 友人 等과 集資하야 南京에 徽州茶館을 열고 『首都茶館』이라고 이름하얏는데 友人 等의 强要에 依하야 靜之는 數百圓을 出資하얏것만은 그 後 茶館의 消息은 도모지 들을 수 업다.

二年 前 靜之가 南京에서 敎聯에 잇는데 友人이 養蜂事業을 하면 크게 利殖이 잇다고 勸함으로 靜之도 이에 솔깃하야 數百元으로 數種의 벌을 사들이엇다. 그리자 마침 靜之의 友人이 南京 鄕村의 小學校長이엇슴으로 自己의 蜂種을 該校의 養蜂處에 依托하얏다. 今年에 이르러 벌은 늘어 꿀을 産出하게 되엇는데 友人의 學校 主任은 어떤 事情으로 辭職하고 딴 사람이 校長이 되엇다. 마침 靜之는 南京에 잇지 안핫고 該校長이 後任者에게 引繼할 때에 그것을 말해두지 아니한 까닭에 靜之가 該校로 벌을 가질러 갓더니 學校에서는 이것은 公産이다, 私産이면 무슨 證據나 證明書가 잇슬 터이다, 주지 못하겟다고 서실이 시퍼러케 말하는 바람에 靜之는 再三 釋明을 하야도 듯지 안는다. 그래서 不得己 友人의 辯護士에게로 問議를 갓다. 辯護士는

『小說은 空으로 創作할 수 잇지마는 法律論은 證據업시는 아니 된다.』하고 冷笑함으로 靜之는 또 落膽하얏다.

---

15 원제는 '翠英及其夫的故事'이다.

(十) 徐悲鴻이 夫人을 試驗

徐悲鴻은 江蘇 사람으로 中蘇 一流의 畫家이다. 佛蘭西에 留學하기 多年, 그 間 苦學 力行으로 日夜로 그림을 그리어 今日의 盛名이 잇다. 近日의 新聞은 劉海粟과 對比하야 一方을 藝術의 紳士, 一方을 藝術의 롬펜이라 하며 或은 悲鴻의 그림의 奇巧는 海粟을 凌駕하나 氣魄은 海粟에 不及한다고 評한다. 그러치마는 各其 一長을 가젓슴으로 率爾히 判斷할 것은 아니다. 悲鴻은 天眞 和悅하야 一點의 衒氣가 업고 크고 적은 글씨도 또한 一家를 일우웟다.

佛蘭西 留學 時에 夫人을 同伴하야 情愛가 두터워 友人 間의 望하는 배가 되엇섯다.

어느 날 그는 그림을 팔어 意外로 二千프랑을 어덧슴으로 悲鴻은 이를 夫人에게 보내며 갈오대

今日 新聞 廣告欄에 有名한 一 바이오니스트의 提琴과 貴族 마담의 毛皮 外套가 放賣物로 낫다. 갑은 어떤 것이나 二千프 랑이니 조와하는 것으로 살지어다. 自己는 干涉 안하겟노라.

夫人은 한참 이리저리 생각하야 보고도 決斷치 못하얏다. 이는 웨 그러냐 하면 夫人은 音樂을 조와하며 또 봐이오린의 名手임으로 그 提琴도 가지고 시프나 女子임으로 貴婦人의 外套도 사가지고 십다. 이튼 날 二千프랑을 품에다가 늣코 집을 나아갓다. 얼마 잇다가 歸宅하는데 손에 든 것은 外套이엇

다. 悲鴻은 心中에 이를 숨허하야 지금도 오히려 이 이얘기가 나면 憂色을 나타낸다고 한다.

(一一) 羅家倫의 戀譚

羅家倫, 字는 志希, 北京大學 卒業 後 米國에 留學하고 다음에 歐洲에 놀고 歸國 後에 淸華大學에 長이 되엇고 現在 南京 中央大學의 校長이요, 黨國의 要人으로 이러타 하는 大家이다.

羅에게 學者의 風度가 잇고 그 容貌는 和悅하야 北京大學 時代에 모던 女子에게 好遇되엇다. 在學 中 蔡元培의 愛娘 威廉에게 생각이 적지 아니하얏스나 當時 威廉은 十四歲의 小女로 魚雁이 通치 아니함을 嘆息하얏다. 뒤에 五四運動이 일어나자 羅氏는 赴滬하야 全國學生大會에 重要한 役割을 演하얏다. 이 때 上海女子代表 張維楨女士와 알게 되엿다. 張女士는 江蘇産으로 美人의 본고장인 만큼 뛰어난 美貌의 所待者이엇다. 羅氏는 一見에 마음을 기울이어 서로 보기가 甚히 느진 것을 恨할 쯤이엇다. 當時 張孃을 뒤쫓는 者 多士濟濟요, 羅氏는 아즉 한 窮學生에 지내지 못하얏슴으로 張女士는 그에게 對하야 淡然한 態度로 羅君도 또한 어찌할 수가 업섯다. 뒤에 羅는 米國에 留學하고 張女士도 또한 米國에 건너가 客地에서 서로 맛나 兩人의 情緒는 自然 前日과 달라 즈윽이 親密의 度를 더하얏다. 羅는 늘 悶悶한 情을 吐罷하나 張女士는 別로히 뜻이 잇서 몸으로써 서로 許諾하기까지는 進行되지 안핫다. 뒤에 羅氏는 渡歐하야 僕僕風塵 中에서도 오히려 張女士를 片時도 잇지를 못하얏다.

二年 뒤에 學을 일우고 歸國하야 活躍이 볼 배 잇서 蔣介石 大人의 重用하는 배 되어 超速度로 出世하얏다. 마침 張女士도 또 學을 일우고 歸國하야

아즉도 싀집가지 안코 잇든 까닭에 友人의 斡旋으로 好事가 드대어 일우어 才子佳人은 新都의 湖畔에 寓君[17]하며 窓 아페 눈섭을 그리어 伉儷가 사람들의 부러할 쯤이다.

(21)[18] 蔡威廉과 陳劍脩

威廉은 紹興 사람으로 元 北京大學 院長 現 南京政府 監察院長으로 이러타 하는 蔡元培의 長女로서 才色이 雙絶로 當時 男學生 間의 評判이엇다. 蔡元培의 北大 首宰 時代에 陳劍修는 그 高弟이엇다.

陳은 品性과 學問이 兼優로 蔡氏는 이를 사랑하야 女婿를 삼으랴는 뜻이 잇섯다. 그러나 蔡氏는 모던이슴의 了解者로 任하고 戀愛의 自由를 認하고 잇섯기 까닭에 뜻은 잇지마는 딸에게 强制함과 가튼 態度에는 나오지 안코 늘 兩人의 接近을 꾀하며 相互의 諒解에 힘썻다.

陳은 卒業 後에 佛蘭西에 留學하고 威廉도 또한 繪畫硏究次로 佛蘭西에 건너가 두 사람이 서로 맛나는 機會가 만핫섯다. 蔡氏 夫婦도 또한 愛娘에게 보내는 通信 中에 이 뜻을 비춰엇섯다. 그리하야 한 雙의 靑年 男女가 天涯 멀리 아득한 異鄕의 한울 미테서 感情 融和의 機會가 만하 歸國한 뒤에 結婚의 階梯로 나아가기는 그다지 큰 問題는 아니라고 생각하얏다.

陳은 好人物로 蔡氏 夫妻의 好意도 了解하고 自身도 또한 威廉에게 마음을 기울이고 잇섯지만은 直實한 性格者라 綿綿한 情緖의 表現도 못하고 紅淚 潛潛한 場面의 技巧도 업서 畢竟 戀愛場 中의 사람이 아니엇다. 이 까닭

---

17 '君'은 '居'의 오식으로 보인다.

18 '12'의 잘못이다.

에 滯佛 數年 동안 두 사람 사이에 愛情의 飛耀이 업섯다.

그러자 마침 畵家에 林錚[19]이란 사람이 잇서 美術研究로 留學하고 잇섯다. 그는 威廉과 嗜好를 가티하고 잇슴으로 林錚의 接近은 匆匆히 나아가 드대어 戀愛로 나아갓다. 林의 知人의 말에 依하면 그는 딸로히 妻가 잇단고 하나 眞僞는 確實치 못하다. 歸國한 뒤에 蔡와 林은 結婚을 宣言하얏슴으로 蔡氏 夫妻는 어찌할 수가 업섯스나 陳에게 對하야는 非常히 同情하얏고 얼마 아니되어 陳도 蹄國하야 北京大學院 普通敎育處 主任에 就任하얏다.

(5)

某日 陳은 蔡元培의 電報를 바덧다. 그것은 단지 『速來滬』三字뿐이엇다. 어째거나 스승의 命令임으로 北京에서 急行하야 곳 蔡元培를 訪하니 『君을 오라고 한 것은 달음이 아니라 實은 나의 養女로 徐錫麟先生의 姪女되시는 색시는 美而賢하야 良婦이니 君은 이 機會를 놋처서는 아니된다. 어떠한가?』함이엇다. 그는 깃거 萬事를 委任하얏다. 그 뒤에 夫妻 間의 愛情은 대단히 두터웟다. 陳은 지금 南京 中央大學의 敎授로 節序에는 반듯이 蔡氏를 차즈며 待함에 父子의 禮로써 한다.

(13) 罵父의 易家鉞

名詩人 易哭庵(實甫)의 嗣子 易家鉞은 新派의 文人으로 일즉이 新文化에

---

19 ‘林文錚’의 잘못이다.

心醉하야 北京大學 在學 中 乃父의 攻擊文을 『國民雜誌』에 실은 일이 잇다. 當時 國民雜誌 同人은 黃日葵, 段錫朋, 國佛海[20] 等 錚錚한 新文化의 主唱者들이엇다.

易家鉞은 字는 君左인데 어려서 乃父의 薰陶를 밧고 漢學을 배화 古文, 古詩에 精通하나 어떠한 動機로 新文化의 洗禮를 밧고 乃父의 學問에 叛하고 乃父에 反噬하야 그 父親 攻擊文 中에 乃父의 女性蹂躪 攻擊이며 俳優를 사랑하는 等의 私的 方面도 摘發하얏다. 說者는 家鉞을 南方의 施存統에 比한다. 대개 施存統은 南方에서 『非孝之說』을 唱道한 까닭이다.

易哭庵은 風流 才人으로 龍陽才子의 稱이 잇스며 그의 所作 鮮靈芝 長詩는 가장 人口에 膾炙한다. 家鉞의 攻擊에 不拘하고 哭庵은 中國 近代詩의 巨匠임에 누구나 異議 압스니 世人은 이를 떠밧처 近代 十大家의 一人이라고 한다. 近代 十大家라는 것은 王湘綺, 樊樊山, 張季直, 康有爲, 羅癭公, 林琴南, 王國維, 梁任公, 章太炎과 밋 易哭庵이다.

君在는 日本에 留學하야 社會 經濟學과 婦人問題를 硏究하얏는데 婦人問題에 蘊蓄이 깁허 靑年에게 愛讀된다. 그의 學友 羅家倫, 段錫朋, 傅新年 等은 모다 國民黨의 要人이 되엇스나 그는 國民黨에 入籍치 아니하얏슴으로 官界에 要位를 占할 수가 업섯다. 그래서 그는 一次 南京行을 作하야 敎育部 次長 段錫朋에게 運動하야 江蘇敎育廳 總審 主任의 一官을 어덧다. 그래서 一部 友人은 乃父를 攻擊한 革命精神으로 敎育革命에 猛進하면 江蘇敎育界에 大波瀾을 惹起하리라고 評하고 잇다.

---

20 '周佛海'의 잘못으로 보인다.

14²¹ 光旦과 光蛋

潘光旦은 江蘇 사람으로 中國의 優生學 大家로 著名하다. 不幸히 病으로 하야 한 다리를 잘러 獨木舟가 되엇다. 사람됨이 溫厚 和悅하야 사람들의 尊敬을 밧는데 數個月 前, 上海에서 『光蛋苦』라고 題하야 謄寫版刷의 노래가 散布되엇다.

(6)

그것은 光旦의 生活苦를 노래한 것인데 其實은 光旦의 日常生活이 極히 暢適하야 노래와는 反對다. 그것은 東方朔의 亞流가 故意로 揶揄한 것일 것이다. 그 노래는

> 光蛋⁽¹⁾生活眞是苦, 衣破無人補襪⁽²⁾底通
> 馬馬虎虎⁽³⁾, 光蛋生活眞是苦

> 光蛋生活眞是苦, 三餐無定處
> 有疾病, 無人看護, 光蛋生活眞是苦

> 光蛋生活眞是苦, 公園泊散步
> 見雙雙⁽⁴⁾, 自嘆脚跛, 光蛋生活眞是苦

---

21 소괄호가 누락되어 있다. 응당 '(14)'여야 한다.

光蛋生活眞是苦, 秋雨滴窓戶

感憒悶, 與誰同舞, 光蛋生活眞是苦

註(1) 光蛋은 가난한 것, (2) 襪은 양말, (3) 馬馬虎虎(拘泥지 아니

함), (4) 雙雙은 兩足을 諷한 것.

(15) 石瑛의 멘탈 테스트

現 南京市長으로 名聲이 잇는 石瑛은 字는 蘅青이니 湖南 사람으로 老國民黨員이다. 石은 最初에 海軍에 뜻하야 英國에 留學하얏는데 뒤에 理學으로 돌르고 歸國 後에 北京大學 理學敎授에 任命되엇다.

民國 十四年에 武昌大學長이 되어 學生에게 嚴格한 規則을 制定하야 學生이 呂宋煙을 빨면 꾸짓고 女學生이 華奢한 衣服을 인으면 또 꾸짓는다 하야 女學生의 宿舍에는 스스로 나아가 監督하고 卓上에 香水, 크림의 類가 잇스면 叱責하야 女學生 間의 脅威가 되엇다. 石의 赴任 以前에는 男生은 自由로 女生의 寄宿舍에 出入하얏섯는데 石의 來任 後 이를 嚴禁하야 西廂이 變하야 廟로 化하얏다. 男女 學生은 石을 『老虎』라고 불러 무서워 하얏다. 石은 平素 길기가 무릅팍 밧게 안되는 二十年 前의 舊包袍를 입으며 或 어떤 때에는 洋服을 입으나 신은 中國製의 布鞋임으로 學生은 『布鞋校長』이라고도 불럿다.

當時 同校에는 米籍의 五十餘歲의 올드미쓰 필스 敎師가 英文學과 밋 會話를 擔當하고 잇섯다. 月給은 작은마치 四百元으로 八年 前 中國의 學校로서는 優待요, 厥女의 生活이 豪華하얏슴으로 武大 數十의 中國 敎授들은 羨望의 눈으로 보앗다. 이 필스先生은 體重이 二百五十파운드로 가슴과 궁둥이가 서로 내밀어 S形을 일운 까닭에 女生은 S先生이라고 불으고 男生은 大

屁股라고 불럿다. 필스先生은 米國의 어떤 女學校를 卒業한 뒤에 外國醫院에 多年 看護婦 놀웃을 하얏고 英文學의 素養이라고는 업섯는데 石의 前任校長 張春霆은 舊官僚로 英學 方面은 도모지 모르며 外人이라면 英文學이나 會話나 教師될 수 잇다고 하야 말을 낫추하야 招聘하고 四百元의 俸給도 적고다 하얏다.

　石瑛은 赴任한지 얼마 아니 되어 올드미쓰와 教師室에서 會見을 約하야 미쓰는 揚揚히 들어왔다. 石瑛을 바라본 즉 一見 村夫子의 布鞋校長이다. 미쓰는 石을 보고 ABC도 모르는 줄만 알앗다가 그 滔滔한 英語의 應對에 얼마큼 놀라는 모양이엇다. 이윽고 石瑛은 필스에게

　『貴女史는 職務上 英米 近代作家의 何人을 愛讀하시는가.』

　하고 무르니 대답을 못한다. 다음에

　『쉑스피어의 作品 中 무엇을 愛讀하시요?』

　하고 두 번째 質問한즉 올드미쓰는 말이 맥히어 그저 얼골을 붉힐 뿐이엇다.

　이튼 날 石은 필스를 免職하얏다. 當時 學校는 經費가 困難하야 필스에게 支拂할 俸給이 一千圓이나 밀리엇섯다.

(7)

　필스는 漢口의 米領事에게 交涉을 請한 탓에 米領事는 契約 年內에 罷免함으로 非難하야 形勢가 重大하게 되엇는데 某 教授가 中間에 들어 未拂分과 旅費 若干을 주기로 하고 끗이 낫다.

　石瑛이 武大에 長되기 一年에 그 사이 툭하면 問題만 惹起하야 큰 成績을 남기지 못하얏스나 단지 필스의 멘탈 테스트만은 큰 成功이라고 지금도 學

生의 話題에 올은다.

(16) 吳稚暉의 稚氣

吳稚暉는 江蘇 無錫 사람으로 本年 六十歲의 老人이다. 現在 中央委員으로 政界에 活動하기 以前에는 그 議論은 靑年의 人氣를 集中하얏섯는데 今日은 돌아보는 靑年도 업다. 일즉이 英佛에 배워 얼마 間의 知識을 가젓스나 그 程度는 不明하다. 漢學의 素養만은 기푼 모양이나 系統잇는 著述이 업고 다만 短文의 論說集이 出版되엇슬 뿐이어서 그 蘊蓄 如何는 不明하다. 일즉이 中國의 오스카·와일드라는 말을 드럿스며 또 胡適之는 中國近代의 思想家라고 推稱한 일이 잇다.

吳氏는 政界에 들어 오래 동안 能히 政治를 말하고 때로는 得意의 滑稽와 諷刺로써 사람을 罵倒하고 사람을 笑殺한다. 一二年 前 그는 前 外交總長 陳友仁을 『天下第一의 艶福者』라고 불러 人氣를 博한 일이 잇다.

이 意味는 陳이 數年前 孫文의 未亡人 宋慶齡女史와 同行하야 露西亞에 놀아 世上에서 兩人의 關係를 傳하얏다. 이로써 中國 女性 第一人者를 차지한 陳은 天下第一의 艶福者라고 巧妙히 諷한 것인 듯하다. 그가 붓을 들면 東拉西搏으로 忽然 數十言의 『精虫』, 『性交』, 『放屁放屁』 等의 말이 뒤를 달아 出現한다. 『精虫作家』의 말이 이로부터 나온 것이다.

吳稚暉와 現 南京市長 石瑛과는 親友가 某年에 吳가 上海에 寓居할 때에 마츰 石도 上海에 왓슴으로 吳는 石을 招宴하얏다. 石氏는 衣服을 整齊히 하고 訪問하얏다. 座에는 달은 손님이 업고 卓上에는 다만 鹹菜와 乾豆腐의 二三 小菜가 잇슬 뿐이요, 족음 잇다가 僕人이 밥을 날러오는데 그것은 粥이요, 밥이 아니엇다. 石氏는 米産地의 湖北사람으로 身體가 魁偉에 아즉 粥을 먹어본 일이 업스나 어찌할 수 업시 그저 조타고 할 뿐이엇다. 食後에 뭇는 石에게 君이 아니면 내 남을 招待치 안코 君이 아니면 또 나의 粥을 먹지 못할 것이다 하야 크게 稚氣를 보히어 石은 단지 一笑할 뿐이엇다.

(17) 胡適之의 美貌가 米婦人을 놀래다

新文學 提唱과 함께 胡適之의 이름은 一世를 風靡하얏고 그 뒤 米國의 杜威博士의 來中에 際하야 胡가 이를 稱揚하얏슴으로 그 이름은 한 층 더 떨첫다. 타콜이 와서 付隨人 徐志摩가 이름을 일우고 杜威가 와서 胡適之의 名聲이 十倍라고 評하얏다.

(8)

當時 胡適之는 北京에 寓居하며 堂堂한 生活을 하고 잇는데 年齡은 겨오 三十의 美少年이엇다. 米國에서 中國에 漫遊하든 某 女史는 本國에서 胡適之의 名聲을 드럿슴으로 北京에 와서 胡氏의 訪問을 希望하야 郭復初에게 紹介를 請하얏다. 郭氏는 昨今 壽府에 잇서서 中國 側의 辯論에 크게 努力하고 잇는 駐英公使 郭泰祺 그 사람이다. 某日 該女史는 郭을 同伴하야 胡宅을 訪問하기에 이르럿다. 먼저 뽀이가 應接室로 案內하야 座에 나아가자 胡氏는 中國服을 輕裝으로 滿面에 우슴을 띄고 천천히 들어왓다. 본즉 한 白面書生으로 一見에 梅蘭芳가탓섯다. 女史는 有名한 胡氏인 줄은 몰랏섯다. 郭氏가 일어나서

이 량반이 딱터·胡,

이 량반은 米國의 ××女史.

라고 판박은 듯이 紹介하얏다. 여러 가지 談話 끄테 女史는 딱터·胡는 半白의 老博士인 줄로만 생각하고 잇섯다고 말하얏다. 이것은 八九年 前 일인데 胡氏는 지금도 오히려 四十 남짓한 한창 나희의 사람이다.

(18) 秦德君의 覆水 難收

秦德君은 穆濟波의 안해이엇다. 穆은 成都高師 卒業 後에 累進히야 西北大學 敎授가 되고 北伐軍이 일어나는 同時에 南京軍의 軍長으로 北上한 朱培德의 秘書가 되엇다가 뒤에 辭免하얏다.

穆이 成都高師 修學 時代에 女學生 秦德君과 戀愛가 成立하얏다. 當時 學生들의 이야기로는 秦德君이 男裝하고 自由로 穆濟波의 宿舍에 出入하얏다. 結婚 後 穆은 南京 某 中學의 國文敎師로 學生의 崇拜를 바닷섯다. 民國 十七年 여름 南通中學의 校長이 되엇슬 때 秦德君은 넷이나 되는 子息을 버리고 어대로 出奔하얏다. 穆은 手足이 억매히다십히 子息 넷을 맛게 되어 自身이 妻君을 搜索하라 나아갈 수도 업서 困極의 남아에 友人에게 托하고 감즉한 곳을 차저 보앗스나 도모지 消息을 알길 업서 다만 憂鬱한 날을 보낼 뿐이엇다. 秦德君은 집을 나아간 뒤에 汽船을 타고 日本으로 갓다. 처음에는 家庭의 羈絆을 벗고 學問으로 무슨 일을 일워보랴고 한 것이엇다. 그런데 뜻박게 赴日 途中 汽船 속에서 小說家 沈雁氷과 알어 한번 보고 마음을 許諾하야 東京에 到着하면서 同居하얏다. 沈雁氷에게는 夫人 孔德芝[22]가 잇섯다.

穆의 友人은 죄다가 同情하야 不貞한 德君을 離緣하고 後妻를 맛는 便이 조타고 勸함으로 濟波도 그럴 생각이 낫섯다. 그해 겨울에 友人의 斡旋으로

---

22 '孔德沚'의 잘못이다.

李孃을 마젓다. 李孃은 看護婦 노릇을 하며 勤儉 治家에 수고로움을 사양치 안코 어린애를 己出 同樣으로 사랑하얏다.

(9)

德君은 雁氷과 或은 東京에서 或은 京都에서 同棲하며 情愛가 자못 두터 윗섯스나 붓는 것은 떨어질 張本이라는 말과 가티 愛情의 破綻이 나서 雙方 이 離婚을 宣言하얏다.

德君은 雁氷과 헤여진 뒤에 寂寞을 늣기고 또 生活에 困難이 닥처 不得已 歸國을 하야 어느 날 濟波를 南京에 차젓슬 當時 濟波는 李婦人과 結婚한지 이미 一年이요, 네 어린애는 成長하야 一層 더 귀여우며 남편도 또한 變함이 업섯다. 이를 보고 자못 破鏡重圓을 希望하얏스나 事情은 儺門 여닷기와는 달라 無色히 돌오 아니 나올 수는 업섯다.

(一九) 田漢의 喪妻怨

前 南國社 創辦人 田漢은 東京高師 出身이다. 東京 留學 때에 留日學生監 督 易梅園의 딸 漱瑜와 알어 同棲하야 秀才 佳人이 誼가 조와 歸國 後 第二 世를 나하 이름을 龍兒라고 두 사람이 無限히 鐘愛하얏다. 그런대 好事多魔 로 龍兒가 세 살 때에 漱瑜는 갑자기 病으로 쓸어젓다. 田氏는 佳偶를 일코 懊惱하야 數日을 飮食을 먹지 아니하얏다.

民國 十三年 田은 長沙 某 中學에 敎鞭을 잡고 哀悼詩 七律一章을 學生에 게 뵈엇는데 그 一句에

呼燈檢點漆皮箱, 一檢遺箱一斷腸. 遺物珍存兒女在, 襯衫猶帶
麝蘭香.

이라는 情緒 纏綿한 것이 잇서 小說家 張資平은 上海로부터 書를 보내어
王漁洋의 詩에 不亞하다고 稱揚하얏다.

當時 田氏는 長沙 某 女學校의 國文敎師를 兼任하고 잇서 一群의 鶯燕 中
에서 더욱이 孤獨을 늣길 때라 가르치는 弟子의 黃某와 戀愛에 빠젓섯다. 民
國 十三年에 田은 敎職을 辭免하고 이 愛人을 대리고 赴滬하야 上海에서 同
居하얏다. 때 마츰 長沙에서 同僚 敎員의 葉某도 職을 辭하고 上海에 閑居하
고 때때 田을 訪問하얏다. 葉某는 翩翩한 靑年으로 田의 蓬頭垢面과 달라 계
집애들의 조와하는 하이카라라 얼마 아니되여 黃女와 사랑을 말하게 되엿
는데 田은 모르는 것은 남편 하나뿐인 체하고 잇섯다.

同年 겨을에 葉某는 廈門의 某 校에 就職하얏섯다. 이리한지 未久에 田의
愛人도 出家하야 杳然히 消息이 업섯는데 田은 不問에 부치고 잇섯다. 하자
얼마 뒤에 葉某의 書信을 接하얏다. 그것은

吾兄의 愛人 黃女士는 무슨 原因인지 모르나 突然 來廈하얏
다. 目下 弟宅에 同居 中이다.

라는 것이엿다. 田은 이 書信을 接하고도 介意치 안코 以後 鰥居하야 全
혀 著作에 注力하얏다.

田氏는 어떠한 原因으로 南京政府의 追縛令을 밧고 目下 東京 郊外의 某
處에 避하야 寓居하고 잇다. 友人 等은 그 境遇에 同情하고 잇다.

(10)

(二十) 女作家의 多角關係

新文藝界의 閨秀 作家 中 著名한 사람들은 謝氷心, 黃盧隱, 蘇雪林, 黃白薇, 丁玲, 陳學昭 等인데 이 中에 艶聞이 가장 만키는 陳學昭다. 陳女士는 浙江 사람으로 上海 女學校를 卒業한 뒤에 『女性美』의 作者 季士任[23]의 紹介로 海門의 某 女學校의 教師가 되엇다. 季士任은 美術家요, 美男子로 陳女士와 俄然 意氣投合하얏스나 딱한 노릇은 季士任은 當時 學生으로 女子와 常住하며 팔을 맛겻고 談論할 機會가 업섯다. 이러는 동안에 女士는 辭職하고 赴滬하야 마츰 孫福熙(春苔)와 邂逅하얏다. 孫은 巴里에 留學하야 美術을 배왓슴으로 美術과 關係잇는 女士는 마츰내 孫과도 特別한 交分을 매젓다. 當時 孫은 北新書局의 編輯에 從事하야 女士의 作인 『倦夢[24]』과 『寸草芳心[25]』의 두 創作集의 出版에 盡力하얏다. 女士가 文藝界에 이름을 일운 것은 孫의 힘이 만타. 孫은 뒤에 北京으로 가 女士와 죡음 感情이 벗나서 季士任이 再次 巴里行을 지을 때에 女士는 孫을 버리고 季와 同行하얏다. 孫이 歸滬하야 季와 陳女士가 巴里에서 結婚하얏다는 말을 듯고 終日 痛哭하얏다고 한다.

다음에 孫은 家兄 仗園[26]과 佛蘭西로 건너갓다.

最近 孫과 季는 戀愛의 怨恨으로 決鬪하얏다는 말이 들린다. 季의 父親은 前 江蘇省 議員으로 守舊家인 까닭에 陳女士의 素行에 不滿을 늣기고 佛蘭

---

23 '季志仁'의 잘못이다. 아래도 마찬가지다.

24 중국어 원제는 '倦旅'이다.

25 중국어 원제는 '寸草心'이다.

26 '伏園'의 오식이다.

西에 잇는 그 아들에게 陳女士와 關係해서는 안된다고 警告하얏스나 季의 그 女子에 對한 생각은 容易히 살아질 수 업는 것이엇다.

(11)

그런데 어찌 알엇스랴. 陳女士는 舊歡의 重收를 바라지 안코 一 留學生 何穆과 相愛하야 季에게서 孫, 孫에게서 何에게로 愛情을 移換하얏다. 孫은 一 昨年 여름에 歸國하야 지금 杭州藝術學院과 밋 杭州日報舘에 잇서 藝術에 丹念하며 失戀의 쓰라림을 이즈랴고 하고 잇다. 數月以來 何와 陳은 佛蘭西에서 正式으로 結婚하고 紀念寫眞을 國內의 友人에게 보냇다. 이에 이르러 鼎石愛는 一統하고 多角戀愛도 一段落을 告하얏다.

【21】黃季剛이 輿論을 무려워 아니하다

黃侃, 字는 季剛이니 湖北 靳[27]春의 사람이요, 章太炎의 高足으로 中國의 小學專門家, 音韻學의 大家로서 古文 詩詞에 精通하다. 黃氏는 知命에 가까우나 眉宇 間에 少年의 기운이 잇스며 잘 마시고 잘 말한다.

黃氏는 以前에 南京大學의 古文 敎授로 잇섯는데 胡適之가 歸國하야 新文學을 提唱하고 靑年은 이에 附和하얏다. 黃氏는 憤激하아 職을 내여던지고 武昌高師에 敎鞭을 잡기 數年에 學生의 信仰이 두터웟다. 武昌에서 黃氏는 夫人과 死別하게 되어 黃紹蘭女士의 戀愛 結婚도 破綻이 나서 女士는 幼

27　'蘄'의 잘못이다.

兒를 안고 上海로 갓다. 黃女士는 即 現在 上海 佛租界 博文女學校의 校長이 그 사람이다.

當時 武昌女子師範에 黃菊英이라는 女先生이 잇는데 季剛의 딸과 同級으로 사이가 조와 土曜日에는 걸르지 안코 黃宅을 訪問하며 季剛에 對하야서는 叔伯의 禮로써 섬기고 黃侃도 또한 菊英을 사랑하기를 親子息 가티 하야 사람들은 또한 疑心치 아니하얏섯다.

한 참 잇다가 季剛은 딸과 同年의 菊英과 猛烈히 戀愛하는 사이가 되어 居無何에 結婚을 正式으로 宣言하얏다. 그런데 湖北의 敎育界와 新聞界는 囂囂히 季剛을 排擊하고 黃은 大學敎授이면서 同姓 同本의 學生을 誘引 結婚함은 駭怪莫甚하다고 省政府에 代表를 派送하야 陳情하는 者까지 잇서 썩 머리끝 압흐게 되엇섯다.

黃의 訓陶를 바든 學生은 이를 근심하야 某日에 黃을 訪하고 『近日 新聞紙는 先生님의 排擊이 甚한데 先生님께서 아즉 新聞을 보시지 못하섯습니까.』하고 무럿다. 黃은 아모러케도 알기 앗는드시 『내 알기는 하지만은 원 結婚 準備에 밧버서 닑은 機會가 업네. 자네들이 그 新聞을 保存하얏다가 結婚한 뒤에 보내주게. 나종에 닑고 심심破寂이나 할 터이니.』하고 대답한다.

(12)

學生은 다시 『輿論의 排擊은 아주 甚합니다. 先生님께서는 두려워 아니하십니까.』하고 무럿다.

『그런 것은 방귀 만콤도 아니 아네.』 이것이 대답이엇다.

이리한지가 벌서 七八年, 菊英夫人은 二三人의 어머니가 되엇다.

(22) 張耀南[28]의 實際와 理論

張躍南[29]은 湖南[30] 사람으로 米國에 留學하야 心理學을 研究하고 歸國 後에 多年 學界에 重鎭으로 잇섯다. 張氏는 身體가 魁偉하야 體重이 百九十파운트요, 그 夫人은 겨우 八十斤임으로 똑 夫人의 倍가 된다. 張氏는 心理學의 專門家인 만큼 心理學의 著譯이 만타. 일즉이 麻雀 心理를 某 雜誌에 寄稿하야 麻雀黨의 愛讀하는 배 되엇는데 麻雀 理論의 白眉이엇다.[31]

氏는 또 麻雀을 사랑하야 敎課의 틈틈이 張氏도 스스로 竹林 中의 사람이 된다. 이 분으로 말하면 麻雀 心理에 精細하야 實戰에 잇서 百戰百勝할 터인데 實際에 잇서서는 늘 苦戰을 하고 慘敗하는 때가 만타. 어떤 사람이 氏에게 『貴下는 麻雀 心理에 精通하시니 麻雀은 아마 잘하시겟지요.』하고 무르니 웃고 대답을 아니하는데 夫人이 대신하야 『영감의 打牌에는 내가 익엇느냐고 뭇는 일이 업시 얼마나 젓느냐고 뭇기만 하지요.』하고 대답한다. 友人은 張敎授의 實際는 멀니 理論에 不及한다고 嘲弄한다.

(23) 劉大杰의 女難

劉大杰은 湖南 岳陽 사람이다. 民國 十八年 여름에 日本으로부터 歸國하야 上海의 어느 조고마한 旅舘 속에 寓居하고 잇섯다. 그 夫人은 볼 일이 잇서 湖南에 가 잇는 까닭에 來滬를 몹시 기대리고 잇섯다.

---

28 '張耀翔'의 잘못이다.

29 '張耀翔'의 잘못이다.

30 정보가 잘못 되었다. 湖北 사람이다.

31 張耀翔, 「麻雀牌之注意價値」, 『心理』 제3권 제4호, 1925.7.

某日 劉가 詩文을 보고 잇노란즉 女子의 來客이 잇섯다. 全然히 아지 못하는 洋裝의 모던 美人이엇다.

『나는 數年來로 先生을 敬慕하고 잇섯다가 오날 맛나뵈옵게 된 것은 幸福이올시다.』하는 人事라 劉는 찔끔하야 應對하얏다. 그 女子는 談論이 風發로 政治를 말하고 文學을 이야기하얏다. 그로부터 數日 동안 每日 劉를 訪하며 오면 반듯이 몃 時間 談論으로 疲勞도 늣기지 아니하얏다. 劉는 그 女子를 小姐(아가씨)라고 부르고 女子도 또한 남의 안해인 態度를 보히지 아니하얏다. 어느 날 그 女子는 容姿를 端正히 하고 『이 後로는 나를 小姐라고 부르지 마십시요. 나는 三人의 어머니입니다.』하고 말하얏다. 劉는 다 듯고나서 上海의 折白黨(인치키 女)이 아닌가 하고 생각하얏다. 女子는 劉가 怪異하게 역이는 듯한 모양을 보고 남편은 官吏라는 것, 남편에게 愛情이 족음도 업서 離別코저 하니 만일 貴下에게 뜻이 게시다면……하는 等의 말을 내놋는다. 劉는 두 번째 놀라는 것 가티 어린애가 所重하다는 口實로 婉曲히 拒絶하얏다. 女子는 劉에게 뜻이 업는 줄을 알고 怏怏히 가버리더니 이튼 날 絶交狀을 보내어 劉에게 勇氣와 革命性이 업슴을 責하고 綿綿한 잇지 못하는 생각과 원망을 말하얏다.

數日 뒤에 夫人이 湖南으로서 돌아왓는데 劉는 該 一件을 秘密에 붓치고 잇섯다. 某日 劉夫人이 閒談을 하고 잇는 판에 例의 厥女가 昂然히 들어옴으로 劉는 顔色을 變하며 狼狽하얏다. 厥女는 室內로 들어오더니 劉夫人의 손을 잡고 서로 久潤을 말한다. 女子는 劉夫人과 女學 時代의 클라쓰 메ー트이엇섯는데 서로 못 본지가 十餘年에 他鄕에서 故友를 맛나 感慨가 자못 깁흔 듯이 『今日 貴女를 차즌 것은 偶然히 旅客의 名札 中에 貴女의 이름이 보임으로 或是나 하고 차젓더니 果然 貴女로 實로 반갑다.』고 말을 하며 暫時 後에 辭去하는데 劉夫人은 親히 門밧까지 바래주며 莞薾히 우슴으로 劉는 그제야 安心하얏다.

(24) 魯迅의 프로필

魯迅의 文名은 今日 世界的으로 알리어젓다. 魯迅은 一八八一年 紹興酒의 본고장 浙江省 紹興에서 낫다. 幼時 貧苦 中에 길리어 그래서 普通敎育을 會得하엿다.

(13)

그리한 뒤에 南京 鑛山學校에 入學하야 優等의 成績으로 卒業하고 省의 留學生으로 選拔되어 日本에 留學하야 東京 弘文學院에서 二年 間 工夫하고 그리고 仙臺의 醫專에 배우다가 二年째 되는 때에 어떤 事情으로 退學하고 그리고서는 革命과 文學에 轉向하얏다. 孫文이 大統領이 되고 蔡元培가 敎育部長 때에 蔡는 同鄕의 魯迅을 拔擢하야 敎育部의 僉事를 식히엇다. 敎育部에 十五年 間을 지내고 京師圖書舘長을 兼하고 또 北京大學에 文學을 講하얏다. 그의 『阿Q正傳』은 世界 여러 나라의 말로 飜譯되엇다.

그는 事物에 對하야 精細한 觀察眼을 가젓고 사람에게 對해서는 誠懇하다. 그는 그 原稿를 細心히 修正하며 原稿는 毛筆을 쓰는데 毛筆의 글씨는 볼만하다고 한다. 그의 夫人은 北京女師大學 出身 許崇霞[32]女士로 廣東에서 낫고 有名한 廣東派 政客 許崇智의 姪女가 된다. 狂飈社 詩人 高長虹도 그 女子에게 戀愛하얏스나 結局 魯迅이 勝利를 어덧다. 일즉이 魯迅은 崇霞女士의 詩를 代作하야 주어 그것이 高長虹의 詩를 凌駕함으로 高는 魯를 甚히 원망한다고 한다.

---

32 '許霞'의 잘못이다. '許霞'는 許廣平의 본 이름이다. 아래도 마찬가지다.

(14)

魯迅은 美術을 愛好하야 中外 名畫──主로 木版畫를 所藏하얏다. 일즉이 上海 四川路의 某 日本人 樓上에서 繪畵展覽會를 열엇섯는데 그 가운대에 獨逸 革命의 犧牲이 된 아들의 어머니인 某 獨逸夫人이 그 아들을 紀念하기 爲하야 그린 八幅의 力作이 잇섯는데 그것이 魯迅의 손으로 돌아갓다. 上海 의 日本人 經營의 內山書店으로부터 獨逸 名作의 木版畵 飜刻을 出版한 일 도 잇다. 그의 日本語는 流暢하다 하며 中國語는 紹興의 方言이다.

(25) 楊振聲의 『王君[33]』 不遇

楊振聲, 字는 金甫, 山東 蓬萊縣 사람으로 吳佩孚 將軍과 同鄕이다. 본시 北京大學 出身으로 傅斯年, 羅家倫, 汪敬熙, 俞平伯 等과 同窓이요, 모다 新 潮派의 錚錚한 人物이다. 北大를 나와 暫時 文筆에 從事하다가 뒤에 米國 에 留學하야 心理學과 米國 近代文學을 배워 英文學의 素養은 잇스나 會話 는 甚이 서투른 便이엇다. 歸國 後에 北京에서 敎鞭을 잡앗는데 石瑛(現 南京 市長)이 武昌大學으로 招聘하얏다. 當時 北京에서 被聘된 사람에 郁達夫, 江 紹原 等이 잇섯다. 武大를 떠나 一次 廣州 中山大學의 敎授가 되엇다가 뒤에 또 北京에 와서 淸華大學 敎務長이 되엇고 靑島大學이 成立한 뒤에 校長이 되어 二年가량 勤務하다가 學務爭議가 일어난 뒤에 辭職하얏다.

楊氏는 六尺 體大에 코가 큰 好男子로 一見 外國사람과 갓다. 他人에게 對하야 親切 鄭重하야 武大 敎授 때에 女學生들에게 小姐(아가씨)라는 敬語

---

33 '玉君'의 잘못이다. 아래도 마찬가지다.

를 써서 女學生을 기쁘게 하얏다. 氏의 小說은 蕭洒하고 점잔타. 八年 前『王君』이라고 題하고 戀愛를 取扱한 長篇小說을 지엇다. 當時 中國의 新作家는 短篇만 지엇는 까닭에 그것은 文壇의 注意를 끄으럿다.

(15)

石瑛이 武漢大學 校長 때에 郁達夫, 張資平, 楊振聲 等의 文學者가 敎授로 잇서서 武大는 文學 空氣가 濃厚하얏다.『王君』이 出版된 뒤에 署名하야 이를 石校長에게 보내엇다. 石氏는 理學 出身으로 新文藝는 理解가 업고 特히 戀愛小說은 가장 실혀하는 바이엇다. 石氏는『王君』을 밧고 謝謝라고 한 마듸 말하고는 그대로 冊欌우에 내어던저 두엇다. 그 뒤에 石瑛은 學校 爭議가 發生하면서 辭職하고 짐을 꿀이어 떠나랴고 할 때에 卓上에는 석냥, 못쓸 雜誌와 함께『王君』이 몬지에 싸혀 放置되어 잇섯다. 楊氏는 이를 보고『자네는 이것을 이저버렷나.』하고 무럿다. 石은『이 梅蘭芳的 文學은 나는 실혀하네. 諢네는 이 後부턴 楊小樓的 文學을 쓰게.』하고 대답하는 까닭에 楊氏는 다만 苦笑할 뿐이엿다.

(26) 左舜生과 沒累

左舜生은 湖北[34] 사람으로 上海 震旦大學 出身이다. 일즉이 한번 佛蘭西에 留學하야 近代史를 硏究하얏다. 그 뒤 十年 間 上海 中華書局에 勤務하며

---

34 정보가 잘못 되었다. 湖南사람이다.

그동안 誠實히 事務를 보아, 國外에 留學하는 友人은 幹稿[35]를 左氏에게 보내어 그 原旋[36]으로 學資를 어덧다. 王光祈, 周太玄, 田漢 等은 지금도 오히려 感謝하고 잇다. 十年 前에 王光祈의 編輯하는 雜誌 『少年中國』이 出版되엇섯는데 MR女士의 署名者가 이에 寄稿하야 王光祈와 늘 通信하고 잇섯다. 얼마 잇다가 M女士는 廣州로부터 上海로 와서 비롯오 王光祈와 맛낫다. 마침 王光祈는 獨逸로 떠나기 바로 前임으로 女士를 左舜生에게 紹介하얏다. 이 M女士는 楊沒累이엇다.

沒累도 湖南 사람으로 女子로서 老莊의 書를 愛讀하야 古典趣味가 만흔 사람인 까닭에 老厚한 風이 잇는 左舜生을 한번 보고나서는 이를 崇拜하다가 나종에는 纏綿한 情을 보내게까지 되엇섯다. 當時 左는 임이 結婚한 터이엇다.

沒累는 때때 左宅을 訪하고 左夫人에게 書를 가르치며 機會를 어더 左氏와 暢談하얏다. 人生, 戀愛問題를 말할 때마다 數 小時 피곤함을 아지 못하얏다. 左는 沒累가 自己를 사랑하는 줄을 알고 心中에는 激하지마는 그 以外에는 나지를 안코 沒累도 또한 그것을 알고서는 원망 아니 할 수 업섯다.

居無何에 沒累는 北京으로 가서 友人의 紹介로 朱謙之와 알엇다. 朱는 浙江[37] 사람으로 北京大學 出身이요, 性格은 左와 비슷한 까닭에 沒累는 朱와 戀愛하야 一帆順風으로 結婚 宣言을 하얏다. 이 楊, 朱 두 사람의 戀愛 中의 書信은 『荷心』이라고 題하야 出版되고 左舜生도 이를 닑엇다. 結婚 後에 沒累는 病을 엇고 그 뒤에 西湖로 돌아와 얼마 잇다가 죽엇다. 謙之는 夫人을 煙霞洞 뒤에 무든 뒤에 日本으로 갓는데 그 뒤의 消息은 杳乎히 不明하다.

---

35 '原稿'의 잘못으로 뒤의 '幹旋'과 글자가 서로 바뀌었다.

36 '幹旋'의 잘못으로 앞의 '原稿'와 글자가 서로 바뀌었다.

37 정보가 잘못 되었다. 福建 사람이다.

前年 가을에 左舜生은 그 幼兒 數名을 대리고 西湖에 놀아 沒累의 墓를
찾고 往時를 追想하야 感懷가 기퍼 左는

此是故人楊沒累,
呼兒展拜莫喧嘩.

라고 읇헛다. 이를 友人에게 뵈힌즉 友人은 左에게 一 詩를 보내엇다.

凄凉湖上伴愁眼,
我自飄零我自憐.
往事如煙誰想得,
一輪明月照當年.

【27】 胡光煒의 移家難

胡光煒, 字는 小石이니 甲骨文에 通하며 中國 國學의 名教授다. 書法은
勁秀하야 一家를 일우엇다. 近來 氏의 書名은 놉하 求하는 者가 만타. 胡氏
의 頭髮은 長이 數寸이어서 友人은 長髮詩人이라고 부르며 本人도 得意다.
胡氏는 武昌高師 教授 때에 黃季剛과 사이가 조치 안하 얼마 아니 되어
辭職하얏다.

(16)

當時 謝循初와 그 夫人 孫女士는 가티 武大에 잇서서 謝는 心理學, 孫女

士는 美文의 教授를 하고 잇섯는데 胡氏는 이 두 사람의 月下氷人으로 結婚을 成立케 하얏다. 胡氏의 講義는 音吐朗朗, 一二時間 繼續에 滿面에 땀을 줄로 흘리며 노토로 땀을 씨슴으로 學生은 苦笑하나 長髮詩人은 돌아보지 안는다.

湖北을 떠나서 南京의 東南, 金陵 兩大學에 教鞭을 잡은지 七八年이 된다. 胡夫人은 南京사람으로 小脚의 舊式夫人이다. 勤儉治家로 말을 하면 반듯이 半時間 잔말쟁이의 理論家인 까닭에 胡氏는 甚히 두려워 한다. 友人이 訪問하면 胡夫人은 늘 曲直을 하소하며 侃侃히 말하고 胡氏는 다만 唯唯히 點頭한다. 夫人이 한번 자리를 떠나면 胡氏는 友人에게 『참 어떠케 할 수가 업네. 그저 지고 지내네.』하고 한숨을 쉰다.

胡氏의 寓居는 南京 城南에 잇는데 兩大學이 다 城北에 잇다. 胡氏는 每日 수레에 안저 城南에서 城北으로 단인다. 한 時間이나 걸림으로 胡氏는 이를 苦痛으로 여긴다. 友人이 늘 城北으로 移家를 勸하면 胡氏는 고개를 길게 빼고 『移徙는 해야 할 터인데 좀체로 할 수가 업네.』하고 말한다. 友人이 그 까닭을 무르니 『內子가 麻雀을 조와하는데 麻雀 동무들이 모두 城南에 잇는 까닭에 移徙는 結局 하기가 어려우에 못 옴기는 것은 內子가 허락을 안해설세.』하고 머리를 극적어리며 嘆息한다.

(29)[38] 葉龍元[39]이 保險費에 困難

葉龍元은 安徽省 徽州 사람으로 米國에 留學하야 經濟學을 배호고 中央

---

38 '28'의 잘못이다.

39 '葉元龍'의 잘못이다. 아래도 마찬가지다.

大學에서 多年 經濟學을 講하얏스며 一次 그 敎務長에 被任하얏다. 一昨年 安徽 敎育廳長이 되엇섯다가 다음에 財務廳長이 되엇다. 葉에게는 官僚風이 업서 平日 布衣 布履로 남에게 城壁을 베풀지 아니한다. 술을 조와하며 즐기어 小詩를 짓는다. 近日 葉氏는 友人의 집에서 劉大杰 送別의 一詩를 읊헛다.

(16)[40]

楓葉紅時君送我,
今日榴紅我送君.
江北江南同是客,
年年處處感離情.

元龍이 昨年 敎育廳長 赴任에 지음하야 家族을 杭州의 親戚에게로 보내고 單身으로 赴任하야 省政府의 一室 中에 寢臺와 椊子 하나와 椅子 四脚을 놋코 窮書生과 가튼 生活을 하고 잇섯다. 當時, 安徽省의 敎育, 經濟는 困難이 極甚하야 中小學의 俸給을 支拂할 길이 업고 敎員은 罷業으로써 迫하야 葉氏는 應對難을 늣기어 辭意를 洩하고 友人에게 苦衷을 告하되 『自己가 就任한지 二個月이 되나 月給을 주지 못하엿다. 就任할 때에 百元을 가지고 왓는데 이는 돌아갈 旅費와 生命 保險料로 이것만은 쓸 수가 업다.』하고 말하얏다. 이로 보면 中國의 一部 官吏의 生活의 容易치 아니함을 알 수 잇다.

---

40 응당 '(十九)'야 하며 따라서 이하 연재분도 잘못 표기되었다.

(29) 羅隆基의 스피―드 戀愛

羅隆基는 江西 사람으로 米國 某 大學을 卒業하고 딱터의 稱號를 엇고 歸朝 後에 光華大學 敎授가 되엇다. 일즉이 『新月』雜誌에 黨政의 得失論을 發表하야 當局의 忌諱에 觸하얏섯스나 그로 因하야 名聲은 돌우혀 놉하젓다. 夫人은 본시 一 華僑(外國 出生 女子)로 倫敦에서 敎育을 바더 中國말은 한 마대도 못하는 女辯護士가 前年 上海 霞飛路의 小洋舘에서 살앗는데 夫婦가 和合지 못하야 말다틈에서 싸호기까지 하야 이웃사람을 무던히 괴롭게 하얏다. 未久에 夫人은 新嘉坡로 覲親을 가고 羅는 單身으로 上海에 머믈럿다. 아침[41] 王姓의 令孃이 잇서 米國으로부터 돌아와 華安大厦의 二層에 住하며 때때 近處 王造時 夫人에게 閑談하러 갓다. 어느 때에 羅도 同席에 잇서 王夫人의 紹介 뒤에 麻雀을 하얏는데 四圈이 끗나기 前에 羅와 王女士는 意氣投合하야 眉目이 情을 傳하얏다. 이 王女士는 英語에 熟達하며 北京語와 上海語도 自由로 말하는 楚楚한 美人이엇다.

이튼 날 王女士는 羅를 『新月』編輯局으로 訪問하야 그 아름다운 姿態를 나타냇다. 座中에는 徐志摩, 邵洵[42] 두 詩人도 잇섯슴으로 注意를 끄을고 그 丰神에 놀랫다. 二三日 後에 두 사람은 進一步의 關係에 들어갓다. 그 뒤 羅는 天津의 漢字紙를 主幹하야 月給 五百元을 밧고 한 洋舘을 貰 어더 사는데 그 女主人은 王女士이엇다. 그런데 好事多魔로 昨年에 羅夫人은 新嘉坡도 실증이 나고 남편도 그리워 上海로 돌아와 거긔서 다시 天津으로 와 羅를 차젓다.

---

41 '마침'의 오식이다.

42 '邵洵美'의 잘못으로 '美'자가 누락되어 있다.

突然의 歸來로 羅는 周章狼狽하야 應對할 方法이 업섯다. 近者 羅는 友人
의 斡旋으로 多角 關係의 解決에 힘쓰고 잇다고 한다.

(17)

(30) 李刧[43]人이 學風의 墮落을 歎

李刧人은 四川 사람으로 佛文學에 精通하다. 일즉이 佛蘭西에 留學하고
뒤에 成都大學 文學係 主任으로 被任되엇섯다. 李氏는 精力이 過人하야 善
談 好飮에 醉하면 詩作하는 風流名士다.

成都는 生活에 舒適하고 物價가 쌈으로 四川에 들어간 學者는 마음이 느
긋하야 署中休暇를 利用하야 江을 내려와 上海의 모―든 風味를 맛보는 것
으로 滿足해 한다.

李氏는 일즉이 푸로벨과 모파상의 小說을 飜譯하얏지만은 氏의 思想의
根底는 儒敎로 師弟의 關係가튼 것 等은 東洋風을 가지고 본다. 그래서 近
來의 學風의 墮落――이를테면 敎師가 學生을 毆打한다, 스토라익으로 排斥
한다, 甚한 것은 學生이 敎授를 우물에 집어느혀 죽이는 等의 事件이 成都에
잇섯다――을 嘆息하기를 남보다 數倍나 한 사람이다.

一昨年 가을에 李氏는 成都大學을 辭免하고 資金을 모아 成都西街에 淨
潔한 菜舘(料亭)을 열고 『小雅』라고 이름을 하고 李가 스스로 應待役을 보며
夫人은 會計를 마탓섯다. 李는 成都에 社交가 넓음으로 相當히 繁昌하얏다.
昨年 成都大學에서는 李氏의 復職을 請하고 學生 側도 代表를 派送하야 請

---

43 '刭'은 '刧'의 잘못이다. 아래도 마찬가지다.

願하얏다. 李氏는 師道 保持의 條件으로

一. 學生이 街上에서 스승을 맛날 때는 脫帽하고 敬禮할 일.

一. 學生은 스승의 面前에서 卷煙을 먹지 아니할 일.

을 提出하얏슴으로 學生은 이러를 李氏는 비로소 復職하얏다.

(18)

(31) 蘇雪林의 指導員難

蘇雪林은 北京女子師範大學 出身으로 十數年 以前 一時 喧傳되든 蘇梅
女史이다. 雪林이 한 번 佛蘭西에 留學하야 文學을 研究하고 歸國한 뒤에
『李義山戀愛研究』, 『綠天』, 『棘心[44]』 等의 小說을 出版하얏다.

雪林은 安徽사람으로 前年 楊亮功이 安徽大學 校長 때에 林을 招聘하얏
다. 雪林은 小說作法을 講하며 女指導員(女舍監의 類)을 兼하얏섯다. 雪林은
小說 外에 書畫에 長한 閨閣才人이엇다.

安徽大學에는 女學生이 적어 단지 三十人이요, 이에 女僕이 둘이 잇섯다.

女學生은 막 女僕을 부리어 콩 사오너라, 菓子 사오너라, 手巾을 빨아라,
洋襪을 꿰매라 하야 그 應接에 겨를이 업섯고 女僕이 업스면 學生은 指導員
에게 말한다. 어느 날 밤中에 女學生이 지게문을 두다리며 한 女學生이 急病
이니 入院식히지 아니하면 안된다고 말한다. 來日 아츰 일즉이 식히는 것이
어떠냐? 오늘 밤이 아니면 안됩니다 하고 말하는 까닭에 雪林은 하는 수 업
시 이를 病院으로 보내엇다. 醫師가 診察한 結果 感氣이니 別일이 업다고 한

---

44 '棘心'의 잘못이다.

다. 雪林이 憤然히 歸校하니 벌서 東方이 밝앗다. 이날 雪林은 敎務會議에서 女指導員의 苦痛과 女學生 監督의 意見을 提出하얏다.

一. 每 女學生은 女僕에게 每週 洋襪 두 켜레 以上을 빨려서는 안 됨. 그 남아는 제가 빨 일.

一. 手巾의 洗濯은 一日 一枚에 限함. 그 남아는 제가 빨 일.

一. 買物은 一日 一回에 限하고 그 外는 제가 나아갈 일.

等이엇는데 이로 中國 女學生의 一班[45]을 알 수가 잇다.

(32) 胡庶華가 地上에서 자다

胡庶華는 湖北 攸縣 사람으로 일즉이 獨逸에서 工學을 배운 老留學生이다. 이 사람은 어즈간히 矮軀로 四尺에 차지 못한다. 前者 上海鍊鋼 處長에 任命된 後, 同濟大學 校長이 되엇고 現在는 湖南大學 校長으로 그 美髥이 有名하야 美髥公의 이름이 잇다. 民國 十三年, 湖南高等工業學校에 敎鞭을 잡고 翌 十四年 石瑛이 武漢大學 校長이 된 뒤에 胡氏도 被招되어 事務長이 되엇다.

(19)

石, 胡 二公은 門을 對하야 居處를 定하고 밤이 되면 胡는 石에게 獨逸語를 가르처 큰소리로 외옴으로 校役들은 睡眠 妨害가 되어 困離을 當하얏섯

---

45 '班'은 '斑'의 오식이다.

다. 章行嚴이 敎育部長이 되고 胡는 江蘇敎育廳長이 되엇다. 當時, 孫傳芳時代로 江蘇敎育界는 黃任의 支配下에 잇서 胡가 江蘇敎育廳長에 任命되엇슬 때는 就任의 不利함을 일러 주엇스나 胡氏는 듯지 안코 赴任하야 一年餘를 勤務하며 백여 온 까닭에 달은 사람은 할 수 업는 일이라고 일커럿다. 胡氏는 淸廉하야 金錢에 對하야서는 極히 淡泊하야 數年 前 郁達夫가 困窮하야 胡氏에게 五十元을 借用하얏다. 年前에 郁이 그것을 갑자 胡는 그런 적이 업다고 固辭하는 것을 達夫가 再三 說明하야 비로소 이를 바덧다. 民國 十五年에 劉大杰이 日本에 잇서서 學資에 窮하얏슬 때에 二十元을 보내달라고 하야 急한 것을 免하얏다. 뒤에 大杰이 歸國하야 胡에게 謝意를 表하엇더니 胡는 그것을 이저버리고 잇섯다.

(20)

胡氏가 武昌大學 事務長으로 잇슬 때에 郁達夫가 또한 武昌에 잇서서 敎鞭을 잡고 잇섯다. 그는 遊里에서 飮酒하기를 조와하얏다. 某日 達夫 等 數人은 슬혀하는 胡를 억지로 끌어내어 江을 건너 漢口 某 妓樓에서 마시엇다. 그때 武昌은 戒嚴令이 發布되어 九時 以後에는 渡船을 停止하얏다. 돌아가랴고 하니 朋友들은 渡船이 업다고 하야 억지로 붓잡고 게집을 부르라고 졸랏다. 그것은 안된다. 그러면 旅舘에서 잘가? 旅舘은 돈이 든다고 옥신각신하다가 땅바닥에서 잔다고 하며 達夫 等이 크게 醉하야 狂態를 부릴 때에 美髥公은 땅바닥에서 코를 쿨쿨 골고 잇섯다.

(33) 劉英士의 妙根篤爺

劉英士는 江蘇 사람이니 土木學校 出身으로 現在 圖書評論社 主管이다. 五四運動에 지음하야 江蘇學界를 代表하야 北京서 學生會에 參加하고 當局의 忌諱에 觸하야 私費를 던저 米國에 留學하야 經濟學과 統計學을 專攻하고 歸國 後에 教育部에 勤務하다가 辭職하고 二三 大學에 教鞭을 잡앗다. 數年 前 安徽大學에 잇서서 學生의 信仰을 어더섯스나 安徽 教育界는 他省 사람이라고 하야 惡感情을 가젓섯다. 英士는 蓄音機들 놋코 蘇州의 俚謠 妙根篤爺를 조와하야 每日 그것을 틀고 興致가 나서 하얏다. 그것은 當時 妓女 間에 流行하는 것인데 英士가 그것을 부를 때마다 夫人은 野卑하다고 하야 못하게 말리엇다.

어느 날 밤에 安慶大學에서 義捐遊藝會가 열리어 그곳 有力者가 多數히 모혀섯다. 劉夫妻도 座에 잇섯는데 劇 하나가 끗이 나자 한 教友가 臺에 올라 『劉先生은 蘇州 俚謠 妙根篤爺를 잘하십니다. 先生에게 한번 불러주심을 特請합니다.』하는 말 끄으내고 臺下에서는 贊成의 拍手로 强請하는 바람에 英士는 不得已 臺에를 올랏다. 夫人은 얼굴을 붉히고 자리를 떠낫다. 教友들이 英士의 쩔쩔 매는 꼴을 좀 보랴는 計劃이엇다. 그는 統計學 講義의 態度로 지렁이 우는 소리를 내어 떨면서 불럿다. 臺 알에서는 狂笑와 嘲笑가 쏘다저 無色히 臺를 내려왓다. 이튼 날 教友들 責하야도 단지 苦笑할 뿐이엇다.

(尾)

南國片信(발췌)[01]

上海에서 金光洲

(二)[02]

戲劇協社의 『[03]公演

十月 九日!

上海戲劇協社 第十七回 公演인 『怒吼吧! 中國!』(외처라! 中國!)을 『黃金大戲院』 舞臺위에서 보앗습니다. 中國 文化運動의 部門에서 어느 것보다도 舞臺劇이 近來에 와서 活氣를 떼윗다는 것과 營利를 떠나 참된 意味에서의 演劇運動을 하랴 하는 中國 젊은 『인테리』들의 集合이요, 또 벌서 十七回나 公演을 거듭해 왓다는 點에 적지 안흔 期待와 興味를 가지고 갓섯습니다. 또 한 가지는 우리의 劇人인 『韋惠園』君이 言語와 風習의 難關을 물니치고 大膽히게 中國 劇人들과 舞臺에 선다는 깃불이 잇섯습니다.

---

01 『朝鮮日報』 1933.10.25~10.26, 특간 2면.

02 매회 연재분 표기로서 5회에 걸쳐 연재되었으나, 여기서는 2, 3회만 발췌한다.

03 '『'가 잘못 기입되어 있다.

『怒吼吧! 中國!』은 露西亞의 未來派 詩人 S.M.trechak off[04]이 一九二六年 九月에 中國에 逗留하든 中『萬縣事件』을 題材로 썻든 詩를 劇化한 것이니 우리에게 그다시 새로운 늣김을 갓게 하는 것은 아닙니다.

日本서는 一九二九年 築地 小劇場에서 上演하엿고 그보다도 훨신 먼저 一九二六年에 Meierhold[05] Theatre에서 첫 公演을 하엿스며 米國에서는 Matin[06] Beck Theatre에서 一九三〇年에 公演한 것으로 取題地인 中國에 안저서 그 劇作의 優劣은 莫論하고 인제 겨우 첫 上演을 보게 된 것은 누구나 新奇로운 맛을 늣기지 안흘 것입니다.(上海보다 몬저 廣東에서 上演하엿스나 그다지 큰 效果를 엇지 못햇스며 地方的에 不過하엿다 합니다.)

누구이나 다 아는 바와 가티 이 劇의 말하고자 하는 바는 楊子江 沿岸을 背景 삼고 米國砲艦과 中國勞働者들의 衝突을 그려서 黃色民族 가운데의 無産大衆과 白色民族가운데의 資産階級과의 鬪爭을 表現하야 高唱식힌 것입니다.

一時에는 各國의 大劇場이 다투어 上演한이 만치 外人의 眼光으로 中國 勞働階級의 生活裡面과 心裡 等을 描寫한 곳에 날카로운 點이 보히기는 합니다만은 中國 勞働階級의 表面的 漠然한 (略)의 口號는 不快한 늣김을 갓것합니다.

이 劇은 九場이나 되는 긴 幕數를 가젓슬 뿐더러 四十餘名의 登場人物을 움직이게 되며 裝置에 잇서서도 極히 大規模를 要하는 것으로 演出者의 統制的 手腕과 또한 演員들의 統一이 업시는 效果를 거두기 어려운 劇입니다.

---

04 'S.M.Tretyakov'의 잘못이다.

05 'Meyerhold'의 잘못이다.

06 'Martin'의 잘못이다.

劇界에서 多年間 敎養을 싸헛다는 『應雲衛』를 舞臺 監督으로, 舞臺經驗이 豐富한 『袁牧之』지 多數의 優秀한 演員을 가진 만큼 今般 『戲劇協社』의 公演은 여러 點으로 보아 어느 程度의 效果를 거두엇다 하겟습니다.

더욱이 幕間의 거이 全部를 迅速한 舞臺 暗轉으로 觀衆에게 조곰도 지리한 늣김을 주지 안흔 點이라던 外 裝置에 苦心한 자최가 력력히 보히는 것 等은 『戲劇協社』의 커다란 자랑이라 해도 過言이 아닐 것입니다.

劇 全體로 보아서 成功, 不成功을 말함보다도 外國에 뒤떠러진 劇을 上演한다고 말함보다도 新興 中國 젊은이들의 씩씩한 부르지즘──밤참 한 끼를 제대로 못 먹으면서 오로지 民族的 啓蒙을 爲하야 외치는 그들의 부르지즘을 듯는 것만도 깃겁습니다.

(三)

特히 우리 劇人 『韋惠園』君은 비록 조고마한 端役이엿스나 自己 役에 充實味를 가지고 演員 사히에서 異彩를 떼우고 잇스니 그의 압길에 中國劇壇의 向上과 함께 커다란 期待를 갓는 바입니다.

劇의 效果보다도 第一 먼저 눈에 떠우는 것은 劇을 보고 안젓는 觀衆입니다. 舞臺 위에서는 (略)를 부르짓고 『中國民族團結起來』를 외치며 勞働階級의 生活을 보혀주나 그것을 바라보는 사람의 거이 全部는 하로의 歡樂을 쪼차 한 때의 享樂울 차저 東으로 西로 갈 길 모르는 所謂 이 따의 紳士淑女(?)들입니다.

이 劇이 有閑階級의 一時的 慰安物이 된다면 그것은 一分의 價値도 업는 虛事라고 생각됩니다. 여기에 中國 劇人들의 괴로움도 相當히 잇슬 것입니다.

『戲劇協社』의 過去에 對하야 좀더 仔細히 쓰고 십흐나 넘우 지루해젓기로 後日 中國劇壇의 全般的 紹介를 써볼까 하며 이 번에는 이것으로 주리랴 합니다.

(하략 - 엮은이)

中國文壇 現狀[01]

丁來東

【上】[02]

中國 內外의 國難은 新聞의 報道로도 넉넉히 推測할 수가 잇을 것이다. 이와 같은 外難內患이 中國文學에 어떠케 反映이 되어 잇으며 現在 中國文壇의 潮流가 어떠케 動하고 잇는가를 우리로서도 考察할 必要가 잇을 것이다.

一般的으로 中國文壇의 最近 特徵을 觀察하여 보면 文壇 大部分의 作家가 그 態度에 잇어서 比較的 眞摯하여지고 또 文學 어느 部門을 불쳐 보드래도 最近의 作品은 퍽으나 緊張味가 잇으며 外來의 壓迫, 內部 執政者의 壓迫, 農村 破滅, 宗敎의 內幕, 맑스主義 文學團體의 拘束性 等等에 對하야 그 原因을 推究하고 그 現狀을 暴露하는 데 注意을 게을리 하지 않은 것으로 보아 現在 中國 文壇人이 社會問題에 最大의 關心을 가지고 잇으며 一般 壓迫 專制에 對하야 크게 覺醒하고 잇는 것을 알 수가 잇다.

첫재, 世界의 中心 問題를 惹起한 九·一八事件, 上海事變 後로 이 兩大 事件을 題材로 한 作品이 許多히 많이 나왓으며 上海, 北平, 天津의 各大 新

01 『東亞日報』 1933.10.26~10.27, 3면.

02 매회 연재분 표기로서 2회에 걸쳐 연재되었다.

聞에 실리는 大衆小說에는 더욱 此等의 內容을 가진 作品이 많이 나타낫엇다. 그러나 過去에 이름잇든 作家는 別로 이런 種類의 作品을 創作한 사람이 적고 그 大部分은 新進作家가 많앗엇다. 이런 作品으로는 『齒輪』(鐵池翰 作), 『大上海的毁滅』(黃震遐 作) 等이 單行本으로 出版되엇섯고 南北 中國의 大衆小說家 卽 張恨水, 程瞻廬, 徐卓呆들이 이 種類의 作品을 上海, 天津, 北平 等地의 大小 新聞을 通하야 多量으로 發表하엿엇다. 그네들은 一般이 『鴛鴦蝴蝶派』라고 命名하는 作家들이어서 普通 時에는 그저 低級의 通俗小說, 戀愛小說을 쓰는 사람들이다. 그러나 이러한 大事變이 일어나면 그네들은 卽時로 感傷的 過去英雄譚 비슷한 創作, 詩歌를 發表하는 것이다.

둘재로 그 前의 茶飯酒後에 심심消日로 쓰는 作品이 적어지고 또는 未成熟한 感傷的 戀愛作品이 그 痕跡을 감추고 在來로 一般 社會問題에 興味를 가지지 못하고 그저 文藝를 爲한 文藝派의 作家들까지가 現今에 와서는 社會上의 悲慘한 環境을 그리어내며 社會의 黑幕 等을 들처내고 統治群의 無理한 暴戾를 暴露하는 傾向이 잇다.

셋재로 中國 文藝論壇의 寂靜을 깨트린 『第三種人』問題가 再昨年 末부터 提起되어 只今까지 完全한 結末을 내지 못하엿고 이 論戰의 一部分 論文은 벌서 單行本으로 彙集되어 出版까지 되엇다. 이 『第三種人[03]問題라는 것은 맑스主義文學에서 말하는 『부르조아』・『푸로레타리아』兩大 階級의 作家 以外에 第三種의 作家가 잇을 수 잇다는 蘇汶이라는 作家의 論文[04]에서부터 發端되엇엇다. 勿論 맑스主義 文學團體人으로서는 이에 對하야 反對가 甚하엿엇다. 그 重要 論者를 들자면 易嘉, 周起應, 舒月, 洛揚, 魯迅들이엇다.

---

03 '』'가 누락되어 있다.

04 蘇汶, 「關於<文新>與胡秋原的文藝論辯」, 『現代』 제1권 제3기, 1932.7.1.

蘇汶의 主張은『一切 文學은 다 階級性이 잇는 것이 아니다.』라는 것이엇고
이 外에 胡秋原 같은 맑스主義者라고 말하면서 卽 文學은 階級性이 잇는 것
이라고 主張하면서 左翼文藝團體의 拘束性, 排他性들을 反對하고 일어섯엇
다. 맑스主義 文學團體人들은 胡秋原을 트로츠키派, 멘쉐비키派라고 몰아
대엇엇다. 이 論戰은 퍽으나 張遑하야 여기서 詳論할 수는 없거니와 何如間
中國 文藝論壇에 큰 波瀾을 일으킨 것만을 말하여 둔다.

넷재로 注意할 事實은 맑스主義 文學評者 谷非가 巴金의 作品을 評한
데 對하야 巴金이 答辯한『我的自辯』이란 一 文字에 關하여서다. 巴金은 無
政府 文藝作家로서 中國文壇 成立 後로 魯迅과 比肩할 수 잇는 作品을 近
四五年 間에 多量으로 써왓엇다. 巴金은 自己를 人道主義이니, 아나키즘이
니 或은 虛無主義이니 하고 評하는 데 對하야 自己答辯을 다하고 마지막으
로 自己에게『新興階級의 主觀과 只今보다 좀 더 接近하기를』勸하는 데 對
하야 그는 아레와 같이 答辯하엿다.

『그 所謂 新興階級이라는 것은 그저 一黨獨裁制(或은 그네들이
말한 것과 같이 一階級獨裁制) 밑에서 卓絶하게 五年計劃을 完成
한 蘇俄의 工農階級을 말함인가. 그러치 않으면 G·N·T 指導下
에서 마시아專制와 勇敢하게 鬪爭하는 西班牙 一百三十萬의
푸로테타리아와 F·O·R·A 指導下에서 白色恐怖와 艱難하게
戰鬪하고 잇는 아ー르친의 푸로테타리아를 갈으침인가.
前者와 後者의 要求하는 綱領은 各各 다르다. 萬若 谷非先生
이 그저 前者만 말하고 後者를 버린다면……나는 謝絶할 수
밖에 없다.……나의 政治綱領은 後者와 一致한 까닭이다.』

다섯재로 注意할 것은 그 前에 한참 떠들든 民族主義文學이 最近 數年 間에 그 踵痕을 감추고 楊邨人이란 過去 文壇人이 小資産 革命文學을 主張한 것이다. 아직까지 作品으로 나온 것은 없으나 그의 論文『揭起小資産階級革命文學之旗』,『小市民, 農民群衆의 啓發工作을 爲하야……』無産階級文學과 다른 陣營을 세우자는 것이다.

中國文壇의 思想的 派別은 大概 우에 列擧한 것과 같거니와 一般 出版刊物의 傾向을 보면 아래와 같다.

【下】

約 五六年 前에는 中國 國民政府를 背景으로 한 民族主義 文藝雜誌가 數種이 잇엇고 또 맑스主義 文藝雜誌가 따로 잇어서 文藝雜誌의 權威를 가지고 잇든『小說月報』等이 밀리는 感이 잇엇는데 最近 二三年 間에 이르러서는 民族主義 純文藝 雜誌도 없어지고 맑스主義 文藝雜誌도 市場에서는 볼 수가 없고 純文藝 雜誌『小說月報』도 上海事變 時 商務印書舘이 타진 後 續刊을 하지 않고 새로 現代書局에서 發刊하는『現代』라는 純文藝 雜誌가 나와서 中國文壇의 各派를 全部 羅列하다싶이 하고 잇으며 最近 三, 四 個月 前에 生活書店에서『文學』이라는 純文藝 雜誌가 또 나와서 맑스主義文學者, 無政府主義文學者, 旣成文人 할 것 없이 每號에 全部가 글을 發表하고 잇다. 이外에 南京 中國文藝社에서 發刊하는『文藝月刊』이 잇는데 맑스主義者 作品은 실지 않는 傾向이 잇다. 그外『彗星』月刊 等 여러 가지 文學雜誌가 잇으나 넓은 層의 讀者를 가지지 못하고 或은 一, 二期에 休刊된 것이 적지 않다.

單行本의 出版界를 보면 文學史, 詩史 或은 戲曲, 民間文學에 關한 過去

文學의 整理書籍이 많이 出版되엇고 現代 中國文人의 評傳 卽 郭沫若, 郁達夫, 矛盾[05], 張資平 等의 評傳이 出版된 것이 特記할만한 일이다. 勿論 評傳이라야 그 前에 散散으로 發表된 文字를 한 사람 것만 彙集한 것에 不過하지만은 그래도 퍽으나 좋은 傾向이라고 볼 수 잇다. 創作의 出版은 一般 左傾作家의 作品이 많이 出版된다. 그 中 巴金의 近 二十部에 達한 創作集은 中國文壇에 稀貴한 事實이어서 量에 잇어 相當한 多作家 中의 一人으로 볼 수 잇다.

文學 各 部門 卽 詩, 小說, 戲曲, 小品文 等 方面을 보면 詩 方面이 比較的 不振하고 小品文이 벌서 高潮를 넘어섯으며 戲曲이 舊狀 그대로 잇고 小說 方面이 比較的 興旺한 傾向이라고 볼 수 잇다.

中國의 新詩는 郭沫若, 徐志摩 時代에 全盛을 하엿엇고 그 後 聞一多 一派의 新形式이 發生한 後로 漸漸 蕭條하여지기 시작하엿다. 詩歌는 一定한 形式이 잇어야 하느니 하고 一時 理論이 紛紛하엿으나 筆者의 觀察을 말한다면 中國에 아즉 詩人이 나지 않앗다고 밖에 볼 수 없다. 最近에 와서 一部 詩人은 現在 中國 民間에 流行하는 山歌(卽 民謠) 等을 彙集 刊行하고 或 一部에서는 곧 曹葆華 等 新詩人들이 英國 詩의 『쏘넷』 等을 模倣하야 十四行詩를 發表하며 詩論 方面에 잇어서 T·S·엘리옷의 論文 J·L로웨스의 論文 等을 輸入하고 잇다. 現在 詩壇에 活動하는 사람들로 戴望舒, 藏克家, 方德[06], 卞之琳, 曹葆華 等과 過去의 詩人으로는 郭沫若, 朱湘, 李金髮, 宗白華, 王獨淸 等 諸人이 只今도 詩를 繼續하여 쓰고 잇다. 이 外에도 新聞 雜誌에 많은 未知의 詩人이 詩를 發表하고 잇으나 現在 中國 新詩는 沈悶한 雰圍氣

---

05 '茅盾'의 잘못이다. 아래도 마찬가지다.

06 '方瑋德'으로서 '瑋'자가 누락되어 있다.

를 벗어나지 못하고 잇다.

小說 方面에서 特記할만 한 것으로는 郭沫若, 矛盾 두 作家가 過去의 五四運動, 上海金融界 黑幕, 文學團體의 歷史 等을 그네들의 長篇小說로써 發表하는 것이다. 矛盾은 左翼作家로서 中國의 『업톤·싱클레아』라고까지 말하도록 싱클레아 作品과 相似點이 많다. 矛盾의 『虹』, 『蝕』, 『子夜』 等은 相當한 好評을 엇엇으며 郭沫若의 『創造十年』은 創造社의 經過를 記錄한 것이어서 이 作品의 쓴 動機는 魯迅의 漫罵를 報復하기 爲하야 쓴 것이라한다. 魯迅과 郭沫若은 같은 맑스主義者이면서 그네들의 相峙는 그 前 『文學研究會』 對 『創造社』의 感情이 그대로 남아 잇다. 張資平은 지금도 三角戀愛 쯤도 하여 보지 못하고 어떠케 革命을 하느냐고 하며 그 長篇을 無數히 發表하고 잇으며 郁達夫도 間或 長篇을 쓰고 老會[07]의 長篇도 繼續하야 發表된다.

短篇에 잇어서는 巴金, 沈從文이 如前히 繼續하고 잇고 新進으로 張天翼, 穆時若[08] 等의 作品이 比較的 好評이오, 그 外에는 王統照, 矛盾, 魯彥, 郁達夫, 杜衡, 葉靈鳳, 葉聖陶, 靳以郁[09], 汪錫鵬, 施蟄在[10] 等 諸人이 月刊 雜誌에 恒常 오르는 이름들이다.

戲曲 方面에 잇어어는 演劇 方面을 잠간 말할 必要가 잇다. 中國 舊劇은 只今 衰退하여 간다기보다 오히려 再興하는 感이 없지 않다.

첫재로 舊劇의 名俳優 梅蘭芳, 程硯秋 等이 各各 米洲 及 歐洲를 視察한

---

07 '老舍'의 오식이다.

08 '穆時英'의 잘못이다.

09 '靳以'의 잘못이다.

10 '施蟄存'의 잘못이다.

後 舊劇의 復興에 努力하고 잇으며 王箔生과 같은 사람은 新劇에도 相當한 素養이 잇고 舊劇에 잇어도 自己가 戲曲도 쓰고 自己가 演出도 하므로 舊劇 改良에 相當한 效果를 내고 잇다.

新劇은 아직도 큰 發展을 하지 못하고 熊佛西는 最近 農民劇을 主張하고 잇으며 田漢은 左轉을 하고 白薇, 歐陽予情[11] 等도 그 作品이 퍽으나 적으며 別로 新人도 나타나지 않고 잇는 中이다.

中國 新文學의 散文 方面은 퍽으나 進步되엇다. 特히 小品文(엣세이), 隨筆 (스케취) 等은 至今에 잇어 小說, 詩, 戲曲과 並稱하게 되어잇다. 이 方面에 가장 努力을 한 文人은 筆者가 그 前에 紹介한 바와 같이 周作人, 陳西瀅, 謝六逸, 魯迅, 俞平伯, 朱自清 等 많은 文人들이다. 그 中에 周作人의 散文集만 하드래도 前後 七, 八册이 出版되엇고 約 三, 四年 前은 小品文 全盛時代를 일우웟엇으나 至今에 이르러서는 多少 고개를 나려가는 것 같은 傾向이 잇다.

(了)

---

11 '歐陽予倩'의의 오식이다.

中國劇壇 一瞥 - 上海 劇界를 中心으로[01]

金光洲

【上】[02]

中國 文化運動의 部門 中에서 文藝運動이 近來에 적지 않은 成熟을 보이고 잇는 것과 같이 新劇運動도 또한 從前에 比하야 相當한 活氣를 띠우고 잇다. 劇人이나 觀衆이나 다 가치 『文明戱』나 『舊劇』에 滿足하고 잇든 것은 벌서 옛날이다.

아즉까지도 外來文化의 漠然한 輸入을 버리지 못햇다 하겟으나 적어도 智識階級에 잇어서는 함부로 高喊치든 口號의 時代는 지나갓다 하겟고 따라서 舞臺위에서도 小兒病的으로 陶醉하야 부르짖든 宣傳 口號를 버리고 實生活에 뿌리 박힌 참된 演劇을 보이고자 하는 努力을 發見할 수 잇다. 그러면 中國의 新劇壇은 어데서 어데로 움즉이고 잇는가!

이는 멀리 中國 新劇의 起源을 찾어 그 變遷해 나려온 經路부터 더듬으려면 一二章으로는 說明하기 어렵겟으므로 여기서는 主로 一九三三年 一年間의 上海 劇壇의 情勢를 말하야 미루어서 中國劇壇의 最近相을 一瞥함에

---

01 『東亞日報』 1933.12.8~12.10, 3면.

02 매회 연재분 표기로서 3회에 걸쳐 연재되었다.

조고마한 도음이 됨에 그치려 한다.

充分한 材料의 蒐集도 없을 뿐더러 各 劇社의 『레퍼토리』 等에 對하야 一一히 詳細한 內容, 公演 後의 効果와 出演한 演員들에 對한 것을 省畧하니 이 拙文으로 中國劇壇의 全部를 말함이 되리라고는 믿지 않는다. 處處에 粗忽한 點이 잇을 것이고 漏落된 바이 잇을 것이나 이는 筆者의 私生活의 不安定으로 돌리고 同路人 諸氏의 거리낌 없는 指摘을 바란다.

더욱이 上半期에 對하야는 直接 觀劇할 機會를 갖지 못햇든 關係로 月刊誌 『戲』 가운데의 『一九三三年上海劇壇』[03](自一四頁至二四頁, 『袁牧之』 述)이라는 一文에서 取材한 바 많음을 言明하야 둔다.

一. 三二年 下半期로부터

一九三〇年부터 三二年까지의 三年 間은 中國 新劇壇의 沈滯期라고 볼 수 잇다. 一九三〇年은 劇壇뿐만 아니라 文壇에 잇어서도 左翼作家의 被捕 等 藝術 各 部門을 通해서 多難한 時期엿다. 過去의 唯一한 新劇 團體이든 『田漢』 主幹의 『南國社』가 자최를 감춘 것은 오래 前 일이고 『南國社』와 함께 中國劇壇의 三鼎足이라 하든 『應雲衛』의 『戲劇協社』와 『朱穰丞』의 『辛酉劇社』도 三一年 以來로 完全한 沈滯를 보엿으니 이 原因을 찾으면 첫재로 『蔣』의 獨裁政治에서 나오는 藝術 各 部門에 對한 彈壓, 世界의 耳目을 集中시킨 一二八事件(上海事變)의 影響, 그리고 文藝思潮의 急激한 轉變과 또 한 가지 經濟와 人材의 集中 個人中心이엇다는 點에 잇다 하겟다.

『上海事變』 當時와 그 後에는 國難을 부르짖는 民衆的 覺醒의 反映으로

03　중국어 원제는 「一九三三之上海劇壇」(『戲』 창가호, 1933.9)이다.

上海뿐만 아니라 各 地方(主로 廣東 等地)에서까지 『打倒××[04]帝國主義』를 高喊하는 演劇이 한때의 流行이 되다싶이 盛行하엿으나 이것을 한 個의 演劇運動이라고 볼 수는 없다.

이 해 下半期에 잇어서 微弱하나마 劇壇의 命脈을 이어간 것은 『道路協會』의 遊藝會와 새로 組織된 『春秋劇社』와 『戲劇協社』의 同人들 外에 各 學校 劇團이 參加한 『非職業劇人聯合公演』이다. 이는 東北 難民의 救濟熱에서 나온 것으로 一時的에 不過한다 하더라도 劇人들이 參加하니 만치 빼놀 수 없는 것이며 또 한 가지는 學生 劇團 『復旦劇社』(復旦大學 演劇部員으로 組織된 것이다)의 單獨 公演을 들 수 잇다. 이 公演에는 『田漢』의 新作 『戰友』와 舊作에 屬하는 『咖啡店之一夜』를 上演하엿으나 그다지 큰 效果를 걷우지는 못햇고 다만 『田漢』, 『洪深』 等 劇人들이 參加하엿든 것이 注目할 바라 하겟다.

結局 三二年 下半期에는 確實한 組織을 세운 運動이 못되고 散漫한 느낌을 던젓을 뿐이다.

【中】

[05]三三年 上半期

三三年에 들어서면서 오동안랜의[06] 沈滯를 깨트리고 일어난 것이 『春秋劇社』의 公演이다. 上演한 劇本은 『梅雨』와 『名優之死』이니 이것은 『田漢』

---

04 '일본'이다.

05 소제목 순서를 표시하는 '二.'가 누락되어 있다.

06 '오랜동안'의 오식이다.

의 比較的 舊作으로 何等 새로운 느낌을 주지 못햇고 經濟的 條件 아래 過去 劇團들은 成果에 미칠 바이 못되엇으나 大部分 新人들을 網羅한 만큼 모든 點에 未熟함을 免할 수 없는 까닭이엇다.

그 後 第二回 公演 亦是 不利한 經濟的 條件 아래 이루지를 못하고 何等의 뚜렷한 工作을 보임이 없으나 經濟的 難關 속에서도 寢食을 저바리다싶이 하고 新劇 樹立을 爲하야 힘쓴 것은 中國戲劇史上의 새로운 記錄이라고 一般의 定評이 잇다.

『春秋劇社』의 뒤를 이어서 『三三』, 『光光』, 『新地』 等 三劇社의 聯合公演이 잇엇다. 다 가치 新劇人들의 모딤으로 單獨 公演의 力量이 缺乏한 關係, 聯合公演이란 새로운 形式을 取한 것이다. 上演 劇本으로 『大飯店』, 『豊收以後』, 『子求醫』, 『臘月二十四』, 『誰是朋友』 等의 獨幕劇과 Sutro A의 作인 『街頭人』(The man of on the Kerb)를 들 수 잇다.

微弱한 힘을 한 곳에 모아 努力은 하엿으나 準備 期間도 짧엇고 더욱이 劇本에 잇어서 『大飯店』 같은 것은 公演 며칠을 앞두고 同人 中에서 上演을 爲하야 씨워진 作品인 만큼 豫期한 바보다 큰 收穫이 없이 沈滯에 빠젓다. 分離를 질기는 劇壇에서 三個 劇團이 聯合하야 힘쓴 點에 그들의 劇을 爲한 眞實한 努力을 發見할 수 잇는 것이다.

그 後에 『新地劇社』는 單獨으로 『雪的皇冠』, 『淹沒』, 『日出』, 『兄弟』, 『殘芽』 等 劇本으로 第一回 公演을 試驗하엿고 『犧牲劇社[07]』라는 새로운 組織體가 일어나 첫 公演을 하엿으나 經濟的 困難으로 그 公演을 끝내지 못하고 悲慘한 運命에 빠젓다.

이 해 上半期에 잇어서 저버릴 수 없는 것은 學校劇團들의 努力이다. 學

---

07 '曦升劇社'의 잘못으로 보인다.

生 生活을 中心으로 하는 그들에게 劇人으로서의 完全한 工作을 바랄 수는 없고 바라는 것이 오히려 無理이나 위에서 말한『復旦劇社』와『暨南大學』演劇部員으로 組織된『暨南實驗劇團』은 新劇運動에 도움된 바가 적다 할 수 없다.

『復旦劇社』는 다른 劇社들보다도 오히려 오랜 歷史를 가젓고 遊藝會 等을 合하야 十五次나 公演을 거듭해 온 것을 보드라도 多年 間 不斷的 努力을 하고 잇는 것을 알 수 있다. 劇人『洪深』을 敎授로 가진 힘이 크다 하겟다.

春期에『洪深』作인『五奎橋』를 上演하여『洪深』의 近作을 보고자 하는 好奇心도 없지 않엇을 것이나 多數의 觀衆을 獲得한 것과 이 해의 學校劇社로서의 첫 公演이엿든 만큼 劇壇의 活氣를 招呼하였다.

그 뒤 얼마 안 되어서 劇人『顧仲彝』를 敎授로 가진『暨南實驗劇團』이『雪的皇冠』,『母親』,『交換』,『嬰兒殺戮』等으로 公演을 하였다. 홀로 여기서뿐만 아니라 어느 劇社를 勿論하고 그 上演 劇本을 볼 때 느껴지는 것은 戲曲의 缺乏이다.『嬰兒殺戮』은 곧 日本 山本有三의『嬰兒殺シ』이니 이 劇本은 中國劇團에서 過去에 上演한 것이 一二次가 아니다. 이것만 보드라도 戲曲界의 貧弱을 알기에 어렵지 않다. 外國의 優秀한 作品을 移植한다는 것은 어느 나라 어느 時代를 勿論하고 必要한 것이지만『嬰兒殺シ』를 이곳저곳에서 數次씩 上演해 온 것은 中國 社會相을 如實히 表現하고 眞實한 時代意識을 把握한 戲曲의 缺乏을 말하는 것이다. 여기서 中國 劇作家들을 論해야 할 必要를 느끼나 이는 다음 機會를 바라고 言及치 않으려 한다.

이밖에도『應雲衛』,『王瑩女士』,『袁牧之』等이 參加한 大同大學의 遊藝會,『陳凝秋』,『王瑩女士』,『趙曼娜女士』,『趙丹』等이 參加한 光華大學의 記念 遊藝會가 잇엇으나 問題視할 것이 못된다.

【下】

三. 最近의 『戲劇協社』

上半期에 잇어서 活躍하든 『春秋劇社』를 비롯하야 그 밖에 여러 劇社들도 最近(下半期)에 와서는 그 工作이 停頓되고 中國劇壇은 자못 寂寞한 氣分을 띠엇다 하겟으나 十月 初旬 『戲劇協社』의 公演인 『怒吼吧! 中國』은 大規模의 公演이엇을 뿐만 아니라 裝置, 燈光, 衣裝 等 다른 劇社의 追從을 不許하는 技巧的으로 優越한 地位를 가진 만큼 三三年度의 가장 큰 成果를 거둔 公演이라고 할 수 잇다.

『怒吼吧!中國!』에 對하야는 前日 部分的이고 極히 簡單하나마 紹介한 바이 잇기로 또다시 重言復言하랴 하지 않는다. 다만 (SM-Trechakoff[08])의 作品인 이 戲曲이 中國의 壓迫받는 『苦力』들의 生活 裡面을 果然 얼마마한 程度까지 表現하엿는가? 하는 疑問을 提議하고 싶다. 勿論 低級趣味를 滿足시키는 拙劣한 劇을 上演하라는 말은 아니나 中國 民衆의 生活의 이모저모를 深刻히 表現하는 眞實味 잇는 劇이 보담 더 效果가 크리라고 믿는다.

民國 十二年 創設 以來로 上演해온 『레퍼토리』를 보면 그 大部分이 外國作家의 것이고 間或 『田漢』, 『洪深』, 『歐陽予倩』 等 中國 劇作家의 것이 섞이어 잇다. 따라서 『戲劇協社』의 人員의 모딤과 이것을 對照해 볼 때 多分의 意識的 矛盾을 깨달을 수가 잇다. 民衆을 떠난 곳에 演劇의 價値는 찾을 수 없는 것이니 時代意識의 銳敏한 觀察과 社會性을 重히 여기는 것도 不可缺한 일이나 藝術이 流行品이 아닌 以上 雷同的으로 時代風潮에 움즉임을 받는 것은 아름답지 못한 일이다.

---

08 'S.M.Tretyakov'의 잘못이다.

何如間『戲劇協社』는 中國劇壇의 커다란 存在다. 最近에도 『戲劇協社』의 同人들은 다음 公演 準備에 熱中하고 잇다는 消息을 들을 수 잇으니 머지 않은 앞날에 커다란 進步를 보여줄 것을 疑心치 않는다.

또 한 가지는 『袁牧之』 編輯인 演劇雜誌 『戲月刊』社가 十一月 中旬에 公演한 것이다. 『袁牧之』 作인 『一個女人和一條狗』, 앞에서 말한 『街頭人』과 『妒』(原作者의 이름을 記憶치 못한다) 等 三篇의 獨幕劇으로 雜誌 經營의 困難을 救하기 爲한 極히 적은 規模의 公演이엇으나 『王瑩』, 『胡萍』, 『李麗蓮』 等 女士와 『袁牧之』, 『魏鶴齡』 等 諸 演員의 빈틈없는 洗鍊된 演技는 조그마하나마 아름답고 깨끗하게 三三年 中國劇壇의 終結을 맺은 세음이다.

演劇을 主로 한 刊行物로 過去의 『南國月刊』, 『辛酉劇社』 出版의 『戲劇的園地』, 『光華書局』의 『現代戲劇』, 北平의 『戲與文藝[09]』, 廣州의 『戲劇』 等은 모두 停刊된지 오래고 上記한 『袁牧之』 編輯의 『戲月刊』이 第二號를 出版하고 잇다.

여기까지 써놓고 보니 散漫하기 짝이 없다. 三三年度의 中國劇壇 全體를 通하야 勿論 이러타하고 指摘할만한 空前의 運動이 잇엇든 것도 아니다. 오히려 여러 個의 小規模의 集合體들이 瞬間的으로 薄弱한 生命을 번적어리고 말엇다 하겟으나 이 原因은 자라가는 途中에 잇는 中國 各 部門의 文化運動이 그러함과 같이 單只 劇人 自體에게로만 돌릴 수 없는 일이고 種種 政治的 環境의 不合理를 그 中에서 가장 重要視해야 될 것이다. 비록 數個의 團體가 一時的으로 몇 번의 公演을 한 뒤 沈滯 或은 解散에 빠젓다고 하드라도 이러한 過程 속에서 中國의 新劇이 무럭무럭 자라나고 잇음을 否認할 수는 없을 것이다. 마즈막으로 現今 中國劇團에서 活躍하고 잇는 『韋惠園』, 『袁牧之』, 『王瑩女士』 等에 對한 簡單한 紹介로 拙稿의 끝을 삼고자 한다.

---

09 '戲劇與文藝'의 잘못이다.

韋惠園──中國劇壇을 말할 때 第一로 우리에게 特別한 기쁨을 갖게 하는 것은 『韋惠園』君이다. 過去에 『南國社』에서 活躍하든 『金焰』君은 映畵界로 轉換하야 中國 映畵界의 最高 人氣를 占하고 잇는 것도 우리의 자랑이거니와 『韋』君은 異國 同志들 사이에서 言語의 難關으로 特殊한 技能을 發揮함이 없다 하드라도 過去에는 『新地劇社』의 一員으로 또는 『戲劇協社』의 『怒吼吧! 中國』等에서 眞實味 잇는 演技를 보여 주엇으며 『바리톤』의 名歌手로 上海 樂壇에서도 이름이 높다.

袁牧之──中國劇壇이 자랑하는 演員이다. 『萬能俳優』라는 이름 듣는 것과 같이 그의 洗鍊된 動作과 現代人이 가질 바 明朗한 演技는 그의 獨特한 長處이고 『戲劇協社』의 一員으로 出演 以外에 劇作에도 붓을 들어 過去에도 多數한 戲曲을 내놓앗다. 다만 아직도 『藝術塔』속을 俳徊하고 잇는 느낌을 갖게 하는 것이 一般의 말하는 그의 短處다.

王瑩女士──大學 出身의 『인텔리』女優로 이름이 높다.

敎育 잇는 女優라고 無條件 歡迎을 할 것이 아니나, 過去에는 『天一影片公司』의 演員으로 映畵界에 活躍하엿고 남다른 純朴하고 무게 잇는 演技를 가지고 꾸준한 努力을 하고 잇는 것은 事實이다.

이 外에 』[10]戲劇協社』의 導演인 『應雲衛』와 演員으로 『魏鶴齡』, 『冷波』, 『惡魔蓮[11]女士』, 『趙曼娜女士』와 일즉이 日本에까지 紹介된 『唐槐秋』等을 重要한 劇人들로 들 수 잇을 것이다.

(了)

(三三年 十一月)

10　‘『’의 오식이다.

11　‘程夢蓮’의 잘못일 가능성이 크다. 程夢蓮은 戲劇協社의 일원이자, 연극 <怒吼吧!中國!>에서 단역을 맡았으며, 이 극의 감독인 應雲衛의 부인이기도 하다.

中國文學과 朝鮮文學[01]

丁來東

一. 緒言

朝鮮 過去의 文化 곳 政治, 思想, 社會制度, 宗敎, 文學 等이 거위 全部가 中國文化의 移入이엿으며 間或 純全하게 移植한 것이 아니요, 朝鮮 固有의 것이 잇엇다 하드래도 最少限度로 不斷하게 中國의 影響을 받아온 것만은 감출 수 없는 事實이다. 또 佛敎와 같이 中國 固有의 宗敎가 아닌 것까지도 朝鮮서는 直接 輸入할 機會를 얻지 못하고 中國을 거처서야 輸入하여 드렷든 것이다. 이와 같이 過去의 中國은 朝鮮 及 東洋 諸國의 文化 根源地와 같은 處地에 잇엇다. 그리다가 十九世紀 中葉 以後로 中國과 朝鮮은 數世紀 동안 自然科學을 無視하여 오고 民意를 抹殺하여 오든 結果 끝끝내 歐米 物質 文明의 敗北者가 되야 거위 同一한 運命의 狀態에 빠저 잇게 되얏다.

그럼으로 現今의 朝鮮과 中國은 文化上 서로 指導를 하고 서로 影響을 주는 立場에 스지 못하고 各各 歐米 及 日本의 文化, 文明을 輸入하는 데 汲汲하고 잇는 터이다. 이러한 關係上 文學 方面에 잇어서도 現今은 거위 그 進展 步調를 同一히 하고 잇다고 볼 수 잇다.

---

01 『朝鮮文學』 제2권 제1호, 1933.12.

筆者는 近 幾年 以來 朝鮮文學과 中國文學을 아울러 關心하는 분들의게서 흔히 아래와 같은 總評을 하는 것을 가끔 듯게 된다.

「朝鮮文學이나 中國文學은 비슷비슷해─」

果然 朝鮮 新文學의 發生 年數와 그 諸分野를 中國의 그것들에 比較하야 보면 或 一短一長의 差는 잇다 하드래도 大體로 보아 비슷비슷하다고 말할 수 잇다. 이러한 時機를 當하야 비록 이와 같이 槪括的이나마 兩地 文學을 比較하여 보는 것은 퍽으나 興味잇는 問題 아닐 수 없다.

過去 兩地 文學의 互相 交涉을 研究하며 比較하는 것은 이와 같은 短文으로 할 바가 아니요, 또 該博한 參考, 考證, 研究가 必要한 것임으로 此文에서는 畧하거니와 兩地 新文學이 兩 文壇에 서로 紹介된 것을 여기서 多少 말할 必要가 잇다고 생각한다.

筆者의 記憶에 依하면 梁白華, 李殷相 等 諸氏가 或은 作品의 翻譯, 或은 文壇의 紹介를 한 것이 잇엇고 近年에 이르러 筆者, 天台山人, 李慶孫, 金光洲 等 諸氏의 新文學 紹介, 作家 紹介, 作品 翻譯 等이 잇엇으며 金岸曙氏의 古漢詩의 朝鮮語譯 等이 잇엇다. 그 外에 單行本으로 朝鮮에서 出版된 것은 開闢社의 「中國短篇小說集」이 잇고 中國 舊長篇小說 「紅樓夢」, 「水滸傳」, 「三國演義」, 其他 武俠小說 等이 朝鮮 各 新聞紙上에 或은 抄譯되고 或은 未完譯으로 끝나든 것이 잇엇다고 記憶된다.

다시 中國文壇에 朝鮮文學이 紹介된 것을 보면 퍽으나 少數엿엇다. 어느 機會에 筆者가 旣往 말하엿는지는 몰으나 「朝鮮民間故事」란 書籍이 露譯─佛譯─中譯으로 三重譯이 되야 낱아난 일이 잇엇다.

이와 같이 朝鮮文學 書籍이 中國에 譯出되는 例가 퍽 困難하엿으며 이 方面에 努力한 사람이 없엇든 것이다. 近來에 이르러 가끔 맑쓰主義文學 雜誌에 朝鮮作品이 譯出된 것을 보기는 하나 朝鮮文으로는 보지 못하든 作品이요, 또 그 作家도 朝鮮文壇에서 보지 못하든 이가 많다. 발서 數年 前에 朴英熙氏의 「鬪爭」(?)[02]이란 短篇小說이 東方雜誌에 發表되엿으며 李光洙氏, 廉想涉氏의 論文이 紙上에 譯出되엿고 그 外에 數篇의 다른 作品이 잇엇다고 記憶되며 最近 上海 新聞紙에 朝鮮民謠가 翻譯된단 말을 들엇고 「現代」雜誌 九月號에 「朝鮮文藝運動史[03]」(朝鮮—鄭學哲 作 俞遙 譯) 等이 잇엇다.

勿論 이 外에도 또 잇엇으리라고 생각한다. 그러나 이편 것 저편 것을 莫論하고 그 大部分이 誤譯이 많하얏으며 紹介에 이르러서는 一面的 紹介가 많하얏다고 記憶된다. 勿論 自己의 主見을 세워서 一地方 或은 一國의 文學을 論할 때에는 그 一部分만을 論하거나 或은 다른 部分을 抹殺하거나 關係할 바가 아니거니와 旣往 一地方 或은 一國의 文學을 全般으로 紹介할 때에는 比較的 主見을 制止하고 될 수 잇는대로 그 文壇 文學의 現狀 그대로를 紹介하여야 할 것이다. 그런데 흔히 題目만은 그 나라의 全般에 關한 題目을 내걸고 內容은 一部分에서도 極히 少部分이요, 作品으로도 極히 幼稚한 作品을 紹代하는 例가 적지 않다. 甚至於 한 文學派가 다른 文學派를 全部 克服하얏다고까지 實地에 反對되는 紹介를 흔히 보게 된다. 筆者가 以上에 列擧한 論文, 作品 譯에서도 이러한 例가 많으나 여기서 一一히 指摘할 必要가 없을 것이다.

또 한 가지 弊害는 日本文의 紹介에서 朝鮮, 中國에 再紹介하는 例다. 過去의 日本 翻譯術, 文學紹介 範圍는 어떠케 正確하고 어떠케 廣汎하엿는지 筆者가 一一히 對照를 하여보지 않엇으니까 말할 수 없거니와 最近 中國文學의 紹介, 翻譯에 이르러서는 참으로 말할 수 없는 誤譯과 偏俠이 많다. 그

---

02 朴懷月 저, 翠生 역, 「戰鬪」, 『東方雜志』 제23권 제21기, 1926.11.10.

03 중국어 원제는 '朝鮮新文藝運動小史'이다.

러한 紹介와 翻譯을 再紹介, 再譯을 하면 그 結果는 推測할 수가 잇을 것이다. 여기서 許多한 例를 들 수는 없거니와 魯迅의 例를 들면 足하니라고 생각한다. 魯迅은 三四年 前부터 맑쓰主義者化한 것이 事實이다. 그러나 그 後로는 創作이 아즉까지 없엇든 것이다. 그리고 그前 作品「吶喊」,「彷徨」 等은 조금도 現在 맑쓰主義 作品에 마즐 條件이 없다. 勿論 轉變 以前의 作品이라도 或 한 主義綱領에 適合한 作品이 잇기는 잇는 것이나(日本에서 하이네를 林房雄이 再吟味하는 것과 같이) 魯迅의「吶喊」,「彷徨」은 맑쓰主義에 드러마질 것이 없을 뿐만 아니라 또 맑쓰主義者로 轉變하기 以前의 作品들이다. 그런데「改造」의 文藝時評 中에서나 或은 日本譯의「魯迅全集」 等 廣告에는 버젓하게「푸로作品」이라고 宣傳한다. 勿論 그 解釋 評論은 以後 敬聽할 바이어니와 이러한 紹介를 다시 朝鮮에다 移植한다면 差誤의 差誤가 甚할 것은 筆者의 呶呶를 必要치 않으리라고 생각한다.

勿論 이後로는 漸漸 이러한 弊害가 淸算될 것이며 兩國 文學에 關心하는 분들이 率先하야 各各 이러한 方面에 努力하여야 할 것이다.

二. 朝·中 新文學의 發生原因과 그 發展狀況

中國 新文學의 源流에 關하야는 여러 가지 意見이 잇다. 그러나 여기서 二大部分으로 區別하여 보면 (一) 胡適과 같이 文學上 工具 即 用語로써 그 源流를 찾는 學者도 잇으며, (二) 周作人과 같이 그 文藝運動의 思潮 即 反抗精神에 그 源流를 探求하는 文人도 잇다. 그럼으로 胡適은「白話文學史」,「五十年來中國의 文學」及 其他 文學革命 當時의 諸 論文에서 觀察한 것과 같이 新文學 即 文學革命의 系統을 過去의 白話文學과 聯結하고 文言文學을 死文學으로 排斥하엿으며 周作人은「新文學源流」及 其他 論文에서 말

한 것 같이 文學上 用語를 그러케까지 重要視하지 않고 도리혀 文學作品의 背後에 흐르는 新思潮, 傳統文學에 對한 反抗의 精神을 新文學과 聯結함으로 그 源流를 淸朝의 桐城流 等 諸派와 白話文學 等에서만 演進하야 追求하지 않고 더 훨신 올라가서 統治者의 勢力이 薄弱하고 自由思想이 發興하든 明末의 公安, 竟陵 兩派의 當時 新文藝運動에 그 源流를 求하게 된다. 여기서 中國 新文學運動——即 文學革命運動의 源流와 胚胎 時期에 關한 것은 더 詳論할 것이 없거니와 何如間에 意識的으로 文學革命을 불으짓기는 民國 六年(一九一七) 胡適의 「文學改良芻議」에서 發端하엿다고 볼 수 잇다. 只今 이 一九一七年이란 年代를 다른 運動과 叅考하야 보면 一九一九年 朝鮮의 己未運動의 二年 前이요, 中國 「五四」運動의 一年 前이며 이 前後 二三年 間은 歐洲大戰의 結果 弱少國의 再興運動이 甚하든 時期요, 英米 文壇에서 口語詩運動이 勃興하든 때이다. 이와 같이 中國 新文學運動은 偶然的 發生이 않인 것을 알 수가 잇다. 朝鮮 新文學도 그 初期를 말하자면 李仁稙, 李光洙 諸氏들의 作品이 나오든 때 即 二十餘年 前이라고 말할 수 잇으나 참으로 文壇이 形成되고 作家의 集團이 생기고 作家의 思想이 確定된 것은 亦是 己未(一九一九) 以後라고 볼 수 잇다. 이와 같이 朝鮮이나 中國의 新文學運動이 正軌로 드러 스기는 모도 다 歐洲大戰의 餘波, 新思潮의 普及, 外來壓迫에 對하야 自覺, 舊傳統의 一切을 反抗하는 데에서 發生하엿다고 말할 수 잇다. 그럼으로 新文學의 草創時期는 그저 過去의 一切에 對한 反抗精神이 濃厚하엿슬 뿐이요, 確定한 理想이라던지 旣定한 手段 方法이 없엇든 것이 事實이다,

이와 같이 中國, 朝鮮 新文學의 草創時期만이 서로 相似할 뿐 않이라 그 後 約 五六年을 經過하야 맑쓰主義思想, 無政府主義思想 等이 文學 部門에 浸入할 때의 情形도 比較的 相似한 點이 많다. 歐洲大戰 後 何等의 實益을

얻지 못한 中國에서는 社會上 많은 「主義」가 或은 新輸入하게 되얏다. 이에 文壇人들도 社會運動에 直接 參加하게 되야 郭沫若, 沈雁氷은 武漢政府 時代에 要職에까지 잇섯고 其他의 文人들도 社會思想에 더욱 傾向하엿든 것이다. 그러든 中, 一九二七年에 蔣介石은 淸黨運動을 일으키여 맑쓰主義者들은 實地運動에 失敗하게 되고 다시 文化運動을 일으키게 되엿스니 이해의 「創造社出版部」, 「春野書店」 等 많은 赤色書店이 생기게 되얏다. 이것은 [04]朝鮮프로레타리아藝術同盟」이 成立한 一九二五年에 比하야 多少 느진 感이 잇스나 郭沫若이 맑쓰主義者化한 것은 一九二四年 頃이엿든 것으로 보면 그 年代가 비슷하다고 말할 수 잇다. 이後로부어 一九二九年 「中國著作者協會」가 成立하기까지에 中國文壇은 極히 混亂狀態를 일우엇스니 곳 旣成文人의 맑쓰主義化한 者가 많이 나게 된 것과 民族主義 文學派와의 論戰이 極甚하엿든 것과 無政府主義 文藝雜誌가 全 中國에 數種이 나왓섯든 것 等이다.

　이 時期의 作品은 몇 篇을 내여 노코는 참으로 濫作이요, 퍽으나 幼稚하엿스며 文人들이 「主義」를 理解하는 데 汲汲하야 餘暇가 없엇든 것이다. 勿論 朝鮮에서드 이 時期에 많은 論戰이 잇섯든 것이요, 大槪는 中國, 朝鮮을 莫論하고 日本 理論의 直輸入이요, 日本 作品의 完全한 模倣이엿다고 볼 수 잇다. 이 時期의 評論, 作品, 作家에 關한 詳論은 紙面 關係로도 一一히 다 말할 수 없거니와 그 後로 現今에 이르기까지의 中國文學의 思想的 背景을 簡單한 表로써 記錄하면 大槪 아래와 같을 것이다.

04　‘「’가 누락되어 있다.

(一) 民族主義(實은 國家主義) {
　獨裁派(現政府派)

　法治派(胡適, 羅雄基氏 學者派)
}

(二) 맑쓰主義 {
　第三國際派(스탈닌派)

　토로츠키派
}

(三) 無政府主義

(四) 社會思想에 確實한 主張이 없는 派

三. 其他의 比較

朝鮮의 創作家나 中國의 創作家가 모도 다 日本 留學生인 點은 퍽으나 異常한 共通點이다. 朝鮮의 例는 더 말할 것도 없거니와 中國의 魯迅, 郭沫若, 郁達夫, 田漢, 周作人 等 헤일 수 없게 많다. 그外에 徐志摩, 聞一多 等 詩人의 歐米 留學生도 잇기는 잇스나 大部分이 日本 留學生인 것으로 보아 歐米의 思潮도 日本을 거처서 中國文學에 浸潤된 것을 알 수가 잇다.

또 朝鮮 新小說의 幕을 연(開) 李光洙氏나 中國의 新小說을 처음으로 創作한 魯迅이 各各 露西亞 作家 돌스토이, 체홉흐의 影響을 받은 것은 當時 (李光洙, 魯迅 諸氏가 日本에 留學하든)의 日本文壇에서 露西亞 文學思潮가 膨漲하엿든 것인 것을 推測할 수 잇다. 李光洙氏는 理想主義의 作品을 發表하고 魯迅은 自然主義의 作品을 發表한 것도 좋은 對照이며 各各 初期에 잇어서 自叙式 小說을 쓴 것도 共通되며 春園은 長篇小說을 많이 쓰고 魯迅은 短篇을 쓴 것도 그네들 留學 時代에 받은 影響의 餘波가 않인가 하고 생각된다.

矛盾과 廉想涉氏가 現今에는 그 思想에 잇어서서 서로 相反되지만은 各各 寫實主義者인 點이 共通되며 各各 長篇을 많이 쓴 것도 비슷하다.

다시 一般 創作界의 共通된 點을 들자면 첫재로 農民問題를 特別히 注意한 것, (二) 都市의 黑暗面을 暴露한 것, (三) 宗敎의 裏面 生活을 그려낸 것 等이오, 그 前에 인테리을 主題로 하든 傾向이 漸漸 低下되는 點들이다. 現在 中國 맑쓰主義 作品에서는 그 用語가 퍽으나 下層社會化한 것이며 過去 小說의 터크닉을 無視한 點들이 注目된다. 그리고 中國과 같이 天災 많은 곧에서 罹災民의 生活을 그린 作品이 많하야젓으며 農民에 關한 것도 그 意識狀態와 그 生活現狀과 그 鬪爭方式 等에 特別히 注意하는 것이 顯著히 낟아나는 것이다.

評壇에 잇서 中國의 文學革命 當時에는 吳宓의 「論衡」派와 周作人의 語絲派 等이 對立하엿섯다. 吳宓은 文學批論을 道德 等 準繩에 빚우어서 批評하여야 한다는 것 卽 「文以載道」를 主張하엿섯고 周作人은 「詩言志」 곳 그러한 第三標準이 必要치 않고 한 개 作品으로서 完成되엿는가 完成되지 못하엿는가가 問題라고 主張하엿섯다. 그리하야 郁達夫의 頹廢派 小說을 許多한 文人이 淫猥한 文字라고 攻擊한 데 對하야 周作人은 相當히 高價로 評하엿든 것이다. 現今과 같이 밝쓰主義 評家들이 떠드는 때 周作人은 沈默을 직히고 잇지만은 草創時期에는 相當히 活動을 하얏으며 많은 新進을 拔擧하얏섯다.

最近의 「第三種人」問題는 朝鮮文壇의 「同伴者」問題와는 그 內容이 相似하며 그 時期에 잇서서도 相差가 別로 없섯다.

詩壇을 보면 朝鮮의 新詩가 比較的 活氣 잇는데 反하야 中國의 新詩는 沈滯되야 잇스며 朝鮮에서 舊詩形 「時調」가 再興하는 것 같이 中國에서도 「詞」의 月刊雜誌가 刊行되고 歌謠硏究가 興盛한 것 等은 거위 共通된다.

戱曲 方面에 잇서 朝鮮의 新劇은 以後 發展할 可望이 많이 뵈이나 中國의 新劇은 舊劇에 壓倒된 感이 없지 않다. 또 映畵의 長足的 發達은 新劇의 發

展을 如干 妨害하는 것이 않이라고 생각된다.

(끝)

(附記: 本來는 좀더 系統잇고 좀더 作品과 作家에 關하야 쓰려하든 것인데 文學革命 後의
「아우트라인」만 써도 발서 所限의 紙面이 다 차지함으로 爲先 이에서 中止하고 中國作家의
動態, 作品의 紹介, 各 部門의 研究는 다음 機會로 미루기로 한다.)

1934년

歌謠로 본 中國女性[01]

丁來東

【一】

개인의 우수한 작품으로도 사회의 전반을 관찰할 수는 없는 것이다. 그와 마찮가지로 한 여류작가의 작품으로도 그 여성이 존재하여 있는 사회상을 전면적으로 볼 수는 없다.

이에 필자는 비교적 공통성을 띄운 가요 중에서 여성에 관한 부분만을 가리어 될 수 있는 대로 중국여성의 다방면을 고찰하려 한다.

그러나 이 곳에 역출하는 가요는 대개가 향촌에 유행하는 가요이오, 또 도시에서도 구식여성을 대표하는 가요들이믈 말하여 둔다. 그러므로 시대로 살펴보면 좀 뒤떨어진 여성들을 노래한 것이오, 대부분이 농촌 구식여성을 노래한 것들이다.

중국에도 신여성 즉 모―던 여성을 찬미한 노래가 없는 것은 아니다. 그러나 현대의 가사는 거의 국경을 가릴 수가 없게 공통되어 있는 까닭에 특기할 것이 없다고 생각된다. 가령 예를 들자면 미국의 「쨔쓰」에 불리는 노래는 일 년이 지나지 못하여 중국, 조선에서 유행하게 된다. 물론 그 노래의 호불

　『新家庭』제2권 제1호, 1934.1.

호는 여기서 말할 것이 없거니와 그만치 현대여성은 각 지방을 물론하고 공통되어 있는 것이다. 조선의 현대여성이나 중국의 여성이나 미국의 여성, 기타 국의 여성의 대부분에 있어 그 사상, 그 행동, 그 태도가 공통된 점이 많다. 중국에도 「당신의 돈은 소용이 없어요. 당신의 마음이 필요하답니다.」하는 것과 같은 유행가가 있지만은 이런 의미의 유행가는 어느 나라나 다 있는 바요, 그와 동시에 미국의 「러부 파라듸」와 같은 노래가 중국에서도 미국이나 조선과 같이 유행되는 것이다. 이러한 유행가를 검토하며 그 감상적 순간적 향락주의의 노래가 유행하는 사회적 환경을 연구하는 것도 퍽으나 흥미있는 일이지만은 여기서는 약하기로 하고 비교적 중국여성의 고유한 환경을 노래한 가요만을 말하는 데 그치겠다.

이와 가치 중국의 여성에 관한 가요를 읽어내려 갈 때 가장 절실하게 느끼어지는 것은 어찌 이렇게 조선부녀의 환경과 같을까 하는 이 점이다.

【二】

과거 중국부녀의 가장 큰 한탄은 부모의 딸로서 바로 어린애의 어머니가 되는 것이었다. 그 사이에 자유연애라든지 일개 사람으로서 존재하여 보지 못한 것이 오늘날 신여성의 요구하는 중요 조건이라 하지 않을 수 없다.

오늘날까지의 신여성운동을 간단한 한 말로 말하자면 곧 한 개 사람으로서 사회의 존재를 구하는 것이었다. 한 개 사람으로서 독립체가 되지 못하고는 도저히 자유연애고 경제독립이고 남녀평등이고를 맛볼 수 없는 까닭이다. 그러므로 근래 여성운동이 구체적으로 표현되기 전의 중국여성은 한 가지 한 가지의 불만을 나열하는 데 불과하였었다. 그 불만이 가요로 나타나고 그 불만이 오늘날 부녀의 지위를 보전하게 하는 원동력이 된 것은 더 말할 것이 없을 것이다.

첫재로 주의되는 것은 조혼에 대한 여러 가지 불만이다.

> 낭군은 어린 데다
> 아이는 어미라고 부르지도 않네.
> 당신이 적다고 내 흠 않을 테니
> 나 늙거던 늙다고 싫여마시오.

이것은 어린 남편에게 하소연하는 나 많은 안해가 부르는 노래다. 조혼으로 인하야 흔히 장년이 되면 본처를 싫여하고 외방을 하는 것을 미리 경계하는 가요라고 볼 수 있다.

이러한 종류의 가요는 허다이 많다. 또 한 수 들자면 이러한 것이 있다.

> 왼 담에 넝쿨이 뻗히더니
> 사다리 가져다 시가집을 살펴브니
> 시아버지는 이제 열아홉
> 시어머니는 겨우 열여듧
> 사위는 포드시 걸을지 알고
> 시누는 인제 기어다니며
> 첩은 겨우 와와하고 있네.

이 가요는 너무나 과도한 형적이 있으나 역시 조혼으로 조직된 가정을 잘 표현한 것으로 볼 수 있다.

흔히 조혼은 성의 만족을 얻지 못하므로 인하여 본부에게 증오감을 가지게 되는 수가 많은 것이다. 이런 것은 우리가 매일 신문에서도 본 바와 같거니와 여기서 남편이 너무 적음으로 인하여 죽이고 싶은 심리를 그려낸 가요를 들어보자.

어느 집 큰 애기 이제 열한 살
십년이 지내니 수물한 살이라네.
낭군을 얻은 것이 나히는 꼭 열 살
낭군보다 열한 살이 더 많아였었네.

어느 날 새암에 가서 물을 깃자니
한편은 높고 한편은 낮아웁지
시부모의 잘해주는 것만 보지 않는다면
너를 새암 속에다 미러뿔겠다만은……

조혼을 한 후에는 자연 남편의 적은 것을 원망하게 되지마는 좀더 생각하여 보면 역시 자긔네 부모를 원망하게 되고 또 중매한 사람을 원망하게 되었든 것이다.

……
아버지 어머니를 원망하고 중매를 원망하네.
아버지 어머니가 남의 청혼을 받어
나를 어려서 시집보낸 것을 원망하네.

이러한 가요 중에 중매를 미워한 가요가 퍽으나 많다.

> 아빠도 미울 것 없고 엄마도 미울 것 없네.
> 그저 중매쟁이 말 많든 것이 미울 뿐일세.
> 내 중매 신(鞋)을 신고는 무덤으로나 가고
> 내 중매 담배를 피우고는 목창이나 나고
> 내 중매 밥을 먹고는 입창(瘡)이나 나고
> 내 중매 벼개를 벼고는 귀나 알았으면.

【三】

이와 같이 조혼의 결과를 혹은 부모에게로 돌려보내고 혹은 중매를 원망하고 끝끝내는 혼인의 부자유 즉 혼인제도의 부자연한 것을 부르짖게 되었다.

> 나는 열다섯에 수심을 모르고
> 나쁜 남편에게로 시집을 갔었네.
> 날마다 밖에 가 노름을 하고
> 밤마다 밖에 가 외입을 하지.
> 이 천신만고 다 말은 해 무엇하리.
> 그저 혼인이 부자유한 것을 한할 뿐이지.

혼인의 부자유로 일어나는 불만은 그 대상인 남편과 뜻이 맞지 않을 뿐 아니라 흔이 불량한 사람을 만나게 되는 것이었다. 이것은 자긔의 의사로 혼인을 한 것이 아닌 만치 그 한 된 것이 더욱 많을 것은 물론이다.

> 왕서방네 얼굴도 어여쁜데
> 못된 남편을 만나
> 게집질 아니면 마짱하기지
> 좋은 세월 속 쓰리게 지낸다네.

이런 노래를 또 한 수 들어보자.

> 목단 같이 봉올봉올 피어가지고
> 못된 남편에게 시집을 가서
> 술도 먹고 또 마짱도 하고
> 이런 살림을 어떻게 산단 말인가.

그러나 그네들은 지금 세상과 같이 리혼들도 하지 못하고 그저 숙명적으로 일즉 죽어서 내생에나 좋은 꼴을 보려고 하였든 것이다.

> 달과 같이 번한 아가씨
> 옷도 빨면 깨끗하고 풀도 멕이면 히기도 하지
> 남편이 나쁜 데로 시집을 가서
> 술도 먹고 또 마짱도 하겠지
> 인연을 끊으려도 그럴 수도 없고
> 그저 일즉 죽어서 다시 나는 수 밖에…….

그네들이야말로 참으로 돈도 싫고 논도 싫고 고루 거각도 싫고 다못 바랬든 것은 뜻에 마진 남편, 최소한도로 선량한 남편을 만나게 되는 것을 유일한 희망으로 가졌든 것이다.

집도 싫고 땅도 싫여요.
뒤 번 봐도 뜻에 드는
좋은 남편이 얻고자워.

【四】

이상에서 말한 것과 같이 그네들의 유일한 목적은 선량한 남편을 얻는 것이었으나 현재와 같이 자긔네가 이년 삼년을 두고 골라도 흔이 뜻에 맞기가 어려운데 더구나 부모네 끼리 서로 가품과 재산을 보고 하는 과거의 혼인에서 뜻에 만는 남편이 그리 많을 택이 없는 것이다. 그래서 혹은 과거의 예교에 얽키어 인종(忍從)하고 일생을 고통으로 지내거나 그렇지 않으면 비밀히 애인을 구하는 것이었다.

이제 중국민요 회집자의 고백을 들어 보건대 중국 향촌의 가요는 대부분이 비밀로 하는 연애를 노래한 것이 많다고 한다. 과거에 그와 같이 엄금을 하고 일생을 구렁에다 빠춘 것이나 마치 한가지인 것을 번연히 알면서도 이 연애의 길을 억제하지 못하야 그런 신분, 명예, 재산을 불고하고 자유연애의 길을 밟은 여성이 그 얼마나 많었는지를 알 수가 있다. 이에 우리는 인류 본능을 억제하는 도덕, 인습, 제도는 끝끝내 깨트러지고 마는 것을 알 수가 있다. 물론 우리는 란음을 제한하여야 한다. 그러나 무리한 정조논, 무리한 도

덕 습관도 타파하여야 할 것은 더 말할 것도 없다.

이에 필자는 과거에 간음이라고까지 시비하든 정조논이 실상 많은 민중의 사이에서 얼마나 무력하였든가를 관찰하기 위하여 이러한 종류의 가요를 두어수 예로 들려 하는 것이다.

사회(社會, 女唱)

달이 높아가니 별은 낮아지고
이슬은 나려 망망한데 닭은 작고 우네.
뒷문을 열고 님을 보내며
길의 높고 낮은 것을 조랑조랑 가르쳐 주네.

오경은 되어 닭은 울고 날이 밝았네.
님은 문을 걸고 열지 않으며
경대로 가서 양호필을 빼어들고
언제 오려는가 글자를 쓰라지.

이러한 종류의 가요는 중국 가요 중에 몇 백수 혹은 몇 천수가 되는지 알수가 없다. 이런 것은 시가로 볼 때 소박한 시이지만은 거기 실지에 있는 고래의 자유연애를 노래한 시로서 시경에 있는 국풍(國風)과 비견할 수 있으며 중국에 유교가 그리 심함에도 불구하고 유교사상과 대립하여 자라난 민중의 연애관으로 볼 수 있을 것이다.

또 과거의 도덕은 한번 과부가 되면 언제까지나 수절을 하여야 하는 것이었다. 그러나 향촌의 무식한 인민들은 무엇을 노래하였든가?

> 남편이 죽었다고 하늘을 원망마소.
> 십자가 길우에는 천만이나 있는 것을.
> 동에서 오느니 서로 가는 이 중에서
> 뜻에 만는 사람을 가리면 그만 아닐까.

오늘날 와서 과부가 개가하는 것은 퍽으나 신식 같고 색달리 생각하지마는 하층 민중의 사이에는 벌서 오래전부터 실행하여 오든 도덕이며 찬미하였든 것이다.

이제 다시 한 수 여자가 부르는 연애 민요를 역출하고 그만두겠다.

월광(月光, 女唱)

> 님은 산을 올으고 나는 산을 나리며
> 님은 햇님이오 나는 달님이지.
> 님은 햇님이어 아츰마다 나오고
> 나는 달님이어 저녁마다 오겠지.

(끝)

中國 文藝作品 中에 나타난 農村의 變遷[01]

丁來東

中國文壇에도 近來에 漸漸 農村을 題材로 한 作品이 많하진다. 勿論 그 前에도 農村에 關한 作品이 없엇든 것은 아니나 現今과 같이 意識的으로 農村을 題材로 한 作品은 없엇다고 하야도 過言이 아닐 것이다.

같은 農村에 關한 作品으로도 農民의 迷信 等 傳習을 그려내는 作品도 잇고(王統照의「祈雨」等) 또는 農村의 沒落을 題材로 한 矛盾[02]의「春蠶」等도 잇고 其他 農村에서의 宗敎의 勢力 等을 그린 作品도 많다. 그러나 이런 全面的 槪觀에 關하야는 日後「中國農民文學」이란 題下에서 汎論을 하기로 하고 여긔서는 比較的 年代의 相距도 相當히 잇고 또 그 作品들이 짤막한 短篇임에도 不拘하고 相當한 價値가 잇으며 또 그 作家들도 中國文人으로서는 有名한 魯迅과 巴金임에 筆者는 興味를 느끼는 바이다.

이 두 短篇은 곳 魯迅의「故鄕」과 巴金의「還鄕」이다. 그 題目붙어 비슷하거니와 그 內容도 두 篇이 다 知識分子가 自己네 故鄕을 돌아가서 보고 느

---

01 『中央』 제5호, 1934.3.

02 '茅盾'의 오식이다.

끼고 한 現代 中國 農村의 社會相임에 더욱 比較하여 보고자운 衝動을 느끼는 것이다. 魯迅의 「故鄕」은 一九二一年 一月의 作이요, 巴金의 「還鄕」은 一九三三年(「現代」에 실린 것)[03]의 作이다. 그 時日의 새이는 擧皆 十二三年이나 된다. 그러나 그 故鄕의 地方이 다른 것이 조끔 遺憾이다. 魯迅은 故鄕이 浙江 紹興이요, 巴金의 小說 內容의 地方은 廣東이다. 이와 같이 地方이 다른 데에는 그 情形도 비록 同時日이라 하드래도 다를 것이 事實이다. 그러나 한번 다시 생각하여 보면 作家의 取材 方面이 달라젓단 것도 考慮할 必要가 잇는 것이다. 一九二一年의 魯迅은 「故鄕」과 같이 消極的 回憶으로써 農村을 그려냇고 一九三三年의 巴金은 「還鄕」과 같이 積極的 ××[04]하는 農民을 그리게 된 것이다. 그 間의 作家의 態度에 關하야서나 그 間 時代相의 變遷에 關하야서는 熟考할 必要가 잇다고 생각하는 바이다.

이 두 作品을 比較하면서 또 한 가지 注意할 것은 一九二一年의 魯迅은 ××[05]主義者로 轉變 以前이라, 虛無主義의 傾向이 잇든 때요, 그 文學上 表現形式은 自然主義의 才法을 가젓든 것이며 一九三三年의 巴金은 本來붙어 無政府主義者로서 激動的 寫實主義(나는 이러한 名詞를 써본다. 왜 그러냐하면 같은 寫實主義이면서도 比較的 感情을 激動식히지 않는 作家가 잇고 巴金과 같은 作家는 寫實은 하면서도 比較的 激情的인 까닭이다)로써 表現하는 一點에 關하야서다.

그러면 魯迅의 「故鄕」의 內容은 어떠한 것이며 巴金의 「還鄕」의 內容은 어떠한 것인가.

---

03 '」'는 소괄호 ')'의 오식이다.

04 '투쟁'으로 추정된다.

05 '맑쓰'로 추정된다.

「故鄕」의 梗概

迅은(作中에는 第一人稱) 二千里나 떠러저 잇는 데에서 二十餘年 間이나 作
別한 故鄕을 치운 겨울에 도라간다. 故鄕이 가까와 올사록 천긔는 점점 음침
하여지고 타고 가는 배 틈으로 밖을 내다보니 蕭條한 村落이 遠近에 잇는데
조금도 活氣가 없다.

迅은 마음이 어쩐지 모르게 슯어진다. 二十年來 自己가 記憶하고 잇은 故
鄕은 이러튼 않하얏섯다.

迅이 이번에 故鄕에 도라온 것은 先祖 傳來의 녯집을 팔아가지고 現今 自
己가 就職하여 잇는 데로 移舍를 가려고 오는 것이엿다. 그 이튼 날 집에 다
으니 그 녯집 집웅에는 마른 풀이 바람에 떨고 잇는 것이 主人을 바꾸지 않
을 수 없는 形便을 說明하고 잇다. 自己의 집門에 이르니 自己 母親과 八歲
된 조카 宏兒가 마자드린다.

母親은 퍽으나 기뻐하지만은 처량한 빛이 숨어 잇고 또 오래 동안이나 移
舍에 關한 이야기는 一切 입에 내지 않는다. 끝끝내 移舍하는 말이 나서 迅
은 自己가 밖에다 집을 잡아놓고 家具도 좀 사노왓스니 집에 잇는 木器나 좀
팔아가지고 새집에 가서 더 사서 보태자고 말하엿다. 母親도 그런 것이 좋다
고 하면서 대개 물건을 팔기는 팔엇스나 돈이 잘 거치지를 않는다고 말한다.

母親은 또 말하기를 한 이틀 쉬여가지고 일가 親戚을 차저 본 後에 가자고
하며 또 閏土[06]가 집에 올 때마다 네 말을 물어싸며 한번 보고십다고 하여서
네가 올 날을 통지하여 주웟스니 어쩌면 日間 오리라는 말을 하는 것이엿다.

閏土는 三十年 前 어렷슬 때 옛 친구다. 어느 때 迅의 집에 큰 祭祀가 잇

---

06 ‘閏土’의 잘못이다. 아래도 마찬가지다.

을 때 그 貴重한 祭器를 간직하려 온 머슴의 아들이다. 그때 迅과는 같은 小兒임으로 퍽으나 親密하게 지내고 閏士는 海邊가에 이야기를 많이 들려주웟든 것이다. 海邊가에서 조개껍질을 줏는 이야기며 猹라는 짐승을 잡는 이야기며 눈이 오면 새를 잡는 이야기며 그 前에 迅이 알지 못한 方面의 이야기를 많이 하엿섯다. 그 後 서로 눈물을 흘리며 惜別을 한 後로 서로 푸레센트까지 交換한 일이 잇섯다.

그럼으로 只今 迅의 머리에 記憶되여 잇는 閏士는 海邊가 西瓜가 새팔한 모래밭 새이에 목에는 銀목거리를 걸고 잇는 十一二歲의 少年이다.

迅은 어머니보고 閏士의 집안 形便을 물어보니 亦是 뜻같지 안타는 것이엿다. 마츰 이때 어머니는 밖으로 나가고 自己는 조카와 閑談을 하고 잇는 판인데 웬 광대뼈가 쑥 불거지고 허리에 두 손을 집고 잇는 것이 흡사히 콤파쓰 같은 늑스구레한 女子가 하나 들어와서 「나를 모르겟서? 나는 자네를 보아주웟섯는데!」

迅은 깜짝 놀래서 아무 말도 하지 못하고 잇는 판에 自己 어머니가 드러와 대강 변명을 하고 自己에게 豆腐 팔든 楊二嫂라고 일러준다. 이 楊二嫂도 自己가 어려서 볼 때에는 이런 콤파쓰 같은 女人이 아니엿고 「豆腐西施」라고 하는 꽤 어엿분 女人이엿든 것이다.

「이젓서? 참 귀해지면 눈이 높아지는 게로군!」

하는둥 實地 없는 말을 많이 하고나서 집에 허수룩한 物件 같은 것은 팔지 말고 自己네가 쓰게 달라는 것이다. 나종에 自己 어머니에게 들으니까 이 楊二嫂가 날마다 집에 와서는 物件을 훔처간다는 것이엿다.

三四日 後 퍽으나 치운 날 午後에 閏士는 오고야 말엇다. 그러나 方今 눈 앞에 보는 閏士는 自己가 記憶하고 잇든 海邊가에 서잇는 少年 閏士가 아니요, 그 前에 紫色이든 둥근 얼골은 黃色으로 變하야젓스며 얼골에는 주름이

잽히고 눈가에는 그 前 閏土父親 모양으로 가이 붉어케 부어잇다. 바다가 옛 사람은 海風을 쐬는 까닭에 이러케 되는 것이다. 閏土는 전帽子를 쓰고 열분 핫옷을 입어서 전신을 떨고 잇다. 담배 대를 들고 잇는 그 손도 그 前에 붉고 포동포동하든 손이 아니요, 뻣뻣한 데다 금까지 터저서 소나무가죽 같다.

迅은 그 전과 같이 閏土兄이라고 부르는데 閏土는 도리혀 「나리!」하고 불은다. 迅의 마음에는 이와 같이 두 사람 새이에 담이 쌔여 잇는 것이 말할 수 없게 슯엇섯다.

閏土는 自己의 다섯재 아들이란 水生을 더리고 왔다. 迅은 水生을 보니 꼭 二十年 前 閏土와 같다. 그러나 말라서 누리탱탱한 것과 목에 銀목꺼리가 없는 것이 다를 뿐이다. 水生과 迅의 조카는 그 전에 自己와 閏土와 같은 感이 잇다. 閏土는 自己 일이 바뿌다고 해서 그날로 도라가기로 하고 自己네의 쓸 데 없는 物件은 閏土보고 가려서 가저가라고 하니 祭祀에 쓰는 香爐, 燭臺 같은 것을 고르고 잇다. 閏土의 집안 形便은 여섯재 아들까지 일을 하는 데에도 말이 아니라는 것이엇다.

迅은 그간에 整理할 것을 다 整理하여 가지고 끝끝내 그리운 故鄉을 떠나게 되엿다. 그러나 아무런 愛着도 느끼지 않엇다. 떠나가는 배 속에서 自己 조카가

「큰아부지 우리는 언제 도라와요?」 하고 뭇는다.

「도라오다니? 가기도 전에 도라올 것은 왜 생각하게 되엿니!」

「그러치만은요, 水生이 저의 집에 가서 놀자고 햇는데요.」

迅과 母親은 이 말을 듯고 슯엇섯다.

迅은 뱃속에 누워서 배ー人머리에 물이 찰찰 닷는 소리를 들으며 아래와 같은 것을 생각하엿다.

어린 너이들은 우리와 같이 고생을 하지 말고 새로운 생활이 잇서야 할

터인데.

그는 이와 같이 希望을 생각하게 되자 퍽으나 무서워젓다. 希望이란 것은 閏士가 偶像을 崇拜하려고 香爐 等을 가저간 것과 같이 亦是 自己 손으로 만든 偶像이 아니겟는가?

希望이란 것은 本來 잇는 것도 아니요, 없는 것도 아니다. 이것은 地上에 잇는 길(路)과 같은 것이다. 실상 地上에는 本來 길이 잇는 것이 아니요, 단이 는 사람이 많하지면 곳 길이 되는 것이다.

「還鄕」(巴金 作)의 梗槪

唐敬이란 靑年이 六年 동안 外地에 가서 잇섯지만은 그의 마음은 恒時 自 己가 자라난 鄕村에 가 매여 잇섯다.

여러 달 동안 집에 消息을 傳하지 않고 故鄕을 도라가니 눈에 띄이는 碉 樓(望樓 같은 것인지?)가 한 개 밖에 없다. 그 碉樓는 두 개를 建築하는 데 過去 에 幾萬圓을 消費하는 것을 自己가 보앗섯고 그 碉樓를 맛타 지은 사람은 돈 을 많이 모우는 것이엿다. 그러나 이러한 內幕을 알면서도 村民은 아무도 말 을 하지 못하는 것이다. 그 近傍에 가까이 가서 보니 한 개는 발서 다 허러저 잇섯다. 그리고 또 조그만한 절(廟)을 지내자니 그 끝에서는 많은 사람들이 나무를 버히고 잇다. 그래 그 사람들 보고 웨 나무는 버히느냐고 물으니 唐 鄕長이 洋屋을 지흐려고 그런다는 것이다. 이 唐鄕長 唐錫藩이라는 사람은 그 前에 돈이 그러케 잇든 사람이 아니다.

그래 自己 兄 唐義를 맛나 다른 말을 많이 하기 前에 唐義가 하는 말이

「너 잘 도라왓다. 지금 方今 일을 助力하여 줄 사람이……없드니 우리는 요 몇 일 동안 퍽으나 떠드러 댄단다……」하는 것이엿다.

그 떠드러 댄다는 것은 다른 일이 아니라 唐錫藩이란 者가 每年 選擧를 弄絡하야서 鄕民은 選擧도 하지 않는데 自己가 巧妙하게 縣廳과 聯絡을 하여가지고 鄕長이 되랴는 것을 制止한다는 것이엿다. 唐錫藩이는 그래서 돈을 많이 모왓다는 것이다.

鄕長 選擧를 公平하게 하여달라고 村民은 처음에 選擧籌備員을 차저가 그 黑幕을 말하려 하니 그 籌備員이란 두 者는 다 아편을 빨고 잇으며 하는 말이 우리는 上部의 命令대로 하는 수밖에 다른 수가 없다고 狡猾하게 責任을 廻避하는 것이엿다. 거긔서 代表로 갓든 唐義는 말을 한다.

「우리는 돈이 없어서 너이들에게 주지 못하고 또 시간이 없어 너이들 밥을 멕이지 못한다. 그러치만 보자, 너이가 무슨 수단으로 우리를 對하는가. 너이가 우리의 意思를 돌보지 않고 금년의 選擧를 감쪽같이 하여 넘기자는 꿈은 아에 꾸지도 말어라. 우리는 몇 千人이나 잇는데 네 녀석들 두 아편귀신이 다 무엇이냐. 네기를 할 녀석들! 우리는 가세!」

그 다음에 村民들은 縣廳에 가서 請願을 하기로 하엿섯다. 그런데 唐錫藩은 自己 집을 襲擊할까바서 長銃, 短銃을 잘 닥가 가지고 下人들에게 守備를 잘 식히고 自己는 두 젊은 妾을 다리고 두 選擧籌備員과 몇 小土豪들과 下午에 밥먹을 것을 기다리고 잇다.

村民들은 縣廳에를 가서 縣長을 맛나 보자니 나가고 없다는 것이다. 다음에 그러면 科長을 맛나 보자니 그 역시 나가고 없다는 것이다. 그리다가 문직이 兵丁들은 村民의 形勢가 險惡한 것을 보고 그제야 안으로 드러가서 오래 동안이나 잇다가 나와서는 代表를 다리고 들어간다. 맛나 보는 사람은 科長이엿다. 科長은 퍽으나 態度를 恭順히 하야 늘 우서가며 말을 하는 것이다. 처음에는 그저 이 後에 잘 解決하여 줄 터이니 도라가라고 말한다. 그리고 請願한 두 點에 關하야 첫재, 選擧를 延期하라는 것은 自己가 責任을 지

고 그러케 하겟다 하며 다음의 選擧籌備員을 撤換하라는 것은 關係가 큰 만
콤 自己가 處置할 수가 없고 縣長의 決定을 기다리는 수 밖에 없다고 한다.
代表들은 그러면 縣長이 오는 때까지 언제까지나 기다리겟다고 뱃심을 부
린다. 科長이 그 形勢를 보고 縣長에게 電話를 걸어서 무러보겟다고 나간다.
도라와서는 亦是 縣長의 意見도 自己의 意見과 同一하다 하며 第二條는 關
係가 크니까 上部와 相議한 後에야 決定을 하겟다는 것이엇다.

　그리고 科長의 말이 唐錫藩이 발서 選擧票의 數目을 報告하엿는데
一百二十五個 里長의 일홈이 다 잇다고 하며 당신네들 말과 틀린다고 한다.
이것은 投票도 하기 前에 唐錫藩이가 假짜로 報告를 한 것이엇다.

　村人들은 請願 等으로 일이 成功되지 못할 것을 알고 도라왓섯다. 그 後
에 縣에서는 選擧에 關한 調査員을 보냇섯스나 그 亦是 말만으로는 民意를
報告하겟다고 말하고 도라간다고 갓는데 나종에 두 學生의 報告에 依한즉
그 調査員 亦是 唐錫藩의 집에 가 술을 먹고 잇다는 것이엇다. 이와 같이 官
廳의 調査員이나 무엇이나 모도 다 唐錫藩의 弄絡을 當하는 것이다.

　그날 저녁에 民衆代表로 活動하든 唐義는 길에서 不意의 惡漢에게 총을
마자 끝끝내 죽게까지 된다. 唐義가 病床에 누워서
「나는 죽지 않는다.」하고 後繼者에게 努力하라고 鼓勵하는 遺言을 한다.
그의 목에서는 痰이 끌코 잇다.

　이 作品의 끝에서 作者는 아래와 같은 獨白을 하는 것이다.

　　「이 鄕村은 決코 靜寂한 것이 아니다. 그는 한 개 활발한 有機
　　體이다. 그의 細胞마다 生命의 活躍을 낱아내고 잇다. 그(村)는
　　움직이고 잇스며 그(村)는 불으짓고 잇스며 그(村)는 그(唐敬)를
　　불으고 잇다. 그(村)는 그의 母親과 같다. 그는 그의 兄 唐義와

마찬가지로 또 다른 많은 사람과 마찬가지로 그 역시 그(村)의 아들이요, 그의 血管에는 역시 그의(村) 血液이 흐르고 잇다. 그는 그(村)를 떠날 수가 없고 그는 마음이 쇠약하여 가는 것을 보고 잇슬 수가 없다. 그는 의례히 나와서 마을의 불으지즘에 響應하고 마을을 도웁고 마을을 繁榮하게 하여야 한다. 그는 唐義의 일을 繼續하여야 한다.」

이에 이 두 作品의 梗槪는 끝이 낫다. 「還鄕」의 內容은 現 國民政府 治下의 村落임에 틀림이 없다. 이 두 作品의 比較로 因하야 一九二○年代의 農村과 一九三○年代의 農村의 變遷도 觀察할 수 잇거니와 또한 같은 年代의 作家의 作品 비지는 態度의 變遷도 엿볼 수가 잇다고 생각한다. 이外에 더 仔細한 것은 巴金의 作 「月夜」(拙譯)와 또 以上 兩 作品의 拙譯을 기다리기를 바래고 이만 끗는다.

(了)

中國의 大文豪 魯迅 訪問記[01]

上海 申彦俊

魯迅――中國이 낳은 「東洋의 大文豪!」 그의 이름은 들은지 오래다. 그러나 面會해 볼 機會는 없었다. 그의 글에서, 그의 小說에서 얻은 印象은 한 「冷酷한 사람」 또는 한 「怪人物」인가 하였다. 마치 메스를 들고 맞나는 사람마다(勿論 그 사람들은 모두가 患者) 魔醉藥도 바르지 않고 그들의 患部를 解剖하는 怪醫生 같이 보이었다. 그는 그렇게도 無情스럽고 怪突하지만 그러나 그의 解剖術은 銳利하고 大膽스럽고 理智에 밝은 것은 짐작하였다. 그의 解剖는 冷酷 無情하지만 그의 메스의 銳尖이 찌르는 곳은 아프면서도 痛快를 느끼게 하는 것이라고 알았다. 이 怪人物에 늘 好奇心을 가지고 一見의 願를 품고 있던 筆者는 朱兄의 부탁을 받아 五月 十九日 그를 中央硏究院으로 찾았다. 魯迅은 宋慶齡, 蔡元培氏 等이 組織한 民權保障同盟(政治犯 救護를 目的으로 한 團體)의 委員으로 中央硏究院에 本部 事務局을 두고 있다금 그곳에 온다는 말을 듯고 그곳으로 訪問하게 된 것이다. 蔡元培氏에게 그의 住所를 물으니 氏는 그에 대하야 國民政府에서 通緝令(逮捕令)이 내리었다고 하면서

---

01 『新東亞』 제30호, 1934.4.

그의 住所가 絶對 秘密이라 한다. 그러나 筆者를 믿고 蔡氏는 그 秘密住所를 알려 준다. 그는 北四川路 ○○○號 어떤 日本 友人의 密室을 빌어 亡命의 生活을 하고 있다 한다. 爲先 만나자고 편지를 보내었다. 그는 「숨어 있어도 늘 橫禍를 當할 危險이 있다.」하면서 書面으로 할 말이나 要求할 것을 提示하라고 回信을 보냈다. 筆者는 다시 秘密 會見을 要請하야 겨우 그의 秘密住所에서 二十二日 面會하기로 約束이 되얏다. 그리하야 筆者는 平素 한번 보려던 文豪 魯迅을 맞나 보게 되얏다.

靑服 弊履의 老農 裝束

魯迅이 숨어 사는 집을 찾으니 主人되는 日本人 某氏 夫婦가 나와 案內한다. 魯迅先生이 居處하는 二階로 올라가니 僕人 같은 老人이 맞아준다. 그의 옷은 鄕村 窮農들이 通常 입고 사는 靑色 木棉 바지, 저고리를 입고 헌 겁으로 만든 신을 신었다. 純全한 卿村 老農人이다. 그 靑衣 棉衣는 退色이 되었고 머리도 깎은 지가 오래서 그런지 習慣이 그런지 귀밑을 덮게 자라고 몬지가 묻은 것 같고 散亂하다. 수염도 깎지 않았다. 그는 몸 修飾은 全然 돌보지 안는 이라고 생각되얐다. 그의 寢床도 質素한 中國式이다. 덮는 이불과 帳子까지 모두 木棉이다. 그의 쓰는 그릇까지도 中國 下層民의 生活 그대로이고 돈 길 갈만한 값있는 것은 하나도 보이지 안는다. 그의 生活은 全部가 푸로레타리아의 模型이다. 그는 입으로 붓으로만 無産階級을 부르짓지 아니하고 그의 몸, 그의 生活이 卽 無産階級과 같은 樣式을 가지고 있다. 上海 各 書店에서 받는 著作權의 報酬金만 해도 月 二千元이 되고 歐米 各國에서 譯本 小說에 對한 報酬金이 月 三四千元은 된다는 中國 唯一의 最高峰의 收入을 가진 作家로서 그의 一身生活이나 豪華롭게 살기는 어렵지 않을 터인대 그

의 生活은 鄕農의 生活이다. 그의 收入은 文化運動團體에 全部 寄附한다고
한다.

그의 居處하는 房은 寢室, 客室 또는 硏究室, 編輯室, 飮食짓는 廚房까지
로 兼用하는 모양이다. 寢床 앞에 食卓이 놓이고 椅子 七個가 둘러 놓이고
그 다음에는 온 방안이 冊으로 城을 둘었다. 컴컴한 冊城을 등지고 그는 나
와 正面으로 對坐하얏다.

조록조록 여윈 이마, 홈속 드러간 두볼, 히끈히끈 半白이 남은 머리털은
波瀾 重疊한 그의 半生을 그려놓았다. 그의 키는 五尺도 못되는 적은 키다.
그의 수염은 한번 보고 곳 記憶할만치 中國사람 중에는 보기 드문 多鬚者다.
그의 肉體는 한 平凡한 사람이다. 아모 特異한 무엇을 發見할 수 없다. 五尺
에 不過하는 小軀가 大文豪 魯迅이다.——

나는 文士가 아니다

筆者는 中國式 인사말로 그의 文才를 稱揚하는 語調로 이야기를 부친다.
그는 첫마디에 「나는 文士랄 것이 없다. 偶然히 붓대를 들고 글을 써본 것이
지 文士는 아니다.」하고 대답한다.

　問: 先生은 어떻게 해서 小說을 쓰게 되얏소.
　答: 나는 十八歲 때에 中國海軍을 建設하야 보려는 마음으로
　　　南京水師學堂에 入學하얏읍니다. 그때 英米 各國이 海軍
　　　을 가지고 中國을 侵略하는 것을 보고 나의 靑春의 피는
　　　海軍熱이 났읍니다. 그러나 半年 後 退學하야 鑛務學堂에
　　　入學하얏읍니다. 그때 생각은 海軍보다 爲先 鑛産 開掘이

國家의 緊急한 일이라고 생각되얏읍니다. 卒業 後 나는 人種부터 改良하야 强種을 만들어 놓아야 强國이 된다는 생각으로 日本으로 가서 醫學을 배우었읍니다. 그때 나는 또 日本 維新이 醫學에서 시작된 것이라 생각되얏읍니다. 그러나 二年 後 어떤 活動寫眞에서 中國人이 偵探 노릇하다 銃殺되는 光景을 보고 新文學을 提唱하야 精神的으로 中國을 復活케 하여야 되리라는 생각으로 醫學을 버리고 文藝를 硏究하면서 小說을 써보기 시작하얏던 것입니다.

問: 그러면 先生은 文學이 偉大한 힘이 있다고 생각하십니가.

答: 그렇습니다. 大衆을 喚醒함에 對한 가장 必要한 技術이오이다.

問: 先生의 글쓰는 方法은 如何.

答: 나는 寫實主義者외다. 보는 그대로 듣는 그대로 記述하는 것 뿐이외다.

問: 남들이 先生을 人道主義라 하니 그럼니가.

答: 그러나 나는 톨스토이나 깐디 같은 人道主義는 絶對 反對합니다. 나는 戰鬪를 主張합니다.

問: 中國文壇의 代表的 푸로作家는 누구인가요?

答: 丁玲女史가 唯一한 푸로레타리아 作家지요. 나는 小資産階級의 出身이므로 眞正한 푸로레타리아 作品을 짓지 못합니다. 나는 다만 左翼便에 한 사람이라고 할 수 있겠지.

(魯迅先生의 筆蹟)

그는 보기와 딴판인 健讀[02]의 人이다. 그의 이야기하는 態度는 어린아이들과 자근 자근히 속색이는 天眞味가 있다. 아주 無邪氣하다. 나는 그의 天眞스럽은 말솜씨에 陶醉되어 그가 말하는 것을 筆記하는 것도 잊었다. 나의 記憶에 남은 것은 阿Q正傳 中에 阿Q란 人物 이야기다. 그는 阿Q란 人物은 自己가 살던 故鄕 魯鎭에 있는 사람을 모델로 한 것인대 其實 阿Q는 中國人의 普通相일 뿐더러 中國人만이 아니고 어느 民族 中에서든지 흔히 볼 수 있는 普遍相이라고 說明하얐다. 阿Q正傳이 英, 佛, 獨, 露, 伊 五國語로 飜譯되어 世界文壇에 歡迎을 받을 때에 中國文人들은 中國을 侮辱한 作品이라고 魯迅을 國賊이라고까지 하얐다. 寫實主義者 魯迅의 忠實한 붓대는 冷情 無私한 筆致로 中國人의 眞相을 그대로 暴露하얐다.

---

02 ‘健談’의 잘못이다.

나는 한참동안 그의 雜談을 들었다. 그의 이야기는 中國의 政局, 知識階級, 世界××[03] 等을 痛快하게 說破하얏다. 나의 記憶에 남은 그의 말은 中國 知識階級의 無力을 痛罵한 것이다. 特히 民族主義를 主張하는 政論家, 文人 等을 한참동안 罵倒하고 「蔣介石이가 中國革命을 領導하지 못하게 된 것과 마찬가지로 資産階級의 文人의 意識은 無用의 夢幻이 되얏다.」하고 資産階級의 文人의 沒落을 說破하고 푸로文學의 勃興을 力說하야 左翼文豪의 本色을 發露하얏다.

筆者는 그의 人生觀, 世界觀을 물었다.

「나는 人生이 길가는 것과 마찬가지라고 信仰합니다. 一步復
一步, 前進하면서 橋梁을 놓고 길을 닦는 것이 人生의 일인가
합니다.」

弱少民族의 解放은?

弱少民族의 解放은? 하고 물으매

「世界××[04]이 完成될 때라야 비로소 弱小民族도 解放될 줄
암니다.」

---

03 '革命'으로 추정된다.

04 '革命'으로 추정된다.

이야기는 파시즘, 쏘벳 로시아로까지 미첫다. 그는 筆者에게 朝鮮情形을 물었다. 朝鮮의 글로된 書籍이 적어지고 조선의 文藝 乃至 全般 文化가 ×
×[05]化한다는 말을 듣고 그는 그것이 決코 悲觀할 것이 아니다. 日本글이건 露國글이건 아모 關係없다. 나는 차라리 中國에서는 中國文이 없어지고 英語든지 佛語든지 中國文보다 나은 글이 普及되기를 바란다 라고 國粹主義를 一蹴한다.

이야기는 여긔서 끝나고 나는 告別하고 집으로 돌아왔다.

그는 나더러 조선文壇의 어느 분이든지 自己가 只今 準備 中인 中國文壇이라는 刊行物에 조선文藝의 歷史的 記述 及 現勢를 紹介하여 달라고 特別付託을 하얏다. 文壇의 有志人士는 特히 一稿를 만들어 조선文壇을 紹介하게 하기를 바란다. 朝鮮文으로나 或은 外國文으로나 무슨 文字로든지 關係없다. 筆者에게 보내주면 傳할 수 있다. 또 그는 短篇文章를 新東亞에 投稿하여 주겠다고 約束하얏다. 그러나 蔣介石의 파쇼 暗殺團의 左翼文士 暗殺陰謀가 暴露된 以來 그는 某處로 亡命하야 있다.

筆者는 文藝에 對하야 門外漢이다. 文藝를 모르는 筆者로 文豪의 文藝를 評論할 수는 없다. 다만 訪問記로 그를 紹介할 뿐이다. 讀者여, 容恕하라.

(끝)

---

05 '日本'으로 추측된다.

長江에 永古한 詩人 朱湘과 中國詩壇[01]

丁來東

【一】[02]

一

　筆者는 約 二年 前에 東亞日報를 通하야 飛机에서 仙化한 詩人 徐志摩氏의 悲報를 傳한 바 잇엇다. 이제 筆者는 다시 中國詩壇의 不幸을 또 한 가지 말하지 않을 수 없는 苦痛을 느낀다. 徐氏나 朱氏를 中國詩壇에서 잃은 것은 다 같은 不幸事면서도 前者는 豐裕한 生活에서 뜻하지 않은 偶然으로 죽게 된 만콤 그 個人의 죽엄에 對하야는 그다지 同情할 바를 느끼지 않지마는 後者의 죽엄은 生活의 苦痛으로 因하야 이生의 未練을 自進하야 끊은 만콤 그 情景은 더욱 悽慘하고 그의 高潔한 性格은 더욱 빛나는 것이다. 그러나 이 詩人은 自己의 悽慘한 生活苦를 詩歌로써 完全히 發達하지 못하고 또한 그 詩才와 主張을 充分하게 發揮하지 못하고 그 怨恨과 詩才를 가슴에 안은 채 치운 겨을 새벽 여섯時에(客年 十二月 五日) 揚子江에 몸을 던진 것이 살아 잇

01　『東亞日報』1934.5.1~5.3, 조간 3면.

02　매회 연재분 표기로서 3회에 걸쳐 연재되었다.

는 우리에게는 더 큰 遺憾이 아닐 수 없다. 그러나 詩人 自身에게는 돌이어 秘藏한 貴寶가 될지도 모를 것이다.

二

朱湘은 淸華大學을 卒業하고 米國에 가서 約 二年 間 修學을 한 後 回國하야 安徽大學에서 敎鞭을 잡앗다 한다. 이러한 履歷을 가지고 生活를 維持하지 못하야 自盡하엿다면 퍽으나 異常하게 생각한다. 그러나 이제 그의 親友의 回憶談을 읽어보면 그의 性格이 어떠케 高癖한 것을 알 수가 잇다. 웨시깐州 某 大學에서 工夫할 때 佛文 課本에 中國人을 侮辱한 곳이 잇는 것과 또 뉴욕戱劇協會 演員이 該地에 와서 演劇을 하는데 그 劇本에 中國人의 阿片 먹는 것을 諷刺한 것이 잇어서 一元 五十錢의 票를 찢어버린 일이 잇엇다 한다. 이 두 가지 일이 原因이 되어 亦是 嚴冬에 시카고로 떠낫다는 것이다. 또 시카고大學에서 工夫할 때 한 女學生이 自己와 同坐하는 것을 꺼려해서 또 退學을 하엿다 한다.

이러한 些少한 일에 極激의 感情을 일으키는 사람으로서 齷齪한 現實과 調和되기는 퍽으나 어려울 것이 事實이다. 그는 그의 遺著 『나의 新文學生活』[03] 中에 아래와 같은 말을 하엿다.

> 『나는 當初 學校의 環境에 適應할 수가 없엇으므로 自然 只今
> 에 와서 亦是 社會의 環境에도 適應하지 못하는 것이다.』

---

[03] 朱湘, 「我的文學生活」, 『靑年界』 제5권 제2기, 1934.2.

또

『나는 참으로 한개 世俗에 맞지 않은 者이다. 그 前에 册을 파
(眈讀)는 사람이 되지 못하엿엇고 또한 世情을 아는 사람이 되
지 못하엿엇다.』

三

그는 『詩刊』派 卽 徐志摩, 聞一多, 孫大雨, 饒孟侃, 劉夢葦, 蹇先艾, 陳夢
家, 方瑋德 諸氏 中의 一人으로서 詩의 形式을 퍽으나 注重하는 詩人이다.
中國詩壇에 自由詩가 誕生하면서부터 詩의 形式이나 詩의 音調를 너무나
輕視하는 傾向이 잇든 中 詩刊派의 詩人들은 이런 方面에 많은 努力을 하엿
엇다. 그러나 朱湘의 詩가 發表될 때는 발서 新詩의 全盛時代를 지내어 小說
이 風靡하든 때이므로 一般의 注意를 그러케까지 끌지는 못하엿든 것이다.
聞一多의 『死水』 詩集은 形式을 注重하는 詩歌의 最高峯으로 다른 派에서
는 此種의 詩를 『豆腐모』詩라고 評하는 것이다. 『豆腐모』詩라고 일컬은 것
은 그 詩의 每行 字數와 行數가 同一하야 恰似 『豆腐모』와 같은 데서 命名
한 것이다. 中國詩壇에 이러한 傾向이 流行하면서부터 詩歌에 從事하는 文
人이 퍽으나 적어젓엇다. 中國 最近의 詩壇을 보면 亦是 이러한 種類의 詩歌
가 휠신 적어지고 行數, 字數의 不整齊한 詩歌가 많어젓으며 또 한때는 英詩
의 『쏘넷』을 模倣한 十四行詩가 盛하엿엇다. 朱湘은 이 十四行詩로도 相當
한 成功을 하엿든 것이다.

【二】

四

雪林女史는 朱湘의 詩를 論하면서 그 特點으로 세 가지를 들엇다.

(一) 舊詩詞를 融化하는 데 能한 것.

(二) 音節의 協調를 重視하는 것.

(三) 長篇詩 等을 試驗한 것 等을 말하엿다.

(『論朱湘的詩』, 『靑年界』誌 第五卷 二期)

果然 그는 中國 新詩의 變遷을 말하면서 新詩가 決코 天空에서 떨어진 것이 아니요, 舊詩와 西方의 詩歌에서 蛻化한 實例를 들어 아래와 같이 論하엿다.

> 『──新詩는 이전에 없엇는데 어떻게 지어내엇는가? 이 疑問에 對하야 우리는 곧 이러케 對答할 수가 잇다. 現在 新詩人들은 過去의 舊詩를 熟讀하지 안하엿으면(廣義로) 곧 西詩를 그 前에 熟讀한 사람들일 것이다.
>
> 세個 最早의 例를 들어 說明하여 보자. 胡適은 그가 新詩를 지을 때 『詩經』을 念頭에 두고, 沈尹默은 長短句와 詞曲을, 周哲明은 西方의 民歌를 意識하고 잇는 것을 否認할 수는 없을 것이다. 『嘗試集』(胡適 作) 안에 陰韻을 運用한 곳은 修辭上 詩經에서 蛻化한 것이오, 『三絃』(沈尹默 作)은 한 首 新聲譜의 詞요, 『小河』(周作人 作)는 尾韻을 除하여뿐 樂府다.』
>
> (『詩의 用字』에서[04])

---

04 朱湘, 「詩的用字」, 『靑年界』 제5권 제2기, 1934.2, 15~16쪽.

그는 中國 舊詩로는 杜甫의 詩를 愛誦하고 西方의 作家로는 쉑스피어를 愛讀한다 하엿다.

『……十五歲 以後로는 杜詩의 音調를 좋와하고 二十歲 左右
에는 杜詩의 描寫를 模倣하고 三十歲 때에는 深刻하게 杜詩의
情調에 感激하엿엇다.』

（『我的新文學生活』에서）

이런 引語로 보드래도 그가 舊詩歌에 造詣가 깊은 것을 알 수가 잇다.

그의 詩歌는 郭沫若의 詩와 같이 熱情이 放逸하지도 않다. 또한 徐志摩와 같이 自然自在하게 詩를 읊은 것도 아니요, 聞一多와 같이 嚴肅한 體裁를 鍊磨하는 것도 아니다. 그의 詩歌는 日本 俳句과 같이 十字 內外의 短詩도 잇고 『王嬌』, 『猫誥』와 같은 中國詩壇에서 드물게 보는 長詩도 잇다. 그러나 그는 詩歌의 音調, 體裁, 用字 等 各 方面을 고르게 注意하는 詩人이라 할 수 잇을 것이다.

五

詩集으로는 『夏天』이라는 小册子와 『草莽集』이 잇고 아즉 出版되지 않은 詩集 『石門集』이 잇다 한다. 그外 各 刊物에 揭載되고 아즉 整理되지 않은 譯著가 퍽 많다. 그의 論文으로 우리의 注意를 끌은 것은 現代詩人 徐志摩, 聞一多, 劉夢葦 等 諸氏의 詩를 論評한 것과 譯詩로는 『쉑스피어』, 『셀리』, 『키―쯔』, 『아―놀드』, 『랜다』, 『릴리』 等의 詩요, 그外에 數많은 十四行詩가 誌上에 散在하야 잇다.

그의 詩는 大概 古典的 色彩가 濃厚하다는 것이 定評이요, 『哭孫中山』과 같은 詩는 그를 國民文學者라고까지 말하게 된다. 『草莽集』中에 잇는 『猫誥』라는 諷刺詩는 現代의 宗敎의 假面을 쓰고 弱肉强食을 實行하는 黑幕을 비웃는 長篇詩다. 이 詩의 叙述은 老猫가 小猫를 訓戒하는 體로 되어잇다. 그 中의 一節에 이러한 말이 잇다.

『한 머리 늙은 괴가 神을 독신하야
꿈에도 그는 두런두런 經을 외인다.
아마 밤중에 쥐를 잡느라 너무 疲困하엿는지
正午가 되도록 단잠을 자고 잇다.

『늙은 괴는 상자가로 뛰여 갓는데
어느새 한 머리 쥐가 그의 입에 물려 잇엇다.
왼 마리 쥐를 다 먹은 후
그는 다시 仁兒(小猫)에게 敎訓을 시작한다.
……
『强權이 近代의 精神인 걸 알아야 한다.
揖讓은 適者生存을 할 수가 없다.
孔子는 석달 동안 肉味를 모르고
釋迦는 殺生이 人道에 어긋진다 하지만
西方의 科學은 最近에
肉質에 生命素가 豐富한 걸 證明하엿단다.
……
『그리고 사람의 祿을 먹은 者 그 主人에게 忠誠돼야 한다.

家主가 우리를 기른 것은 本來 쥐를 잡으려는 게다.

쥐는 우리가 잡는 것을 무서하지만

衛生을 하는 人類는 되려 쥐를 저어한다.

우리가 人類에 이 같이 功勞가 잇것만,

누가 알랴 廣東人은 엄연히 피[05]를 먹는고나 !

......

『아! 맘을 저바린 사람은 옛과 같이 적지 않다.

어찌 韓信을 죽인 漢高祖뿐이랴?

그러므로 우리 집 主人이 만약 廣東을 가는 때는

잇지 말고 罷工을 하여야 된다.』

이 詩의 끝은 老少 두 괴가 主人이이[06] 주는 魚飯을 먹는 中인데 마치 개(狗)가 와서 그 남은 밥을 다 먹어버리는 것이다. 老猫는 憤이 나서 눈을 둥글하게 뜨고 일변 개를 꾸짖으며 일변 몸을 避한다. 小猫도 따라서 戰陣 外로 退出하며 恭順하게 老猫의 最後의 誥誡를 듣고 잇다. 終身토록 써도 다함이 없는 計策은 곧 老猫가 말한 『大勇은 若怯』이란 것이다.

詩歌에 잇어 諷刺詩는 퍽 成功하기 어려운 것이다. 또한 그의 數도 많지는 못하다. 더군다나 中國 新詩壇에는 보기 드문 바이다. 이 『猫誥』와 같은 詩는 이런 種類의 詩로서 比較的 成功한 詩라고 볼 수 잇을 것이다.

---

05 '괴'의 오식이다.

06 오식이다.

【三】

六

『王嬌』의 이야기는『今古奇觀』의『王嬌鸞百年長恨』에서 나온 것이라 한
다. 中國 新詩에도 康白情의『盧山紀遊』도 잇고 聞一多의『李白의 死』, 徐志
摩의『愛의 靈感』等이 잇으나 길기로서 이 叙事詩가 가장 긴 것으로 漢代
叙事詩『孔雀東南飛』의 一千七百六十五字에 比하면 이 詩는 七千四五百字
나 되는 長篇이다. 西洋詩에는 自古로 叙事詩가 數없이 많건만 中國은 叙事
詩가 그리 많지 못하다.『王嬌』와 같은 叙事詩는 中國 古今의 詩를 통트러
놓고도 例를 보기 드문 長詩며 이 詩의 特色으로는 每句에 韻이 잇는 것이
다. 또 普通 叙事詩는 小說에 가깝도록 그 叙述이 平坦한데 反하야『王嬌』는
『西廂』과 같이 劇的 場面이 많은 것이다. 그 情景도 恰似『西廂』이나 쉑스피
어의『로미오와 줄리에트』와 비슷한 點이 많다.『西廂』의 紅娘도 自己 아가
씨의 戀愛를 成功하는 데 많은 任務를 하거니와『王嬌』中의 春香도 亦是 그
러하며『로미오와 줄리에트』의『널스』와 같이『曹姊[07]』가 들어선 것도 쉑스
피어의 影響이라고 보지 않을 수 없다.

이 外에『還鄕』,『昭君出塞』,『彈三絃的膳子』,『搖藍歌』,『葬我』와『草莽
集』맨 끝에 잇는『夢』같은 것은 이 詩人의 人生觀을 엿볼 수 잇는 作品인
同時에 優秀한 詩歌일 것이다.

---

07 '曹姨'의 오식이다.

七

흔이 詩人은 죽기 前에 自己의 墓碑銘 或은 挽歌를 짓게 된다. 우리는 이 詩人에게서도 그러한 詩를 찾을 수가 잇다.

그는 어떠한 곳에 自己가 묻치고 싶어 하엿엇든가? 우리는 이제 그의 『葬我』라는 詩를 읽어보자!

귀─ㅅ가에 지렁이의 느린 소리 들리고
프른 연닢 등잔 우에
반딧불이 까막까막 하는
연꽃이 핀 못 안에 나를 묻어주소.

永遠히 향기러운 꿈을 꾸게
나를 馬纓花 나무 밑에 묻어주소.
바람소리 孤松을 울려가는
泰山의 봉 우에 나를 묻어주소.

그렇지 않으면 나를 불태워 재 되거든
氾濫한 봄江에 던저주소.
떨어지는 꽃과 동무 삼아
알지 못할 곳으로 떠나려 가게.

『葬我』(草莽集에서)

八

우리는 마지막으로 이 詩人의 讀書의 傾向, 新文學에 參加한 動機 等을 그의 手記『我的新文學生活』에 依하야 살피어 보기로 하자.

中國의 많은 新文學家는 그前 舊式敎育下에서 正式으로 배우는 四書三經의 影響보다 오히려 課外에 耽讀하는 小說, 傳奇 等 所謂 外書에서의 影響이 많앗다 한다.

周作人氏도 어느 곳에서 이러한 말을 한 적이 잇거니와 이 詩人에서도 亦是 그러한 傾向를 볼 수가 잇다. 新舊를 莫論하고 幼年 文學者에 對하야는 正式의 課本이 얼마나 無用한 것인가를 우리는 이로써 斟酌할 수 잇는 것이다.

그는 六歲 時에 처음으로『龍文鞭影』이란 韻文史事를 배우고 그 후『詩經』을 學習하면서 외이지 못하야 罰을 當한 일이 잇엇다 한다. 八九歲 時에 四書를 다 읽고『左傳』의 一部을 읽엇으며 이 때에 作文을 지어 배웟다는 것이다.

大槪 舊敎育은 十歲 左右에 끝을 마치고 十一歲 對에는 高等小學에 入學하야 그 後 十年 間 學校生活을 하엿으나 小學과 大學에서 各各 停學을 한 일이 잇엇다 한다.

그는 詩人임에 不拘하고 十二歲에서 十四歲까지는 義俠小說을 愛讀하엿고 十五歲 左右에는 偵探小說을 愛讀하엿으며 二十歲 左右에는 愛情小說을 愛讀하엿다 한다. 義俠小說로는 英國의『스코트』,『스티븐슨』, 波蘭의『센키위치』의 것을 多讀하엿고 偵探小說로는『코난도일』의 것을 많이 읽엇으며 十五歲 時에는 그 原文도 본 일이 잇다 한다. 愛情小說로는『紅樓蒙』을 본 일이 잇다 하며 그 外에는 우에서 말한 杜甫와 쉑쓰피어의 作品을 愛讀하엿다는 것이다. 그의 말에 依하면 다른 作家의 作品은 一讀한 後 두 번 본 일이 없지마는 이 두 作家에 限하야는『百讀不厭』하엿다는 것이다.

그가 新文學運動에 參加하게 된 것은 劉半農의 『答王敬軒書』를 읽고 劉氏의 說에 讚成하게 된 까닭이라 한다.

그는 小說도 써보고 學校에서 演劇도 하여 보앗으나 그의 成功을 하지 못한 것은 그의 性格이 『執滯』되어 조곰도 活動을 하지 않은 데 잇다고 말하엿다. 編劇이나 演劇이나 失敗한 것도 上記한 原因과 同一하다고 말하엿다.

(四月 十四日, 北平 太平園에서)

中國 新文藝의 百花陣[01]

盧子泳

一. 中國 新文藝 發達小史

百花燎亂한 中國의 新文藝를 말하기 前에 우리는 몬저 中國 新文藝의 發達小史를 알아 볼 必要가 있다.

一九一七年 一月에 陳獨秀가 經營하는 新靑年(二卷 五號)에 當時 北美「콜럼비아」大學에 있는 胡適之로부터 『文學改良芻義』라는 論文을 發表하였는데 이 것이 中國 新文藝의 出發點이라고 볼 수가 있다. 그리고 同年 二月號(新靑年)에 陳獨秀가 亦是 『文學革命論』을 發表하야 胡適之의 所論에 贊同을 加하였는데 이 것이 全 中國의 關心을 사게 되야 贊否 兩論이 沸騰하였든 것이다. 그들의 文學革命의 要旨는 貴族文學과 古典文學과 山林文學을 打倒하고 國民文學, 寫實文學, 通俗文學의 建設을 高調한 것인데 다시 말하면 難澁한 古典文學을 부서버리고 中國 實社會를 背景으로 한 누구나 다 볼 수 있는 言文一致(白話體)의 文學을 高調한 것이다.

이리하야 一般의 支持를 받게 된 文藝運動者들은 全國 同志의 應援을 받아 그 步調가 매우 活潑하게 되었든 바 一九一九年 五月 四日에 이 言文

---

01 『三千里』 제6권 제7호, 1934.6.

一致의 革命文學은 社會的 生育條件의 影響을 받아 急角度의 發達을 遂하고 마참내 그 開華期를 보게 된 것이다.

一九二〇年에는 純文藝 雜誌 「創造季刊」이 發刊되고 다시 文學研究會派에서 「新月」을 刊行하게 되야[02] 文藝運動은 그 堅實한 步調를 뵈이게 된 것이다. 그 後 文藝雜誌가 繼出하야 文藝誌의 樣威로 「小說月報」를 보게 되고 「申報月刊」, 「現代月刊」, 「文藝月刊」 等 二十餘種의 文藝雜誌가 나오고 또는 單行本도 그 數를 헤일 수 없으리만치 出現하게 된 것이다. 그리고 文藝運動의 思潮를 본다면 처음은 뿌도文學의 多彩한 戰線으로부터 社會文學, 革命文學, 寫實文學, 無産文學으로 轉向하였다고 볼 수가 있다. 一九一九年으로부터 一九三一年까지 그 사이 中國文學은 創造派의 浪漫主義, 新月派의 唯美主義, 文學研究派의 自然主義 等을 除하면 其外는 全혀 反帝國主義, 反封建主義로 一貫한 것이다. 이리하야 뿌루조아文學의 加速度的 退却과 쏘베트區의 發達을 背景으로 한 푸로文學의 急템포의 發達에 依하야 中國의 新文藝는 方向轉換을 보게 된 셈이다.

그러자 上海事變을 치르고 나서는 多小 間 文藝의 蹉跌이 있었으나 一九三二年 五月부터 다시 更生의 意氣를 가지고 勇敢한 進軍을 行하게 되였다. 그리고 一九三三年度에 中國의 新文藝는 「大衆文學」이라는 命題를 가지고 各 作家와 評者들이 論戰하고 研究하고 批評하였다는 것이다.

二. 中國의 文藝雜誌

現在 中國文壇에는 어떠한 文藝雜誌가 있는가? 一九三四年 四月 現代出

02　정보가 잘못 되었다. 잡지 『新月』은 新月社에 의해 1928년 창간된다.

版報(上海)에 依하면 相當한 權威를 가진 文藝雜誌가 四月 現在 二十二種이 있다. 이제 그 誌名과 號數와 定價를 示하면

一. 現代(現代書局發行), 一冊 三角.

一. 文學(四月號), 一冊 三角.

一. 文學季刊(創刊號), 一冊 五角.

一. 文藝月刊(五卷 四號), 一冊 三角.

一. 矛盾(矛盾[03] 主幹), 一冊 二角.

一. 新時代(六卷 三號), 一冊 二角.

一. 文藝業刊(創刊號), 一冊 五角.

一. 靑年界(五卷 四號), 一冊 一角 半.

一. 藝風(二卷 三號), 一冊 三角.

一. 文藝茶話(二卷 九號), 一冊 一角 二分.

一. 文藝春秋(一卷 七號), 一冊 一角 二分.

一. 新上海(一卷 七號), 一冊 三角.

一. 金鋼鑽(第七期), 一冊 五角.

一. 詩篇(純詩雜誌), (一卷 四號), 一冊 三角.

一. 詞學季刊(一卷 三號), 一冊 四角.

一. 新壘(三卷 三號), 一冊 二角.

一. 靑鶴(二卷 十號), 一冊 三角.

一. 國際文學(英文), (第四期), 一冊 四角.

一. 春光(一卷 二號), 一冊 三角.

一. 中國文學(一卷 二號), 一冊 三角.

---

03 '茅盾'의 오식이다.

一. 中學生文藝月刊, 一冊 一角 半.

一. 劇學月報(純劇雜誌), 一冊 三角.

以上과 같은 많은 雜誌가 있다. 文藝雜誌란 一個도 없는 朝鮮에 比하면 그 얼마나한 驚異的 進步인가? 더욱히 朝鮮과 같이 一號 二號로 運命을 맞이지 않고 以上에 示함과 같이 멧 卷 멧 號라는 꾸준한 發達을 示하고 있음은 우리의 敬服하는 바이다.

以上 雜誌 中에 「現代」, 「文藝月刊」, 「文藝茶話」 等 雜誌가 가장 權威있고 또는 發行部數도 많은 모양이다. 그 中에 文藝月刊은 每月 發行部數가 五萬 以上을 突破한다 하니 더욱이 우리의 羨望을 사기에 足하다. 그리고 「詩篇」, 「詞學季刊」 等 가장 發行部數 적다는 維[04]誌도 每月 五千部 以下를 不下한다니 文藝家의 王國은 斷然 中國에 있다 하여도 過言이 않일 것이다. 이제 「現代 四月號」(今年)의 執筆家를 紹介한다면

周作人, 魯迅, 郁達夫, 茅盾, 郭沫若, 葉聖陶, 老舍, 陳雪帆, 穆時英, 方光熹, 廢名, 張天翼, 巴金, 戴望舒, 李金髮, 鄭伯奇, 沈從文, 葉靈鳳, 歐陽予倩, 沉稷[05], 朱湘, 白薇, 杜衡, 馬祥彥[06], 蘇汶, 魯彥, 魏金枝, 李靑崖, 趙景深, 劉吶鷗, 高明, 淩以[07], 稷昌言[08], 江思, 沈瑞先, 徐霞村, 周起應, 豊子愷, 趙家碧[09], 黎烈

---

04 '雜'의 오식이다.

05 '沉櫻'의 잘못이다.

06 '馬彥祥'의 잘못이다.

07 '靳以'의 잘못이다.

08 '凌昌言'의 잘못이다.

09 '趙家璧'의 잘못이다.

文, 傳東華.

以上을 보아 中國 新文人의 一端을 엿볼 수가 있다. 魯迅, 郭沫若, 都[10]達夫은 多小間 우리의 親한 일홈이지만은 그 밖게 몰을 일홈이 相當히 많을 것이다. 이 現代는 中國 新文藝 書籍을 가장 많이 發行하는(日本의 新潮社 같은 것) 現代書句에서 刊行하는 것인데 그 發行部數가 四萬 五千部라고 「文藝月刊」 꼬시欄에 記錄되어 있다. 徃年 「朝鮮文壇」이 二千部 以上을 나가게 되여 우리 文壇의 破記錄이라고 話題가 된 것에 比하면 雲泥의 差가 있다고 할 것이다.

三. 新中國의 文人群

現在 中國文壇에는 우리가 想像하든 以上의 많은 文人이 있다. 「改造社」 (日本)에서 「魯迅全集」을 發行한 魯迅를 筆頭로 하야(魯迅은 左聯에 轉向한 以來 一作도 내지 않았는데 中國 批評家들은 그를 人生派 리알리스트라고 한다.) 몬저 郭沫若, 郁達夫, 蔣光慈를 들지 않을 수가 없다. 郭沫若, 郁達夫를 代表로 하는 創造社系와 蔣光慈(先年 上海에서 被殺)를 先頭로 하는 太陽社는 한동안 文壇을 風靡하였으나 只今은 孤城落日의 觀이 있다.

郭沫若은 前年 中國 人氣投票에 第一位를 點한 사람으로 그의 作品 中에는 「落葉」, 「我的少年[11]」, 「正反前后[12]」, 「漂流三部曲」, 「黑猫」, 「創造十年」, 「塔」, 「欖橄」 等이 있는데 그는 다시 詩人으로 有名하야 「郭沫若詩集」이 있다. 이 詩集도 中國 靑年男女의 愛誦하는 바이라고 한다. 그는 다시 隨筆로

---

10 ‘郁’의 오식이다.

11 ‘我的幼年’의 잘못이다.

12 ‘反正前后’의 잘못이다.

「山中雜記」, 「文藝論集」이 있다.

郁達夫의 作品으로는 「還鄕記」, 「饒了她」, 「南遷」, 「銀灰色的死」, 마「局
蘿」[13], 「春風沈醉的晚上」라는 作品이 잇는데 그의 作品은 돈과 사람과 名譽
에 對한 葛藤——또는 靑年의 肉體的 苦悶을 그린 作品이 많다.

蔣光慈는 日本留學 時代부터 革命文學을 위하야 붓을 든 사람인데 初期
에 잇서서는 批評家들의게 多小 惡評을 받았으나 그의 꾸준한 努力은 그로
하야금 堅固한 土臺를 가지게 되었다. 詩集으로 新夢이라는 것이 잇고 創作
으로 「少年漂泊者」, 「野祭」, 「麗莎的哀怨」, 「最後的微笑」, 「鴨綠江上」 等이
잇는데 더욱히 前記 「鴨綠江上」은 朝鮮靑年을 主人公으로 한 것으로 우리
의 注目을 끄는 바이 많다.

「아니—키스트」派로 巴金과 氷心女史를 들 수가 잇는데 氷心女史는 氷心
詩集이 잇서서 中國 젊은 女性에게 많은 感銘을 준 모양이다. 巴金은 「萌芽」
等 멧 個 作品이 잇는데 모다 國民政府로부터 發賣禁止를 當하였다.

戀愛作家로 中國 靑年男女의게 많은 歡迎을 받는 張資平이 잇다. 그의
作品으로 「北極圈裏的王國」, 「飛絮」, 「黑戀」, 「兵荒」, 「澄淸村」, 「戀愛錯綜」,
「最後의 幸福」(요새 朝鮮서 月刊中央에 記載), 「愛의 焦點」, 「聖誕祭의 前夢」, 「不
平衡한 偶力」 等이 잇는데 그의 作品이 나올 적마다 中國 男女들은 다투어
읽는다고 하니 그의 人氣를 집작할 수 잇지 않은가?

그外에 叙情的 主觀主義의 矛盾[14]이 잇다. 그의 人氣는 非常하야 그의 原
稿를 各 書店에서 다투어 산다고 하니 그의 地位를 酬酌하기에 足하다. 그

13　욱달부의 소설 「蔦蘿行」의 오식으로 보인다.

14　'茅盾'의 잘못이다.

의 「春蠶」은 名作이라고 하며 그外에 「矛盾自選集」, 「宿奔」, 「野薔薇」, 「虹」, 「三人行」, 「子夜」 等이 잇다.

女作家로 丁玲을 잊어서는 않된다. 그는 政治的 熱情을 가진 作家인데 그의 男便이 國民黨에 被殺된 後로부터 그는 生活과 싸호면서 文藝에 精進하였다. 「洪水[15]」는 그의 長編創作으로 매우 有名하며 그外에 「夜會」, 「在暗黑中」 等이 잇는데 中國 女作家를 爲하야 萬丈의 氣炎을 吐하는 이라 하겠다.

女流 評論家로 賀玉波를 忘却할 수가 없다[16]. 「現代中國作家論」, 「郁達夫論」, 「現代中國女作家」 等 評論이 많다.

新進作家로 우리는 沙汀과 張天翼을 들 수가 잇다. 沙汀은 그 表現方法이 難澁하다는 말이 잇으나 錯雜한 動向을 新鮮히 表現하는 點에 잇어서 異彩를 가젓다. 「法定線外의 航路[17]」는 그의 出世作이며 其他 短篇이 잇다. 張天翼은 天分이 豊富한 作家인데 奔放한 構想과 變化가 많은 描寫는 一般에 評判이 좋다. 現代 一卷 三號에 發表한 「密[18]蜂」은 諷刺와 「유모아」와 兒童 純實을 그린 農村作品으로 매우 佳作이라고 한다.

그리고 最近 佛蘭西에서 歸國한 劉吶鷗의 「모던이즘」文學과 葉靈鳳의 新心理主義文學은 最近 中國文壇의 異彩라고 할 수 잇으며 葉靈鳳은 「紅的天史」라는 長篇과 「處女의 夢」이라는 短篇 等이 잇다.

---

15 중국어 원제는 '水'이며 단편소설이다.

16 정보가 잘못되었다. 賀玉波는 남성작가이다.

17 중국어 원제는 '法律外的航線'이다.

18 '蜜'의 오식이다.

이外에 批評家로 成仿晤[19], 錢杏村, 沈瑞先[20], 朱鏡我, 李初梨, 彭康 等이 잇고 그外에 別노 일홈이 높지 못한 作家는 바다의 모래같이 수두룩하다. 短篇作家로 金滿成, 顧仲起, 華漢, 洪靈菲, 胡也頻, 沈從文, 嚴良才, 羅曖嵐, 謝晨光, 孫席珍, 彭家煌, 郭文驥, 徐浩螢[21], 葉鼎洛, 殷雪生[22], 森保[23] 等 諸氏는 도리혀 有名한 사람들이다.

詩人으로 郭沫若, 王獨淸, 章衣萍, 溫梓川, 氷心, 虞淡[24], 劉大杰, 孟超 等을 들 수 잇고 戲劇 作家로 田漢, 洪深, 徐保炎[25], 楊蔭深, 陳大悲, 胡春冰 等을 말할 수가 잇으나 여게는 그 詳細를 避하고 後日에 다시 쓰기로 한다.

四. 中國文壇과 單行本

現代書局版 出版年鑑에(一九三三年度) 依하면 一九二〇年부터 一九三三年까지 中國에서 出版된 文藝書籍이 三萬 四千 八百種이라고 하였다. 이 겄으로 文藝出版의 殷盛을 말하기에 足하고 또는 그 一端을 窺知하기에 넉々하다. 朝鮮과 같이 一年에 十餘種을 不外하는 處地로써 보면 百花燎爛期에 잇

---

19 '成仿吾'의 잘못이다.

20 '沈端先'의 잘못이다.

21 '徐活螢'의 잘못이다.

22 '段雪生'의 잘못이다.

23 '森堡'의 잘못이다.

24 '虞琰'의 잘못이다.

25 '徐葆炎'의 잘못이다.

다고 斷言할 수가 잇다.

單行本들은 大槪 紙質이 좋치 못하고 裝幀도 변々치 못하나 그 發行部數에 잇어서는 優히 先進國인 日本을 壓倒하기에 充分하다. 矛盾[26]의 「野薔薇」는 初版 二萬部를 박았는데 그 것이 二個月 以內에 賣盡이 되고 不出 一年에 四版이 發行되야 八萬部가 나갓다니 훌늉하고 痛快하지 않은가? 그리고 沫若의 「創造十年」도 一年에 三萬部가 팔녓다고 하며 고 張資平의 「最後之微笑」[27]도 一年에 四萬 六千部가 나갓다고 한다. 그리고 中國서는 아모리 앓팔니는 文藝品이라도 三千部 以上을 初版에 박으며 또는 무삼 小說이던지 一年에 三四千部가 앓팔니는 冊이 없다고 한다. 朝鮮과 같이 初版 千部가 二三年式이나 가야 賣盡이 되며 또는 春園의 「無情」이 十年에 한 萬部 팔엿다고 하야 最高記錄을 삼는 것에 比하면 우리는 가슴이 답々함을 깨달을 수밖게 아모 것도 없다.

中國이란 版圖가 廣大하고 讀者가 많고 또는 우리와 같이 文化의 ××을 밧지 안키 때문에 冊을 出版하면 앓팔니는일이 없고 文人이 되야 붓을 들어도 生活에 苦痛이 없는 것이다. 現代書局版 一九三三年 圖書總目錄에 依하면 詩集全集, 長篇小說集, 中篇創作集, 郭沫若全集, 무삼 全集이니 무삼 戲劇全集이니 하고 出版의 洪水를 짐작하기에 足하야 우리는 그네들의 發展을 못내 부러워하는 바이다.

文人도 밥을 먹어야 하고 밥을 먹어야 글을 쓸 수가 잇다. 文人이 밥버리로 딴 생각을 하고 또는 딴 일을 한다고 하면 글을 쓸 수 없고 創作을 할 수가 없는 것은 再言을 不要할 것이다. 이렇은 意味에서 中國文壇을 보아 創作

---

[26] '茅盾'의 잘못이다. 아래도 마찬가지다.

[27] 정보가 잘못되었다. 이는 蔣光慈의 작품이고, 張資平의 작품은 『最後的幸福』이다.

이 洪水같이 쏘다지고 文人이 많히 輩出하는 겄을 보면 그 文壇의 文人에 對한 生活保障을 피히 알 수가 잇을 것이다.

文藝誌 「現代」에서 支拂하는 原稿料가 五百字에 四圓 或은 五圓까지 하고 其他 文藝月刊, 文藝茶話 等에서도 三圓 或은 四圓式 支拂한다고 한다. 그外에 아모리 低廉히 주는 稿料도 一圓 五十錢, 二圓은 된다고 하니 日本 有名作家들의게 及할 바는 몿되나 우리 朝鮮文壇에 比하면 天壞의 判이 잇지 않이한가.

郭沫若, 張資平, 矛盾 等 諸氏는 月收入이 五千圓 可量이나 된다 하며 其他 無名作家들도 밥을 먹고 살기에는 그리 苦難을 늣기지 않는 모양이다. 申彦俊氏의 「魯迅訪問記」를 보면 그의 原稿料 收入도 月 四千圓이 되며 그는 이 돈을 社會事業에 쓴다고 하였다. 四百字 原稿 一枚에 二十五錢──그남아 原稿를 팔 곤이 없는 朝鮮에 比하면 中國은 分明히 文藝人의 黃金王國이라고 할 겄이다. 中國의 旣成作家들은 모다 豪華러운 生活을 하며 一年에 一作을 내여도 年 一二萬圓은 손에 드러온다고 하니 부럽지 않은가?

(끗)

中國文壇 雜話[01]

丁來東

(一)[02]

一. 中國의 出版界

一九三四年도 어느새 半年이 다 넘어갓다. 이제 『現代』 六月號의 『文壇展望』이란 一文을 보면 大槪 아래와 같은 意味의 記事가 잇다.

『어떤 사람은 一九三四年을 『雜誌年』이라고 말한다. 冊肆에 가서 二三分만 잇으면 이 말이 틀리지 않은 것을 알 수가 잇을 것이다. 過去를 回顧하야 보면 大槪 一九二九年에서 三○年까지의 그때에 흡사 이와 같은 『盛』況이 잇엇다. 그러다가 『九一八』의 前夜에는 겨우 남아잇는 純文藝 刊物은 얼마 되지 안하엿고 上海事變 時에는 거위 모도가 停頓되어서 出版界는 眞空이 되엇엇다. 一九三二年에서 三三年에 이르러 겨우 繼續하야 일어나게 된 後 줄곳 今年에 이르러 北平의 『文學季刊』

---

01 『東亞日報』 1934.6.30~7.1, 7.3~7.4, 조간 3면.

02 매회 연재분 표기로서 4회에 걸쳐 연재되었다.

을 先導로 先後 創刊 된 雜誌가(其他 種種 政治, 社會, 娛樂에 關한 刊物을 除하고 그저 純粹文藝의 것. 그 우에 新文藝 刊物만 손곱아 보아도) 아래와 같이 많은 種類의 것이 잇다.

『文學季刊』, 鄭振鐸, 章靳以 編.

『春光』, 莊啓東, 陳君冶 編.

『中國文學』, 簫作霖, 陸印全 編.

『民族文藝』, 汗血社 編.

『詩歌月報』, 該社.

『文史』, 吳承仕 編.

『學文』, 葉公超 編.

『人間世』, 林語堂 編.

이外에 또 몇 種이 벌서 預告하야 最近에 創刊할 것으로 楊丙辰 編輯의 『文學評論』, 施蟄存 編輯의 『文藝風景』과 春光書局 發行의 『每月文學』 等이 잇다. 萬若 그前에 잇든 『文學』, 『矛盾』, 『文藝月刊』, 『沉鍾』 等等을 加한다면 最近의 將來에는 二十種 左右의 比較的 重要한(比較的 重要하다고 말한 것은 너무나 地方性인 것과 發賣의 十分 普遍되지 않은 刊物을 計算하지 않은 까닭이다.) 純文藝 刊物이 同時에 存在할 수 잇을 것이다. 이 『盛』況은 大槪 一九二九年 至 三〇年 間의 時期에도 亦是 이에 不過하엿을 것이다.

그러나 雜誌의 興盛을 말하면서 우리는 다른 一種 相反된 現象을 忽畧할 수는 없다. 이 相反된 現象이란 것은 곧 單行本 書籍의 極度의 衰落이다. 重要한 新文藝 出版家는 前後하야 敎科書, 學校參考書, 兒童讀物 等 여러 가지 方面으로 向하야 發展하고 그外에 文藝書籍을 몇 卷 出版할 수 잇는 者들도 亦

是 空前의 疲廢狀態에 빠저 잇다. 卽 本來 容易하게 發賣할 수가 잇다고 하는 創作만 가기고 말하드래도 一九三四年度에 나온 것은 亦是 퍽으나 적어서 書籍 評家로 하여금 책이 없어 評하지 못하는 嫌이 잇게 한다. 翻譯 理論에 이르러서는 提唱을한 일은 잇으나 大規模로 實行을 하는 者는 亦是 鳳毛麟角과같이 드물다.

우리는 『單行本』과 『刊物』 二者의 一興一衰의 現象을 아울러觀察하여야 이 現象의 根源을 엿볼 수가 잇을 것이다.』

이 論者는 雜誌가 興하고 單行本이 衰하는 理由로 아래와 같은 말을 하엿다. 『한 卷에 十三四萬字의 書籍은 定價가 적어도 一圓이지만은 같은 字數를 包含한 雜誌(?)는 僅僅 三十錢 左右에 不過하다.』 그러므로 負擔이 적은雜誌로 讀者가 뫼여든다는 것이다.

어느 나라 文壇에서도 그러하지마는 唯獨히 中國文壇에서는 한 가지 作品을 가지고 三四次의 出版을 하게 된다. 大槪 처음에는 雜誌에나 新聞의 學藝欄에 發表하엿다 그 다음에는 單行本으로 또 그 著者의 選集 或은 全集에넣게 되고 또는 一般作家의 選集에도 들게 되며 다른 書店에서 거위 同樣 內容의 書籍을 出版하는 수도 잇으므로 大槪는 三四次 적어도 二三次式은 活字化하게 된다.

(二)

二. 中國 現代作家의 省別 表

이제 『出版消息』 今年 三月 一日分을 보니 右題目과 같은 作家 姓名의 羅

列이 잇다.[03] 이것은 그저 某省 下에 그곳에서 出生한 作家를 쓴 것에 不過하다. 그러나 中國 어느 地方에서 現代作家가 많이 낫으며 某某 作家는 어느 地方 사람인가를 아는 것은 그리 興味 없는 일은 아닐 것이다. 勿論 以下의 表를 보면 一目에 瞭然하겟지마는 江蘇, 浙江 等 揚子江 下流 兩省이 第一 많다는 것도 注意되는 事實이며 그前 淸末에 桐城學派의 根據地가 된 安徽가 比較的 적은 것도 注意를 끄는 것이오, 漸漸 中國 南北方으로 올라갈스록 作家가 적은 것도 그 文化程度의 差가 잇는 것을 推測할 수 잇거니와 또 北方의 生活이 아무래도 長江沿岸만 같지 못한 것도 그 原因이 없지 않을 것이다.

또 廣東과 같은 中國新文化의 根據地에 文士, 著作家가 比較的 적은 것은 그 地方人의 性格이 文學과 適合하지 않음인가?

또는 文學을 輕視하는 傾向이 잇는 까닭인가? 이런 것도 研究하여 볼만한 問題일 것이다,

以下의 諸表는 文人이 大部分이나 間或 文人이라기보다 著作家도 섞이어 잇는 것을 注意하여야 할 것이다.

또, 이 表는 다른 雜誌에도 揭載되엇엇으나 이 編者는 그 差誤를 更正하고 或 補充도 하엿다 한다.

그러나 이 外에 漏落도 많이 잇을 것이라는 附言이 잇다.

▲ 江蘇——柳亞子, 洪深, 李小峯, 徐霞村, 顧鳳城, 葉聖陶, 朱自淸, 陳西瀅,
　　 會虛白, 陸侃如. 葉靈鳳, 曾樸, 夏萊蒂, 張嘉森, 徐志摩(故).

▲ 浙江——胡愈之, 茅盾, 許欽文, 施蟄存, 羅家倫, 査士驥, 査士元, 沈澤民,
　　 章克標, 陳學昭. 沈尹默, 魯迅, 戴望舒, 何炳松, 潘垂統, 許傑. 王以仁,

03　　張德元,「現代作家省別表」,『出版消息』제30기, 1934.3.1.

周作人, 周建人, 郁達夫.

▲ 湖南——舒新城, 劉大杰, 張友松, 沈從文, 黎錦明, 黎錦熙, 傳彦長, 白微, 胡雲翼, 黎烈文, 歐陽予倩, 丁玲, 彭家煌(故).

▲ 安徽——台靜農, 汪倜然, 李霽野, 綠湘[04], 韋漱園, 蔣光慈(故), 朱湘(故).

▲ 四川——巴金, 李劼人, 康白情, 黃天鵬, 王怡庵, 趙伯顔, 賀昌群, 郭沫若.

▲ 廣東——羅西, 黃天石, 馮暴韓, 張資平, 李金髮, 凌叔華, 鍾敬文.

▲ 河北——老舍, 孫伏園, 焦菊隱, 陶孟和.

▲ 河南——沅君, 馮友蘭, 于賡虞, 葉鼎洛.

▲ 山東——王統照, 燕志儁, 臧克家, 楊振聲, 傅斯年.

▲ 福建——林語堂, 王世穎, 謝氷心, 胡也頻(故).

▲ 江西——芳信, 張鳳擧, 彭學沛, 江紹原.

▲ 湖北——熊佛西, 余上沅, 廢名.

▲ 山西——李健吾, 長虹, 高歌.

▲ 雲南——楊鴻烈, 徐嘉瑞.

▲ 貴州——周昌壽, 蹇先艾.

▲ 廣西——馬君武.

▲ 陝西——鄭伯奇.

▲ 吉林——穆木天.

---

04 '綠漪'의 오기다.

三. 中國文化事業의 受難期

秦始皇이 焚書를 하엿다는 것은 지금까지 有明한 말이거니와 近代에 와서는 明末 遺民의 諸書를 淸初에 亦是 『焚書』로 封하야 버린 것도 우리의 周知하는 바다. 現代에 와서 禁書의 風이 非但 未開國에서 뿐만 아니라 文明諸國에까지 불어가는 것은 우리의 報章으로 보아 아는 바다.

現代中國도 過去 歷代 中國에 지지 않게 文化事業을 干涉하며 監視하는 中이다. 文學書類에 禁書가 甚한 것은 다음에 記錄할 것과 같거니와 其他 學校, 映畵, 演劇, 學術硏究 等에까지 辛辣한 干涉이 잇는 것은 在外人의 想像 以外일 것이다.

이제 『現代出版界』(三月號)를 보니 『最近 中央黨部 査禁書目』이란 題下에 簡畧한 說明이 잇고 그 밑에 書名, 著者氏名 等이 羅列하여 잇다. 이제 그 說明을 譯抄하여 보면 아래와 같다.

『去月(二月) 十九日 上海市黨部는 中央黨部의 電令을 받아 人員을 派遣하야 各 新書店에 가서 査禁한 書籍이 百 四十九種이나 되고 牽涉된 書店이 二十五家나 되는데 그 中에는 그 前에 市黨部에서 審査하야 發行을 許可한 것도 잇고 或은 內政府에 登記하야 著作權을 얻은 것도 잇으며 各 作家의 前記 作品 곧 丁玲의 『黑暗中』 같은 것도 퍽으나 많앗으므로 上海 出版業의 恐慌을 일으키게 되엇엇다.……』

그後 『中國著作人出版人聯合會』에서 代表를 選擧하야 請願한 結果 이後

다시 調査하겟다고 許可를 하고 그 期限內에는 各 書店에서 自動으로 封鎖하야 다시 發賣를 하지 않기로 結定이 낫다 한다.

이제 그 書名을 보건대 大部分이 一般 左傾作家의 譯著이며 한 가지 滋味잇는 것은 以下에 列擧한 書籍까지 發賣禁止한 것이다.

『語體文作法』, 高語罕 著.

『文藝創作辭典』, 顧鳳城 同.

『文章及其作法』, 高語罕 同.

『現代名人書信』, 同, 同.

『白話書信』, 同上.

四. 『海派』와 『京派』

文壇의 派別은 어느 나라 文壇에도 잇는 것이다. 或은 文藝上『主義』가 다른 것으로 因하야 派別이 다른 것도 잇고 或은 學校에 따라 派別이 생기고 或은 地方에 따라 派別이 생긴다.

中國文壇의 『海派』와 『京派』는 곧 地方에 따라 다른 것이다. 『海派』는 上海에 居住한 文人과 그 習慣을 가진 文人을 말함이오, 『京派』라는 것은 『北京』 或은 北方에 居留한 文人을 總稱하야 말하는 것이다. 昨今에 이르러 『海派』, 『京派』의 互相 漫罵는 再起하야 잇다. 그 再起한 理由를 생각하여 보면 過去 五四運動 時에는 新文化運動의 中心地가 北京이엇으므로 別問題가 없엇고 그 後로는 革命文學, 맑스主義文學이 全盛하면서 모든 文藝刊物이 上海로 옮아갓엇으므로 亦是 問題가 되지 않엇엇으나 今番 『文學季刊』이 北平에서 刊行되면서 百餘名의 文人이 執筆하게 되므로 多少 上海의 諸 雜誌와 對峙되는 形勢를 일우게 되엇다.

그러나 『海派』라는 名稱은 오래 前부터 잇엇다 한다. 『京派』와 『海派』는 本來 中國 戲劇上의 名詞다. 『京派』를 古典的이라고 말할 수가 잇다면 『海派』는 浪漫的이라고 말할 수 잇을 것이다. 또 京派를 大家의 閨秀 같다고 하면 海派는 『모―던껄』과 같은 것이다.(曹聚仁의 『京派와 海派』에서)

『京派』와 『海派』는 本來 그네들의 生活이 다른 데서 由來한 것도 잇다. 京派에 屬하는 文人은 大部分이 大學敎授 等이어서 文藝創作은 大槪 副業이나 다름없이 하므로(或은 文藝創作을 正業으로 하고 敎授를 副業으로 하든지) 그 生活은 比較的 餘裕와 餘暇가 잇는 셈이요, 海派의 文人은 참으로 文士의 生活이어서 그 生活이 浪漫的이요, 그 居住한 地帶가 大都市인 만큼 都會의 氣分이 濃厚한 것도 그 原因이 될 것이며 寫作 外에는 正副業이 적으므로 急作, 粗作이 많은 것도 事實일 것이다.

> 『海派文人은 官方에서 若干의 金錢을 가저다가 무슨 文藝會 等을 創立하야 子弟를 招集하고 먹고 마시고 하며 京派文人은 무슨 文化基金會에서 돈푼이나 갖다가 海外나 遊歷하고 文化나 談論하니 彼此에 무엇이 다르랴?……天下의 烏鴉가 다 같이 검으니 本來 『京派』와 『海派』의 區別이 잇을 리가 없을 것이다.』
>
> (曹聚仁의 『京派와 海派』에서)

이 論戰은 沈從文의 『論海派』에서 發端한 것이라 한다. 該文은 大意가 上記한 引語와 同似한 點이 많으며 上海文人의 輕薄하고 無節操한 것을 例擧한 것이다.

이제 蘇汶이 『文人在上海』란 一文의 末端을 보면 이런 말이 잇다.

『……所謂『上海氣』라는 것은 그저『都會氣』의 別稱이다. 그
러면 機械文化의 迅速한 傳佈는 不久에 此種 氣息을 가장 싫
여하는 사람들이 居住하는 곳으로 가지고 갈 것이다……』

『海派』,『京派』의 由來와 그 差異와 그 歸結은 大槪 우와 같다.

(完)

五. 中國作家 筆名 一覽

이 글은 써놓고 보니 姓名을 羅列한 곳이 너무나 많다. 己徃 많은 김에 또
한 번 作家의 筆名을 記錄하여 보자!

數月 前 東亞日報 學藝欄에서 朝鮮作家의 筆名을 披露한 바 잇엇거니와
中國文人의 筆名은 어떠한 것을 많이 쓰며 어떠한 文人이 많은 筆名을 가지
고 잇으며 또 女流作家는 어떠한 筆名들이 잇으며 新奇한 筆名으로는 어떠
한 種類의 것이 잇는가 比較的 朝鮮에도 많이 알려저 잇는 作家를 中心으로
하야 抄錄하여 보자.

우리는 몬저 現在 國府中央委員이요, 鬚髥 좋기로 有名하며 어느 때든가
그가 襤褸한 衣服을 입고 南京의 郊外에 가 잇엇더니 어느 野人이 그를 보고
『당신이 꼭 于右任이 같이 생겻소.』하는 逸話를 남긴 于右任의 筆名을 보자!
그는 다른 著書는 잇으나 文藝作家는 아니다. 그는 또 南京, 上海의 大小 看
板에 그의 이름이 없는 곳이 없다고 하도록 書道로도 有名하다.

于右任——于伯循, 神州舊主, 騷心.

또 한사람 中央委員의 筆名을 보자.

邵元冲――邵庸舒, 邵翼如, 玄中, 中子.

邵氏는 哲學, 文學, 藝術 等에 素養이 깊은 이로서 所謂 國府의 文化指導에 重大한 任務를 하는 者다.

朝鮮에서도 新舊 學者, 文人을 莫論하고 梁啓超의 이름을 알지 못한 사람은 없을 것이다. 그의 筆名은 무엇무엇인가?

梁啓超――梁卓如, 梁任公, 中國少年, 飮永子, 飮氷室主人.

中國 九百年來 처음 낫다는 中國 國學者 章炳麟의 筆名을 보자.

章炳麟――章太炎, 章枚叔, 章絳, 末公, 末底, 菿漢閣生[05].

中國의 飜譯文學을 研究할 때 잊을 주 없는 飜譯家는 林紓일 것이다.

林紓――林琴南, 冷紅生, 畏廬.

章士釗는 淸末 民初에 白話文學을 反對하고 簡潔한 古文을 主張한 사람으로 有名하며 따라서 그의 虛字가 적은 文章도 이름이 높다. 그는 『甲寅』이란 雜誌를 刊行한 일도 잇다.

章士釗――章行嚴, 孤桐, 靑桐, 秋桐, 無印[06], 爛柯山人.

中國의 文學革命을 말하는 사람이나 또는 中國의 『트로츠키』派를 云謂하는 者로서는 現在 南京에서 囹圄의 生活을 하는 陳獨秀를 잊지 않을 것이다.

陳獨秀――陳仲, 陳仲甫, 由己, 仲子, 張次南, 熙州仲子, 獨秀, 山民.

以下에는 筆名이 가장 많은 者를 몇 사람 적어보겟다.

沈雁氷――茅盾, 方璧, 未名, 丙生, 玄珠, 朱璟, 何典, 蒲牢, 方瑩, 逃墨館主, M·D·.

周樹人――魯迅, 某生者, 唐俟, 吳謙, 長庚, 迅行, 風聲, 自樹, 多華, 神飛, 索

---

05 '生'은 '主'의 오식이다.

06 '無卯'의 잘못이다.

士, 令飛, 巴人, 雪之, 豫才, L·S·, 隨洛文.

　胡適——適之, 臧暉, 希疆, 鐵兒, 期勝生自[07], H·S·C.

　郭沫若——郭尙武, 郭開貞, 郭鼎堂, 易坎人, 坎人, 杜荇, 愛牟, 麥克昂.

　葉靈鳳——葉蘊璞, 佐木華, 雨品巫, 曇華.

　趙景深——鮑芹村, 露明, 博董, 鄒蕭, 冷眼, 卜朦朧.

　蔣光慈(己故)——蔣光赤, 伯川, 華希祖, 華繼素, 華希理, 維素, 華西理, 魏克
持, 陳倩華.

　錢杏邨——方英, 阿英, 島田, 亞魯, 寒生, 張若英.

　蘇玄瑛(己故)——三印, 心印, 王昌元[08], 行行, 子穀, 玄瑛, 弘, 宋玉, 孝穆, 阿
英, 阿難, 英, 南府行人, 林惠連, 淚香, 蘇曼殊, 雪璉, 棄弘, 燕, 糖僧, 曇鸞, 蘇
湜, 蘇文惠, 雨品巫, 曼殊, 曼殊上人.

　以上에 列記한 中 幾人을 除하고는 大部分이 左傾文士임에 注意된다.

　中國의 女流文士는 어떠한 筆名을 가지고 잇는가?

　㈠ 謝婉瑩——氷心女士.

　㈡ 謝氷瑩女士——氷瑩女士, 芙蓉[09].

　㈢ 蘇梅女士——雪林女士, 綠漪.

　㈣ 盧葆華女士——盧播娟, 盧夔鳳, 盧韻秋, 樂江女士, 笑生, 茜華, 緋娜,
　　　湘江菊子.

　㈤ 蔣氷之女士——丁玲女士, 何爻, L·L·.

　㈥ 蒲佩萱女士——佩萱女士.

07　'期自勝生'의 잘못이다.

08　'王昌'과 '元'이며 두 필명 사이에 쉼표가 빠졌다.

09　정보가 잘못되었다. 謝氷瑩은 '芙蓉'이란 필명을 쓴 적이 없다.

(七) 楮松雪女士──張問鵑女士.

(八) 黃素蘭女士──白薇女士, 楚洪.

(九) 黃英──廬隱女士.

(十) 馮鏗女士(己故)──嶺梅, 馮嶺梅.

(十一) 馮淑蘭──馮沅君, 淦女士, 大琦, 易安.

(十二) 符竹英女士──竹茵女士.

(十三) 陳學昭女士──野渠.

(十四) 陳乃文女士──蕙漪.

(十五) 陳衡哲女士──莎菲.

(十六) 陳英女士──陳因, 次櫻[10]女士, 小玲.

(十七) 張英女士──蘇尼亞.

(十八) 張近芬女士──C·F·女士.

(十九) 許廣平女士(己故)──許漱園, 景宋, H·M·.

(二十) 凌叔華女士──素心.

(二一) 高君珈女士──高歌.

(二二) 金光娟女士──光美.

(二三) 杜錫棠女士──露絲.

(二四) 石汝壁女士(己故)──石評梅, 評梅女士.

이외에 著名한 文人의 筆名을 抄하려 하엿으나 너무나 無味한 羅列이기에 後 機會로 미루고 여기서는 畧하기로 한다.

(了)

──六月 二十一日

---

10 '沉櫻'의 오식이다.

中國 文藝復興의 烽火 - 大衆語文運動[01]

上海 申彦俊

『五四』文學革命을 凌駕할『大衆語文』,『大衆文學』運動은 復古主義에 對한 前進思想의 反抗, 封建買辦商人 勢力에 對한 民衆的 革命意識의 叛逆으로 現 階段의 中國에 잇어 第二期의 文藝復興이라 할 歷史的 運動일 뿐 아니라 實로 政治的 社會的으로 重大한 意義를 가진 것이다.

『大衆語文』,『大衆文學』運動의 發端은 最近 一部 復古主義 文人들의 反動的 主張 卽『四書五經을 읽으라』,『文言을 復活하라』는 슬로간으로 한 古文復興運動에서 激起된 進步的 新人들의 文藝, 言語革命의 새 烽火다. 그들의 標榜은 『大衆語』의 提唱이다. 大衆語란 무엇인가? 大衆語란 現代中國의 最多數 民衆이 쓰는 말이다. 卽 現代中國의 普通話라고 定義한 이도 잇고 汽船, 汽車, 劇場, 農村, 埠頭, 工場에서 通用되는 말이라고 定義하는 이도 잇다. 大衆語 問題는 아직 初期의 理論的 論戰期에 잇는 터이므로 아직 標準的 定義가 成立되지 못하엿다.『大衆語』와 같이『大衆文』,『大衆文學』이 論戰의 題目이 되어 全 中國의 知識分子는 總動員的으로 參加하야 劃期的 論陣

---

01 『東亞日報』1934.7.10, 조간 3면.

을 버리게 되엇다.

五四 文學革命의 産物인 白話文은 封建階級의 代表的 符號인 文言文에 對한 新興資産階級 卽 買辦階級의 代表的 符號로 文言文의 『之, 乎, 也, 哉』 等을 變하야 『的, 碼, 呀, 喇』 等 非大衆的 符號를 쓸 뿐이고 話的 大衆의 말과 글은 아니다. 白話文 及 白話는 新興資産階級에 限하야 使用되는 말과 글이고 大衆의 말과 글은 못된다. 『大衆語』, 『大衆文』은 封建階級의 古文 及 文言에 反抗하는 同時 白話 及 白話文에서 다시 一步를 나아가 大衆의 말과 글의 建設를 目的한 新運動이다. 『大衆語』와 『大衆文』을 어떠케 建設할가 하는 具體的 提案은 아직 僅少하다. 다만 原則的으로 提出된 것을 綜合하면

一. 大衆語는 中國의 國語를 標準으로 하되 進步的인 現代語를 採用하라.

二. 大衆語로써 글을 쓰라.

三. 글 쓰는 知識分子들부터 以身作則하라.

四. 民間으로 가서 大衆語를 얻으라.

五. 各 地方의 方言을 溶化하야 共通的 言語를 만들라.

六. 文學을 通俗化, 簡單化하라.

七. 作家들 虛榮心 怪癖의 産物인 非大衆的인 修飾的인 有閑文字와 消遣 文學을 肅淸하고 大衆의 實生活 속에서 大衆의 말과 글과 文學을 發見하라.

八. 大衆的 讀物인 新聞부터 大衆文을 쓰라.

大衆語文의 建設에 對하야 現在 一般 知識階級이 쓰는 語文을 버리고 大衆이 쓰는 그 말을 본받아 쓰자는 消極的 主張도 잇고 그 消極的 主張을 反對하고 大衆의 知識程度를 增高하야 現在 新進 知識群의 쓰는 말을 글을 쓰는 水準으로 引上하자는 積極的 主張도 잇다. 이 積極論者들의 論據는 『大衆語』란 것은 實際的으로 찾을 수 없다. 例로 말하면 蘇州人은 무엇하느냐 말을 啥介라 하고 揚州人은 休告子라 하고 山東人은 幹碼라 하고 寧波人은

沙喜라 하고 廣東人은 禀告라 하니 어디서 大衆語를 찾는냐 하고 反詰한다. 그러나 그런 方言을 溶化하야 共通的 用語를 創造하자는 主張도 有力하다.

大衆語, 大衆文, 大衆文學運動은 中國 文藝復興史上에 特筆할 무슨 産物을 暗示하고 잇다. 그것은 大衆的 意識의 擡頭라 할 것이다.

(끝)

中國 女流作家의 創作論과 創作經驗談[01]

丁來東

一. 緖言

중국 신문예에 관심한 여성들은 그네들의 창작에 대하야 어떠한 의견을 가지고 있는가? 또는 그네들은 어떠한 작품을 요구하는가? 또 그네들은 어떠한 경력을 지내고 금일의 작가가 되었는가? 이러한 문제는 다못 우리의 흥미를 끌은 문제일 뿐 아니라 실로 우리문단의 여류작가에게도 큰 참고꺼리가 되리라고 생각하는 바이다.

중국 여류작가에 아즉 세계를 움즉일만한 작가가 나지는 못하였다. 그러나 중국문단에서는 남자 작가들에게 비하야 조금도 손색이 없는 작가가 그리 드물지 않을 것이다. 그네들은 처음에 물론 남자 작가들과 같이 신조류의 자극을 받고 중국 구문학에서 많은 소양을 얻은 것을 우리는 엿볼 수가 있다.

중국 신문예운동이 비록 그 역사는 짜르기는 하지만 그 십여년 동안에 여류작가의 문예에 대한 태도는 일변하였다고 볼 수 있다. 이것은 물론 일반 사상조류와 사회의 변천에 의할 것이겠으나 그네들의 사상적 변화는 참으로 놀라울 만치 변하였다. 이러한 경향은 이하 그네들의 서술에서도 엿볼 수

01 『新家庭』제2권 제9호, 1934.9.

있거니와 만약 그네들의 작품을 연대적으로 고찰하여 볼 때에는 같은 작가의 사상적 변천도 여간 심하지 않거니와 뒤에 동 따라 나오는 작가는 그전의 작가보다 판연히 다른 점이 많으며 그네들의 생활도 기구한 작가가 많다. 빙심(冰心)과 정영(丁玲), 백미(白薇) 등은 좋은 대조가 될 것이다.

그네들의 대개 테―마는 남성에 대한 반항과 가정에 대한 불평이며 따라서 가정을 뛰어나와 자립적 생활을 경영하여 보고 또는 사회의 운동에 참가하는 예가 많다. 또한 그네들은 대개 자기네가 실지 그러한 생활을 하여온 사람들이다. 백미(白薇)와 같은 작가는 여학교를 다닐 때 집을 모르게 도망 나와서 동경으로 가 생활을 독립하려고 점원노릇을 다 하였으며 끝끝내는 하녀생활까지 하였다는 것이다. 현대여성으로 이러한 사람은 물론 많을 것이다. 그러나 여기에 문제 되는 것은 웨 그네들은 안일한 가정생활을 싫여하고 그런 신고를 겪으며 「노라」가 되는가?

그네들은 남자의 노예가 되기를 싫여하는 동시에 가정의 속박을 싫여하며 따라서 사회의 속박도 싫여하는 것이다. 가정에서나 사회에서나 남자에게 대하여서나 한 개의 인격자 곧 다시 말하면 독립자로서 그 일원(一員)이 되어 참가하겠다는 요구에 불과할 것이다.

이러한 요구는 중국 여류작가의 작품에서 가장 노골적으로 엿볼 수가 있다. 현대 중국 여성게에는 과거 남성에게 우롱(愚弄) 당하여 온 것을 보복하기 위하야 이후로는 남성을 반대로 우롱하여 보자는 자미 없는 경향 혹은 타락적 경향까지 뵈인다.

중국 여류작가는 이러한 기로에 들어가는 경향을 청산하여 가며 응당 나아갈 길을 찾느라고 고민하는 중이다. 그러므로 그네들은 사상상으로 여러 가지 차별이 있다. 그러나 이것은 필자의 노노(呶呶)를 요할 바가 아니요, 그네들의 의견과 서술을 통하야 독자가 추측하기를 바라는 바이다.

그러나 여기의 자료는 중국 여류작가의 다대수가 아니오, 다못 중요한 작가 삼사인에 불과함을 말하여 둔다. 기타의 상세한 것은 과거의 중국 여류작가의 소개에서 참고하기를 바란다.

二. 創作에 對한 意見

이제 최근에 비보를 전하는 노은(盧隱)여사의 의견을 보자. 노은여사가 중국 소설단에 상당한 지위를 가지고 있는 것은 더 말할 것이 없는 바이다.

「창작이라고 말할 수 있는 작품에 있어 결여(缺如)되어서 안될 것은 곧 개성(個性)이다.——예술의 결정(結晶)은 곧 주관(主觀)이다.——개성의 정감(情感)과 같은 종류의 것은 결코 만인이 일률적이 아니다. 「영웅의 소견(英雄의 所見)[02]이 대개 같다고는 하지만 역시 대개 같을 뿐이오, 결코 다 같은 것은 아니다. 개성이 같지 않음으로 갑을(甲乙) 두 사람이 동시에 한 사물을 관찰하드래도 그 얻는 결과는 반듯이 각각 일면에 의한 것이요, 그 얻은 바 모점(某点)에 대하여는 일종 강열한 연상(聯想)과 열정(熱情)을 발생하게 되어 마츰내 일종 문예를 형성하게 되는 것이다. 이러한 문예를 사람에게 뵈이면 능히 동정과 자극을 발생케함으로 이것이야말로 참 창작이다.
「창작가의 작품은 완전히 예술의 표현이다. 그러나 예술에는 양종이 있으니 곧 인생의 예술(Arts for lifes sake)과 예술의 예술

---

02 ‘」’가 누락되어 있다.

(Arts for arts sake)이다. 이 양자의 논쟁(論爭)은 분분하여서 어떤 것이 옳은지 알 수가 없다. 나 개인의 의견은 이 양자에 대하야 아무 편향(偏向)도 없다. 창작자의 당시의 감정적 충동은 퍽으나 신비(神秘)하여서 이때의 그 본색(本色)을 묘사하여 내면 고만이다. 감정의 절조(節調)는 일종 화해(和諧)의미를 일운 것임으로 이런 작품을 예술의 예술이라고 말은 하지만은 그 가치는 천만 부인할 수 없는 바이다.」

그는 다시 창작내용의 추향(趨向)을 논하면서 아래와 같이 말하였다. 인류사회의 각종 현상은 천차만별(千差萬別)이기는 하나 결국은 비극(悲劇), 희극(喜劇) 두 가지에 불과하다는 것이다. 그리고 희극은 다른 사람의 동정을 얻기가 어려우나 비극은 사람마다 맛보는 바임으로 비극의 작품은 용이하게 사람을 감동시키며 반성(反省)을 시키는 것이라고 그는 말하고 이어서 아래와 같은 말을 하였다.

「금일의 세계와 같이 천재와 인화(天災人禍)가 있어서 사회상에는 그저 수운과 참무(愁雲慘霧)가 공중에 미만할 뿐이오, 인민은 살 수가 없게 되야 많은 사람은 오히려 죽기를 좋아한다. 그러나 일부의 사람은 또 노래와 술로 종일을 넘기고 있음으로 빈부가 고르지 못하고 계급이 삼엄하야 사람들은 고민을 느낄 뿐이어서 끝끝내 날로 퇴폐하여 갈 뿐이다. 웨 고민하는 원인을 알지 못하고 암흑 중에서 광명을 찾게 됨으로 끝끝내 고통에 고통을 더하게 되어 살 재미는 조금도 없고 자살하는 청년은 나날이 늘어감으로 그 처참한 것은 참아 상세히 말할 수가 없다. 그러므로 창작가는 이러한 사회의 비극에 대하야 열열한 동정을 응용하야서 침통한 어조(沈痛的語調)로 묘사를 하야 이러한 고통을 받은 사람으로 하여금 일방으로는 동정과 절대의 위안을 얻게 하고 일방으로는 그 자각심을 일으키어 노력분투하야 흑암 중에서 광명을 얻게 하여야 할 것이다.——살 재미를 증가케 하고야 비로소 창작가의 책임은 지지 않게 될 것이다.」

——(創作的我見[03])에서

다음에 빙심여사(氷心女士)의 창작에 대한 의견을 보아도 역시 개성을 발휘하는 것이 「참」창작이라고 말하였다.

그는 말하기를 산술이나 화학 같은 것은 어떠한 수학가나 화학가도 만들 수 있음으로 문학이라고 말할 수가 없다고 하였다.

또한 남의 글을 모방한다던지 하는 것도 자기를 표현한 것이 아님으로 흡사 앵무가 말하는 것이나 유성기가 노래하는 것이나 조금도 다름이 없다고 말하였으며 가령 두보(杜甫)의 시를 모방한다던지 한유(韓愈)의 글을 초(抄)한다 하드래도 그것은 다못 「두보」와 「한유」를 표현할 뿐이오, 그중에 자기는 조금도 없다고 말하였다.

「장편, 단편 혹은 수천언 혹은 기십자의 글을 물론하고 처음에서 끝까지 한번 읽고 나면 넉넉히 그전에 알지 못하든 작자(作者) 전신을 독자의 앞에 용현(湧現)할 수가 있을 것이다. 그의

---

03 盧隱女士, 「創作的我見」, 『小說月報』 제12권 제7호, 1921.7.10.

재간, 성질, 인생관 등을 다 역력하게 미루워 알 수가 있을 것이다. 그리고 동시에 사람의 뇌(腦)속에 환상을 일으키게 하고 한 작가와 다른 작가는 또 절대로 같지 않은 것이다. 이러한 작품이라야만 문학이라고 말할 수 있는 것이오, 이러한 작가라야만 문학가라고 불을 수 있을 것이다! 「능히 자기를 표현하는」 문학이야말로 창조적이오, 개성적이오, 자연적이오, 또한 다른 사람이 말하지 않은 바이오, 또한 특별한 감정과 취미가 충만한 것이오, 또한 심령(心靈)속의 웃음이오, 눈물일 것이다. 그 속에 작가 자신의 유전과 환경이 있고 자기의 지위와 경험이 있으며 자기의 사물에 대한 감정과 태도가 있는 것이어서 터럭 끝만치도 움즉일 수가 없는 것이오, 가차(假借)를 용납지 않은 것이다. 총이론지하면 그중에 다못 「참」이란 한 자가 있을 뿐이다. 그러므로 능히 자기를 표현하는 문학이야말로 곧 「참」문학이다.」

그는 끝으로 이러한 말을 하였다.

「문학가여! 당신이 「참」문학을 창조하고자 하는가? 그러면 청컨대 개성을 발휘하고 자기를 표현하는 데 노력할지어다.」
　　　　　　　　　　　　　　──「發揮個性表現自己」에서[04]

이 두 의견은 一九二一년에 발표한 것으로서 이 두 작가는 그때에 「문학

04　중국어 원제는 「文藝叢談」(『小說月報』 제12권 제4호, 1921.4.10)이다.

연구회」(文學硏究會——拙譯「中國兩大文學團體槪觀」參照)의 회원들이다. 그때의 중국은 모든 전통적(傳統的), 집단적(集團的) 어용문학을 반대하는 일면에 개성을 발휘하는 문학, 자기를 표현하는 문학을 주장하였든 것이다. 이 경향은 당시 신문예가의 공통된 주장이었고 특별히 여류작가에만 한한 주장은 아니었든 것이다.

三. 創作經驗談

중국 여류작가가 대부분은 그네들이 많은 체험(體驗)을 가지고 그 체험을 창작화하며 또 중국 구문학에 많은 소양이 있다는 것은 우에서 말하였거니와 이하에 조금 주의할 것은 그네들이 창작을 하느라고 얼마나 많은 노력(努力)을 하였는가 하는 일점에 있다. 흔히 문학은 천재가 있어야 된다고 말한다. 그러나 우리는 흔히 그 천재가 문학에 얼마나 많은 노력을 하며 얼마나 많은 관심을 하는가를 잊어버리고 자기의 천재 없는 것을 한탄하는 수가 많다.

이하에 소개할 경험담은 다못 두 작가에 한한 것이나 비교적 상세하게 초역하여 볼까 한다. 우리는 그네들의 경력을 아는 것도 필요하지만은 그보다도 그네들의 노력에 더 주의하고자 하는 바이다.

다음은 정영(丁玲)여사의 창작경험담이다.

「나는 지금 거위 소설 쓰는 사람으로 인정되여 있고 또 더 소설을 쓰려고 하기는 하지만은 나 자신은 항상 내가 걸어온 이 길에 동의(同意)를 하지 않는다. 나는 나의 작품에 대하야 본래 좋아하지 않는다. 나는 늘 많은 작가가 자신과 자만(自慢)을 가지는 데 놀랜다. 그러면 나는 웨 끝끝내 몇 개 소설을 쓰고 말

앉는가? 이것은 나의 환경이 퍽으나 큰 관계를 가지고 있다고
생각한다.

내가 어렸을 때 몇 번 병에 걸리고 나의 동생도 자조 병에 걸
린 아이여서 우리가 밖에 나가 놀들 못하면 우리를 위로하는
유일의 것은 우리 어머니의 이야기이였었다. 등불밑에서 나는
어머니 곁에 두러누웠고 표자(表姉)들은 또 그 곁에 모여서 둥
글한 천진한 눈으로 그를 바라보면 어머니는 피곤한 기색도
없이 「수렴동」(水簾洞),「택탑천왕」(托塔天王)……등의 이야기를
깊이 깊이 우리의 뇌 속에 넣어 주든 것이다. 그때 정형은 지
금 생각하여도 눈앞에 있는 것 같다. 우리 어머니는 많은 이야
기를 우리에게 들려줄 뿐만 아니였었다. 그 자신과 그의 생활
에 대한 용감은 나이는 비록 퍽 적었지만은 그러나 퍽으나 큰
자격을 받었었다. 그 후 내가 좀 커서는 어머니의 이야기를 듣
지 않고 혼자서 후원(後園)에 앉어 천천히 보는 것을 기뻐하였
었다. 열 살에서 열네 살까지 나는 춘등 방학 때나 되여야 집
안사람과 모여 앉었었다. 그것은 학교에 기숙한 것이 아니라
학교 안에서는 내 나이가 그중 적었음으로 우리 외삼촌 집 뒤
화원에 가 있었든 까닭이다. 어멈과 몸종이 있었을 뿐이다. 낮
에는 작난꾸러기 동창들과 선생을 속이고 유희를 하고 하학
만 하면 혼자 남어서 집안의 어두워가는 뜰도 좋고 혹은 학교
의 체조장도 관계찮고 그저 이때면 한 떼 한 떼 날어가는 가마
귀를 바라보거나 그중 먼저 반짝이는 별들을 헤는 이외에는
늘 책을 찾어서 그 적막한 하오와 밤을 지냈든 것이다. 이 시
기에 나는 외갓ㅅ집의 초(抄)한 구소설을 거위 전부 다 보았었

다. 그리고 「상무인서관」(商務印書館)의 「설부총서」(說部叢書) 곧 림역(林紓譯)의 외국소설도 적잔히 보았으며 「소설월보」(小說月報)와 포천소(包天笑)의 편집한 「소설대관」(小說大觀)도 늘 읽게 되었었다. (略) 내가 중학에 들어갔을 때는 일종 새로운 완전히 집단의 생활을 하였었고 또 그 우에 「五四」의 조류가 우리 적은 도시에까지 들어와서 나는 학교에서 한 활동분자로 변하야 뛰어난 학생이 되었었다. 나는 또 몇 학교로 전학을 하였었다. 비록 중문교사의 자극으로 백화시를 어느 신문 학예난에 낸 일이 있었으나 나는 문학에 대하야 그리 정신이 안 쓰이고 그때 교과서로 쓰든 「상시집」(嘗詩集─胡適 作)을 읽는 것보다는 매일 「민국일보」(民國日報)의 「각오」(신문 학예난의 이름)를 뒤적이는 것이 소용이 다닷섰다. 그러므로 그때 「여신」(女神─郭沫若 作)이 중학에서 홍동(哄動)하기는 하였으나 나는 그리 관심을 하지 않하였고 또, 나는 상해로 와서 좀더 실용적 학문을 배우려고 그때는 생각하였었다. 그 후 많은 파란을 경과하여서 부디치는 것은 벽(壁)이었었다. 한 청년이 몽롱한 몽상을 가지고 장님이 고기 잡듯이 출로(出路)를 찾으니 결과는 얻지 못하고 회심(灰心)이라고는 말할 수 없으나 참으로 침울하게 북경에 있게 되었었다. 거기에 二년 있는 동안에 친구 중에 심종문(沈從文)과 호야빈(胡也頻)이 있었다. 곧 북경을 떠날 때야 「몽가」(夢珂)와 「사페일기」(莎菲日記)를 쓰기 시작하였었다. 이때부터 현재까지 오년 동안에 대개 원고나 쓰고 다른 일을 한 일이 없다.

나는 그때 웨 소설을 썼었든가. 나는 적막하였기 때문이라고

생각한다. 사회에 대한 불만, 자기생활의 출로가 없는 것, 할
말이 퍽으나 많으나 들을 사람을 찾지 못한 것, 일을 하려고
하나 기회를 얻을 수 없는 것 등으로 해서 편지를 위하야 붓을
들고 자기를 대신하야 이 사회를 분석하여 보려고 한 것이다.
그때의 나로 말하면 퍽으나 불평객이었음으로 「흑암 중에서」
(在黑暗中)는 부지불식 중에 역시 감상이 물들리게 되었었다.
나는 그저 분석만 하려고 하였음으로 사회의 일면을 써내기는
하였지만은 의례히 있어야 할 출로를 찾지 못하였었다. 하단
인(何丹仁) 선생이 이 시기에 대하야 준 엄여(嚴厲)한 비판을 내
가 막 볼 때에는 불복된 점이 있었으나 몇 번 반성한 후에 곧
승인하게 되었다.」

이하에 그는 전변 후의 작품에 대한 자기의 불만을 말하고 자기가 써낸
농촌은 과거의 농촌이었음으로 너무나 아름답게 그려 있다는 불만을 말하
였다.

그는 자기의 작풍(作風)이 자기의 사상을 제한함으로 싫여한다 하였으며
그 후로는 총망하야 꼭 써야 할 그 안날이야 붓을 들게 되며 十만자를 계획
한 장편도 그저 二만자를 쓰고는 그만 둔 예가 있는 것과 혹은 四천자, 五천
자나 쓰다가도 뜻에 맞지 않아서 버려둔 것 등을 말하였다.

다음에 우리는 빙심여사(氷心女士)의 기세한 창작경험담을 듣기로 하자.

「나는 어려서부터 고적한 아이로서 치—프(芝罘) 동산(東山)의
해변에서 살았었다. 삼사 세에 막 일을 알만한 때 날마다 보

는 것은 시퍼런 산, 가이 없는 바다, 새파란 수병(水兵), 회백색(灰白)의 군함뿐이었었고 듣는 것은 그저 산바람, 바다 물결소리, 청량한 군호(口號), 새벽 밤의 나팔(喇叭)소리뿐이었었다. 생활의 단조한 것이 나의 사상의 발전으로 하여금 보통 어린 게 집애와 그 길을 달리하게 하였었다. 나는 종일 바다ㅅ가 산 모습에서 뛰어다니고 해군들과 벗이 되었었다. 네 살부터 어머니에게 글자를 배우기는 하였으나 문자에 대하여는 흥취를 느끼지 못하였었다. 지금도 기억하고 있다. 어느 때 모친이 나를 방에다 가두워 놓고 글자를 알아마치라고 하였으나 나는 나가려고 애를 썼었다. 부친은 밖에서 말 채쭉으로 탕탕 책상을 치면서 나를 울렁거렸었다. 그러나 끝끝내 나의 머리에 있는 말채를 뚜다리지는 않하였었고 또한 나의 잘 뛰어다니는 성벽도 울렁거려 들어가게 하지는 못하였었다.

바람 불고 비가 와서 밖에를 나가지 못할 때에는 어머니나 젖어머니에게 매여서 이야기를 하여달라고 하였었다. 「로호이」(老虎姨), 「사랑」(蛇郞), 『우랑직여』(牛郞織女), 「양산백 축영대」(梁山伯, 祝英臺) 등을 다 듣고 나서는 나는 또 안분을 하기가 싫었었다. 그때 나는 발서 이삼백 자나 글자를 알었었고 우리 큰 동생이 나서 우리 선생은 발서 어머니가 아니고 우리 외삼촌이였었다.──양자경(楊子敬)──외삼촌은 내가 이야기 듣기 좋아하는 것을 알고 내가 매일 공부를 다하고 저녁을 먹은 후면 이야기를 하여줄 것을 허락하였었다. 처음에 들려준 이야기는 삼국지(三國誌)였었다. 삼국의 이야기는 「우랑직여」에 비하야 퍽으나 통쾌하였었다. 나는 매일 저녁 이야기에 흥침하야

잠을 잘 수가 없었다. 밤마다 젖어머니가 꾸짖으면서 신을 벗기고 옷을 풀어야 울면서 침대로 올라갔었다. 그러나 낮에 공부도 배나 더 부지런히 하였었다. 외삼촌은 직무가 있는 사람이라 공무가 바쁘면 이야기는 늘 중지되었었다. 어떤 때는 오륙일이나 중단되는 때가 있어서 나는 뜨거운 솥가에 개미모양으로 급해냈었다. 저녁마다 외삼촌 책상가로 돌아다녔었다. 그러지만은 외삼촌은 나의 암시를 접수하지 않았었다. 끝끝내 나는 자기로서 「삼국지」를 가지고 보는 수밖에 없었던 것이다. 그때 나의 나이는 일곱 살이었다.」

칠세에 「삼국지」, 「수허전」(水滸傳), 「요재지이」(聊齋志異) 등을 반지미지(半知未知)나마 다 보고 또 「효녀내아전」(孝女耐兒傳), 「활계외사」(滑稽外史), 「괴육여생술」(塊肉餘生述) 등을 다 보았다 한다.

그 외에 혼자서 「삼국지」와 「수허전」 중간에 처할만한 소설도 제삼회까지나 지어보았으며 「요재지이의」 체재로 「몽초재지이」(夢草齋志異) 등을 다 지어보았다는 것이다.

그 후 열한 살 때에는 「설부총서」(說部叢書) 전부를 다 보고 「서유기」, 「수허전」, 「천우화」(天雨花), 「재생연」(再生緣), 「아녀영웅전」(兒女英雄傳), 「설악」(說岳), 「동주열국지」(東周列國志) 등등을 다 보았으며 그의 가장 싫어하는 것은 「봉신연의」(封神演義)요, 가장 재미없는 것은 「홍루몽」(紅樓夢)이라 한다.

대개 십 세 시에 「논어」(論語), 「좌전」(左傳), 「당시」(唐詩) 등과 신구 산문(散文) 곧 「반소여계」(班昭女誡), 「음빙실자유서」(飲氷室自由書) 등을 보아서 처음으로 시에 접촉하게 되고 더러 구시(舊詩)도 지어보았다 한다.

그가 처음으로 글을 써본 것은 「오사운동」(五四運動) 때 「여학계연합회」(女

學界聯合會)의 선전문을 쓰면서부터이라 한다. 그 후 「랏셀」, 「톨스토이」, 「타고아」 등의 영향을 많이 받고 처음으로 소설을 쓴 것은 「두 가정」(兩個家庭)인데 「빙심」이란 필명도 처음으로 이때 썼다는 것이다.

그의 시집 「번성」(繁星)과 「춘수」(春水)는 본래 「시」라고 쓴 것이 아니오, 「타고아」의 「비조집」(飛鳥集)을 모방하야 감상을 적은 것이라 한다.

(끝)

中國의 女學生 生活(五) 張資平의 戀愛小說을 사가지고 오는 日曜日 午後[01]

수영장으로 간 한 패는 수영할 줄 알면 수영, 할 줄을 몰으면 뽀팅, 그러치 안흐면 물에 들어가 새우처럼 홀닥홀닥 하며 나왓다 들어갓다 하며 배우고 제 세상처럼 놀다가 한 친구가 부끄러워 못하겟다고 가자고 하면

『이 앤! 돈 주고 들어와서 좀 실컷 놀다가 가자꾸나. 왜 가자고 글어니! 이 다음에는 너하고 안오겟다. 펀치 안태두 그래. 나두 처음에는 부끄러워 햇지만 지금이야 무엇 수영복 입엇는데 어딘들 못가리, 옷을 벗엇나!』

만흔 아이가 그러는 바람에 실컷 놀다가 물에서 나와 옷을 갈아입고 들고 온 가방에서 분과 연주를 끄내어 물에 들어가서 깨끗이 씻처진 천진한 얼굴에 또 화장을시 작한다. 그리고 돌아오면서 무엇을 꼭 사가지고 돌아와 피곤한 몸을 쉬며 먹으며

『야! 오늘 우리 수영장에서 어떤 놈이 발을 잡아단니어 혼이 낫지! 혼보다도 골이 나서 우리는 어떤 놈이 이런 짓을 하나 주의해 보아서 어떤 놈인 줄

---

01 『東亞日報』1934.9.11, 조간 6면.

안 다음에 판사처(辨事處)에 고햇지. 무서운 것이 무엇이야. 우리 이러케 여럿이서 돈 내고 들어와 그 놈 때문에 시원이 못 놀고 올가!』

『그 후 사무소에서 그 놈을 잡아갓네?』

『그런 비러먹을 놈을 가만 두겟니? 한번 혼을 내고 망신을 톡톡이 식혀야지.』

『야, 그것 참 시원하게 잘되엇다.』

하며 열시가 되도록 지꺼리며 떠들다가 자라는 종을 치면 자리 속으로 들어간다.

거리로 나간 한 무리는 『고제가』로, 쌍문저로 벌깍 잡아뛰며 단인다. 『고제가』로 들어가 백화점이란 백화점은 다 단이며 화장품과 장식품의 갑을 깍다가 제일 눅은 집에서 한 친구가 사면 저마가 다 사며 또 신집이란 신집은 다 단이며 신 류행 견본을 구경하며 안으로 들어가서 이 신 저 신 신어보고 갑을 물어보고 맛는 것이 잇으면 다음날 사기로 하기를 놀음삼아 하니 아마 견본으로 해놋는 구두는 안을 좀 두텁게 해야 할 걸요. 다음 쌍문저로 들어가 서점이란 점은서[02] 다 단이며 잡지와 소설을 뒤적거리다가 우서운 말이 만코 그림이 만흔 화보를 한 권 사고 소설로는 장자평(張資平)의 련애소설을 만히 사며 다음 로신(魯迅)과 파금(巴金)의 사회소설과 극본(劇本)이며 또는 곽말약(郭沫若) 시집이며 여류작가 빙심(氷心)과 정령(丁伶[03])의 작품을 사가지고 제일 요긴한 것은 먹을 것을 사가지고 돌아와 피곤한 다리를 쉬며

『얘! 그 책 너 다본 다음에 나도 좀 보자.』

『얘! 너 다음에는 나 보자.』

---

02 '서점은'의 오식이다.

03 '丁玲'의 잘못이다.

이러케 돌아가서 책이 다 해지도록 되니 들려 못 본 학생은 아마 없게 되지요.

周作人과 中國의 新文學[01]

丁來東

(一) 初期엔 에쎄이스트로 一人者[02]

一. 緒言

筆者는 最近 僻鄕에 잇는 關係上 紙誌 閱覽의 範圍가 퍽으나 적음으로 周作人氏의 日本에 온 消息도 『改造』, 『中央公論』의 廣告에 그의 글이 發表된 것으로써 알게 되엿다.

幾數個月 동안 筆者는 『中國新文學槪論』를 草할 豫定으로 新文學에 關한 書籍을 涉讀 中 마치 周作人氏의 著書를 보는 中임으로 이 短論를 쓰는 데 만흔 便宜가 잇게 되엿다.

周作人氏에 關하야는 오래 前부터 紹介를 하려 하든 中 그 만흔 著作을 다 볼 機會를 엇지 못하야 只今까지 미루워 오든 中 爲先 이 機會에 그 簡單한 紹介를 하기로 하고 다음에 그의 系統잇는 『中國新文學의 源流論』을 詳論할까 한다.

---

01 『朝鮮中央日報』 1934.9.30, 10.3~10.4, 10.6~10.10, 10.12~10.13, 조간 3면.

02 매회 연재분 부제로서 10회에 걸쳐 연재되었다.

只今까지 朝鮮文壇에 紹介된 中國作家는 大概 一時의 流行作家나 或은 中國式의 特異性을 띈 作家뿐이요, 比較的 堅實한 作家는 만히 紹介되지 안하얏섯다. 周作人氏도 中國文壇에 잇서서는 그와 가튼 老大家의 地位에 잇스면서 朝鮮에 아즉까지 詳細하게 한번도 紹介된 일이 업는 것은 그가 流行에 흘으지 안코 新奇한 一時的 問題로 떠들지 아니한 關係일 것이다.

周作人氏는 民國 以前부터 文學活動을 하엿섯다. 그가 『文學革命』 當時에 胡適이나 陳獨秀와 가티 論文으로 先聲을 吶喊하지는 안하얏스나 文學 各 部類에 對한 實地工作은 누구에게 빠지지 안흘 것이며 氏와 가티 只今까지도 한 作家로서 文學活動을 하는 文士도 氏 外에 몃 사람이 되지 안흘 것이다.

現 中國文壇에서 讀書範圍의 가장 넓은 學者를 찾는다면 氏를 그 中 먼저 헤이게 될 것이다. 그는 中國 新詩運動의 劈頭에 『小河』와 가튼 名詩를 發表하얏스며 白活文이 아즉 成熟하지 못한 그 當時에 『自己의 園地』라는 『옛세이』集을 刊行하엿섯다. 白活小說이라던지 白話詩集 等은 그 當時에 多少 眉目이 섯섯스나 白話散文은 퍽으나 어렵게 생각하든 그 때에 氏는 只今까지 價値 잇는 散文集으로 헤는 『自己의 園地』를 創作하엿섯다. 그 後로 氏는 十數冊의 小品文集 等을 發表하얏섯스며 우리는 그의 作品 中에서 그의 知識이 다못 文學 方面에만 極限되지 안코 生物學, 心理學, 生理學, 社會科學에까지 만흔 素養이 잇는 것을 알 수가 잇다. 今日의 만흔 文士가 二三本의 主義入門으로써 文藝批評의 基礎로 하는 데 比較하면 참으로 무게 잇는 評家라고 말하지 안흘 수 업다.

氏는 人生派의 藝術을 主張한다. 곳 『사람의 藝術』을 主張한다. 그러타고 하야 넘우나 功利主義에 흘으지 안코 그의 文藝批評의 基準은 퍽으나 廣汎

하다. 그는 人生의 文學은 어떤 것인가 하는 데 對하야 알에과 가티 두 項으로 난우워 말하엿다.

(一) 이 文學은 人生의 것이요, 獸生의 것도 아니며 神性의 것도 아니다.

(二) 이 文學은 人類의 것이며 亦是 個人의 것이요, 決코 種族의 것이나 國家의 것이나 鄕土 及 家族의 것이나 아니다.

우리는 이것으로써 그의 主張이 那邊에 잇는가를 推測할 수가 잇다.

氏는 또 嚴格한 基準을 세운 文藝批評을 反對한다. 곳『文以載道』派의 文藝批評家를 排斥한다. 왜 그러랴하면『批評하는 사람이 批評을 司法官과 가티 法律의 判決을 내리는 것으로 생각하야서 이 判決이 한 번 내리면 作品의 運命은 곳 決定된 것으로 녀긴다.』이러한 缺點의 例로서 氏는『키―츠』를 들엇다.『키―츠』當時에『뿔랙웃드·雜誌』記者가『키―츠』의 詩를 痛罵하야서『케―츠』는 죽엇다고까지 말하게 되엿다. 勿論 이것은 多少 誇張한 말이 겟스나『뿔랙웃드 雜誌』記者가『키―츠』의 詩를 攻擊한 것만은 事實이다. 왜 攻擊하게 되엿는가를 推究하야 보면 그 原因은 十八世紀의 趣味를 固執하게 基本으로 하야가지고 評한 까닭이라고 그는 말하엿다.

結局 氏는 印象的 批評, 鑑賞的 批評을 主張한다. 그럼으로 文藝批評도 한 篇의 文藝作品으로 본다. 곳 氏가 말하는『詩言志』를 文藝批評에도 主張하는 것이다. 그럼으로 그는 이러케 말한다.

『…批評家는 사람에게 對하야 應當 이러케 말하여야 할 것이다. 여러분, 나는 現在 내 自身이『썩쓰피어』,『레―씽』…에 關한 것을 말하려 한다.』

고.

우리는 다른 例를 더 만히 들지 안하고 다못 以上의 例만으로도 特히 氏의 文學上 主張과 文藝批評의 態度를 알 수가 잇슬 것이다.

氏는 近年에 特히 小品文에 全力하야 中國文壇에서 첫 손가락을 곱는『멧세이스트』다.

(二) 그 略歷과 作品

氏는 周三人 即 周氏 三兄弟 中의 一人으로 中國 諷刺小說家 魯迅의 弟子이다. 氏는 今年 一月 十五日에 正 五十歲가 되엇다 한다.

氏의 別名은 『豈明』이요, 浙江 會稽人이며 光緒 十年 即 一八八五年에 出生하얏다. 氏는 十二歲 時에 父親喪을 當하고 家庭에서 四書五經을 읽엇섯스며 上海에서 私立學校를 다니다가 十七歲 時에 江南『水師學堂』管理班에 入學하얏다 한다. 이때의 逸話로 아래와 가튼 이야기가 잇다.

> 『또 한 분 漢文을 가르치는 老夫子가 잇서 우리 보고 이러케
> 말하얏섯다. 地球는 두 개가 잇는데 한 個는 自動을 하고 한
> 개는 被動을 한다. 한 개는 東半球라고 하고 한 개는 西半球라
> 고 불은다.』

고.

그 때 學校程度의 如何를 짐작할 수 잇다. 氏는 五年 間 在學 後에 留學生 試驗에 파쓰가 되엿다. 그러나 眼病으로 因하아 土木工程學을 改習하얏다. 一九〇六年에 日本에 가서 처음에는 法政大學에 入學하얏다가 다시 立敎大

學에 轉入하얏다 한다.

氏는 希臘文과 日文에 깁흔 素養이 잇스며 民國 元年에 浙江 教育司 省視學을 半年 間 한 일이 잇고 그 後 省立第四中學 教員을 四年 間 하얏다 한다.

民國 六年에 北京에 와서 北京大學의 附屬인 『國史編纂處』의 編纂員을 半年 間 하얏스며 同年 七月에 北京大學 文科 教授로 昇任되엿섯다. 民國 十一年에는 燕京大學 副教授를 兼任하얏다가 十八年 秋에는 文學 講師로 잇게 되엿다. 氏는 一九〇九年에 日本 女子와 結婚하야 一子 二女를 낫섯는데 次女는 十五歲 時에 病故하얏다 한다.

氏는 約 二十餘年 前에 文言으로 그 兄 魯迅과 『域外小說集』을 飜譯한 일이 잇섯다.

이제 胡適氏의 이에 對한 記事를 보면 當時 그의 不遇를 알 수 잇다.

> 『……周作人은 그의 兄과 古文으로 小說을 飜譯한 일이 잇다. 그네들의 古文의 素養이 퍽으나 놉고 또 둘이 다 直接으로 西文을 了解하엿슴으로 그네들이 飜譯한 『譯外小說集』은 林(紓)譯의 小說에 比하면 確實히 (程度가) 퍽으나 놉다.……
> 『此種 文字는 譯書로 論한다던지 文章으로 論한다던지 다 조흔 作品이라고 볼 수가 잇다. 그러나 周氏兄弟가 어렵게 飜譯한 이 冊은 十年 間에 단지 二十一冊이 팔렷다 한다!』
>
> (傍點은 筆者, 胡適氏의 『五十年來 中國의 文學』 第四節에서)

勿論 胡氏가 이 말을 쓴 것은 古文이기 대문에 그러타는 것을 例證하려는데 그 本意가 잇스나 우리는 그런 것을 먼저 제처 노코 十年 間에 단지

二十一冊이 팔렷슴에 그 譯者의 心境을 헤아릴 수가 잇슬 것 갓다.

氏는 『五四』 前後의 新文學運動 時에 우에서 말한 것과 가티 胡適, 陳獨秀와 가티 밧그로 일홈은 만히 宣傳이 되지 안하얏스나 그의 『新靑年』에 發表한 『人的文學』은 만흔 影響을 주엇스며 그의 『詩의 效用』과 가튼 文字도 中國 新詩運動上 큰 貢獻이라 하지 안흘 수 업다.

中國 新文學運動上에 만흔 功勞가 잇는 『文學硏究會』도 그 始初에 氏가 提唱한 힘이 만흐며 『五卅』 以後로 그는 魯迅과 『語絲』를 主編하얏스며 一九三〇年에 氏는 北平 『沈鐘社』의 徐祖正 等과 『駱駝草』 雜誌를 主編하야 中國 新文壇上 氏의 努力은 참으로 놀라울 點이 만타.

氏의 著作은 多方面에 歷하야 新詩도 쓰고 創作小說도 잇스나 그의 가장 成功한 方面은 小品文과 翻譯일 것이다.

이제 그의 作品을 分類하야 抄하여 보면 大槪 아래와 같다.

小品 散文

自己的園地

雨天的書

談虎集(上下卷)

談龍集

澤瀉集

永日集

飜譯

域外小說集

現代小說譯叢

現代日本小說集

兩條血痕(小說)

黃薔薇

炭畫

瑪加爾的夢

點滴(現名 空大鼓)

狂言十番(日本狂言)

詩歌

過去的生命

陀螺

其他

歐洲文學史(北大叢書)

兒童文學

冥土旅行

新文學의 源流

—『中國新文學運動史』[03]에 依함.

周作人 書信

(三) 氏의 中文 學習의 經驗談

　나는 氏의 略歷을 補充하고 氏가 古文에 素養이 기프면서 新文學運動에 參加한 그 來歷을 알기 爲하야 그가 學習하여 나올 中文의 經路를 볼 必要가 잇다고 생각한다. 勿論 氏는 歐米 日本의 新文學에 影響 바듬이 만하엿슬 것이다. 그와 同時에 氏는 中國 古文 中에서 어떠한 種類의 書籍의 影響을 만히 바덧는가를 參考할 必要가 잇다.

　以下에 抄譯한 것은 氏의 『我學國文的經驗』[04] 中에 잇는 것이다.

　氏는 中國 傳來의 習慣에 依하야 六歲 時에 上學의 儀式을 기내고 普通으로는 그 一二年 後에 正式으로 上學을 하는 것이나 氏는 그해부터 글을 읽엇다는 것이다. 그러나 그때로부터 十一歲가 되도록 배운 것은 記憶에 업다 한다.

　　『十一歲 時에 『三味書屋』에 가서 讀書한 것이 正式으로 讀
　　書한 始初다. 읽은 책은 全部 淸楚하게 記憶하고 잇다. 첫 책
　　은 『上中』 곳 『中庸』의 上半部인데 大槪 『無憂者其唯文王乎』
　　의 近處에서부터 읽엇섯다. 書堂의 工課는 上午에 글을 외이

03　위의 적지 않은 내용은 王哲甫, 『中國新文學運動史』(杰成印書局, 1933.9) '第九章 新文學作家略傳', '周作人'조를 초역한 것이다.

04　豈明, 「我學國文的經驗」, 『孔德月刊』 1926.10.

고 글을 배고 새 글을 六十番式 읽고 글씨를 쓰며 下午에는 글을 六十番 읽고 저녁에는 對課를 하지 안으며 唐詩를 한 首 講하는 것이엿다.……이와 가티 나는 十三歲 되든 年末에 論, 孟, 詩, 易과 書經의 一部分을 다 읽엇섯다.『經』은 읽은 것이 비록 그리 만치는 못하나 역시 적지 안케 읽엇섯다. 그러나 나는 통 글 쓸줄음 몰고 또 보와도 알지를 못하며 禮敎의 精義에 일으러서는 더욱 茫然하엿섯다. 속시연하게 한 마듸 한다면 以前에 읽은 經은 내가 毫末의 有益도 업섯고 後에 多少 文字를 쓰게 되얏스며 一種 道德觀念을 養成하게 된 것은 全部 다른 方面에서 온 것이엿다. 그럼으로 나는 讀經救國을 主張한 사람은 참으로 헛일이라고 생각된다. 내 自身이 만흔 經을 읽것서도(禮記, 春秋, 左傳은 自己가 읽엇다. 大略 읽엇스나 지금은 다 이저버렷다.) 그저 그럴 뿐이요, 조금도 用處가 업스며 亦是 아무런 損도 업는 것 갓다. 或 若干의 光陰을 耗廢하엿슬 뿐일까.』

以上까지는 氏가 中國『經書』를 배온 經驗이요, 以下는 氏가 中國 舊小說을 본 經驗이다.

『十四歲 時에는 杭州로 가서 다시 書堂에 入學을 하지 안코 그저 祖父에게서 八股文, 試帖詩를 지어 배왓섯다. 平日에 綱鑑易知錄을 보고 詩韻을 抄한 以外에는 隨意로 閑書를 볼 수가 잇섯다. 祖父는 小兒의게 小說보는 것을 禁하지 안하얏든 까닭이다.
그는 翰林인데 性味가 퍽 乖惝하얏지만 敎育에 對하야는 特別

한 意見을 가지고 잇섯든 것이다. 그는 小兒에게 小說 보는 것을 퍽으나 獎勵하얏다. 그 理由는 小說이 사람의 思路를 通順하게 한다는 것이며 興이 날 때에는 나와 『西遊記』를 이야기하기 始作하야 孫行者가 어떠케 奇才가 잇고 猪八戒가 어떠케 忠實하다는 것을 말하얏섯다.──다른 小說도 그는 非難하지 안하얏스나 그의 賞歎한 것은 『西遊記』엿섯다.……나는 그때 적지 안흔 小說을 보앗섯다. 조흔 것도 잇고 나뿐 것도 잇섯스며 紙上의 文字를 보아가지고 文字가 表現하는 意思를 알게 된 것도 이때부터 始作되엿섯다. 『儒林外史』, 『西遊記』 等으로부터 漸漸 『三國演義』에 이르럿고 『聊齊[05]志異』로 轉及한 것이 白話로부터 文言으로 轉到한 道徑이엿섯다. 나의게 文言을 알게 하고 兼하야 文言의 趣味를 대강 알게 한 것은 實로 이 『聊齋』요, 決코 무슨 經書니 或은 『古文析義』니 하는 流가 아니엿섯다. 『聊齋志異』의 後에는 自然 『夜談隨錄』 等의 假 『聊齋』이엿고 一變하야 『閱微草堂筆記』로 轉入하엿섯다. 이 가티 □ 하엿슴으로 自然히 『唐代叢書』로 들어가게 되엿섯다.

以下는 氏가 江南水師學堂에 入學한 後로 外國의 飜譯物에 注意하든 것을 記錄한 것이다.

『우리가 마치 枯寂하며 消遣할 小說이 업섯슬 때 飜譯界가 漸漸 興旺하여젓섯다. 嚴幾道의 『天演論』, 林琴南의 『茶花女』(椿

姬?[06], 梁任公의『十五小豪傑』은 三派의 代表라고 말할 수 잇슬 것이다. 나는 그때 中文의 時間을 實際上 다 이런 것을 보는 데 썻섯다. 그리고 三者 中에 尤獨히 林譯의 小說을 자미잇게 보아서『茶花女』로부터『黑太子南征錄』에까지 그 새이에 出版된 小說은 거의 한 冊도 빼지 안코 다 사다 보앗섯다. 이것이 一方面으로는 나를 西洋文學으로 이끌고 갓섯고 一方面으로는 漸漸 文言의 趣味를 알게 하엿섯다.……』

『나의 中文의 經驗은 그저 이것뿐이다. 여기서 무슨 學習의 方法과 過程을 차저 다른 사람의 叅考가 될만한 것이 업슬 것이다. 나의 中文은 다 小說을 보는 데서 어덧다는 이 한 事實을 除하고는.』

氏는 끗트로 小說, 曲, 詩詞, 文의 各種과 새것이고 옛것이고 文言이고 白話고 本國 것이나 外國 것의 各種과 조흔 것이나 나뿐 것의 各種을 다 보고야 文學과 人生의 全體를 알 수가 잇다고 말하엿다.

(四) 氏의 白話文學論, 胡適氏와의 差異點

氏의 白話文學에 對한 意見을 알려면 우리는 氏의 係統 잇는 講話集『中國新文學的源流』를 略說할 必要가 잇다. 그러나 이것은 이런 短題下에서 可能할 바가 안이오, 以下 叙述하는 便宜上 그의 結論만을 引用하는 데 그칠 수 밧게 업다. 上記의 講演集은 中滿文學史 及 文藝思潮의 變遷을 硏究하는

---

06 ')'가 누락되어 있다.

데 퍽으나 重要한 參考꺼리가 되지 안흘 수 업스며 厨川白村의『文藝思潮十講』(? 그 確實한 題目을 記憶하지 못하거니와 그 內容은『헤렌이즙』과『히부라이즘』이 每世紀에 交替한다는 것을 體系 세운 것이다.)과 相似한 點이 만타.

文藝思潮의 變遷은 누구나 다 가티『古典主義』와『浪漫主義』가 一定한 期間을 두고 交替하야 나려왓다고 말한다. 周氏는 中國文學에 이 硏究를 始作한 것일 것이다. 勿論 그 用語는『詩言志派』,『文以載道派』라고 中國式 名詞를 쓰기는 하지만은 그 內容에 이르러서는 다른 文藝思潮 史家들과 共通된 點이 만타.

氏의 中國文學史觀에 關하야는 다른 機會로 미루고 以下에서는 氏의 白話文學에 對한 意見과 胡適氏의 것과를 比較하야 보기로 하는 것이 妥當할 것 갓다.

氏나 胡適氏가 다 마찬가지로 中國現代 白話文學의 起源을 過去 中國文學史上에 推究한 點은 共通하다. 그러나 胡氏는 白話文學 以外의 文學 即 文言의 文學을『死文學』으로 돌려보내고 白話文學만이 古今을 莫論하고『산』(生)文學이며 또 文言文學은『中國의 傳統史』요, 白話文學史만이 中國文學史의 中心部分이라고 말하얏다. 胡氏는 또 中國의 詩歌의 變遷을 말할 때도 亦是 四言, 五言, 七言, 詞, 曲 等으로 進化 或은 發展한 것으로 觀察하야 모든 文學이 白話의 길로 發達하야 왓다고 말한다. 그럼으로 結局 말하자면 胡氏는 文學表現의 工具 即 外形으로서 中國文學史를 論하얏다고 볼 수 잇다.

이에 對하야 周氏는 胡氏의 白話를 쓰는 理由說을 아래와 가티 簡單하게 指摘하얏다.

⑴ 文學은 向來로 白話의 길을 向하고 거러왓다. 그랫지만은 만흔 障碍가 잇섯슴으로 只今에 이르러서야 비로서 그 正規에 들어서게 되엿고 以後로는 永遠히 이와 가틀 것이다.

(2) 古文은 死文學이요, 白話는 (산) 것이다.

周氏는 上論에 對하야 알에와 가티 反駁하얏다.

『……古文과 白話는 分別하기가 퍽 어렵고 그 死活도 定하기
가 어렵다. 그럼으로 나는 現在에 白話를 쓰는 것은 決코 古文
이 죽은(死) 것인 까닭으로가 아니고 그 外에 다른 理由가 잇다
고 생각한다.

(1) 『言志』를 하기 爲함으로 白話를 쓴다.——우리가 文章을 쓰
는 것은 우리의 思想, 感情을 表現하기 爲함이다. 思想과 感情
을 좀더 써내면은 文章의 藝術分子가 곳 더 增加함으로 써낸
것이 만흘사록 더욱 조흘 것이다.

『……(그럼으로) 現在의 思想, 感情을 表現하려면은 古文은 쓸
수가 업다.

古文도 亦是 그러타. 現在에 꼭 古文을 쓰지 말라는 것은 아
니다. 萬若 누가 잇서 古文으로 퍽 明瞭하게 그의 思想, 感情
을 써낼 수가 잇서서 白話文字로 表現한 것보다 더 만코 더 조
타면 亦是 白話를 쓸 必要가 조금도 업슬 것이다. 그러나 누가
敢히 이러케 할 수가 잇슬가?』

(2) 思想上에 큰 變動이 잇는 고로 꼭 白話를 써야 한다.——萬
若 思想이 前과 갓다면 古文으로 如前히 著作을 할 것이요, 文
章의 形式은 改革할 必要가 업슬 것이다.』

(『中國新文學의 源流』에서[07])

---

07 周作人, 『中國新文學的源流』(人文書店, 1932), '第五講 文學革命運動' 중의 내용이다.

우리는 氏가 以下에 『平民文學』을 論하면서 文學形式 即 白話, 古文에 言及한 一節을 또 한 번 보면 그의 白話文學에 對한 意見의 要點을 더 明瞭하게 짐작할 수가 잇슬 것이다.

『形式으로 말하면 古文은 大部分이 貴族의 文學이요, 白話는 大部分이 平民의 文學이다. 그러나 이 亦是 다 그런 것은 아니다. 古文의 著作은 大概 部分的, 修飾的, 享樂的 或은 遊戲的에 偏함으로 確實히 貴族文學의 性質이 잇다. 白話에 이르러서는 이 몃 가지 現象이 거위 업다. 그러나 文學上에는 原來 兩種 分類가 잇는 中 白話가 自然 『人生藝術派』의 文學에 適宜는 하지만 또한 『純藝術派』의 文學을 만들지 못할 것도 아니다. 純藝術派는 純藝術品을 만드는 것으로써 藝術 唯一의 目的을 삼음으로 古文의 彫章琢句와 自然 서로 相近하다. 그러나 白話라고 彫琢하야서 一種 部分的, 修飾的, 享樂的, 遊戲的 文章을 만들지 말라는 法은 업다. 그런 것은 비록 白話를 썻다고는 하지만은 亦是 貴族의 文學이 될 것이다.』[08]

그럼으로 氏의 意見은 白話 絕對無用論者는 아니다. 곳 現在에 白話를 쓰는 것은 思想에 變動이 잇슴으로 自然 그 思想의 表現에 適宜한 工具로 白話를 쓰게 된다는 것이다.

곳 以上 兩說을 簡單히 말하면 胡氏는 白話라는 工具로 發表한 것이라야만 산(生)文學이라고 主張하는 形式論者이요, 周氏는 思想 即 內容이 變하야

---

08 周作人, 「平民的文學」『占滴』(下冊), 北京大學出版部, 1920.

지면 그 工具도 自然 白話로 向한다는 內容論者라고 볼 수 잇다. 이 두 論은 勿論 서로 그 絶對를 主張하는 것은 아니나 內容과 形式에 各各 더 注重한 것만이 事實이다.

胡氏의 說과 周氏의 說은 現 中國 新文學의 源流와 必然을 論謂하는 데 兩大說이라고 볼 수 잇다. 오래 전에 郭沫若도 周氏의 說과 相似한 論文을 發表한 것이 잇섯스나 이것은 論題 以外임으로 여긔서는 略하기로 한다.

(五) 國民文學과 無産文學 批判

人類의 文學, 個人의 文學, 사람의 文學, 人生派의 文學, 詩言志派의 文學을 主張하는 氏가 『國民文學』, 『階級文學』을 어떠케 批評하엿는가를 보는 것은 吾人의 注意할 點이라고 생각한다.

氏는 이 兩文學에 對하야 만흔 論戰이 잇섯든 것은 아니요, 筆者의 아는 範圍에서는 各各 一篇의 그 態度를 表明한 文學이 잇슬 뿐이다. 其一은 『與友人論國民文學書』요, 其二는 『文學의 貴族性』이라는 講演稿다.

(A) 『國民文學』에 對한 氏의 意見
氏는 처음에 『國民文學』이란 것이 새것이 아니란 것을 말하고 中國 國民의 缺點을 든 後에 民族의 興奮劑로 必要하다는 것을 말하얏다.

『……一國의 文學이 萬若 國民의 것이 아니라면 어떠케 할 것
인가. 殖民의 것 或은 遺老의 것이라고 할 것인가?
幸이거나 不幸이거나 우리는 中國人으로 난 以上 天然으로 漢

族의 長短과 그 運命을 가지고 잇다. 우리는 第一로 自己가 亞
洲人 中의 漢人이란 것을 承認하고 必死的으로 前改하야 人類
中 漢族이 應當 享有할 幸福을 取得하며 할 수 잇는 工作을 成
就하여야 할 것이다.――萬若 우리가 自棄를 하지 안코 公共의
奴僕이라고 自認하지 안는다면 다못 可惜한 일로는 中國人 中
에 外國人이 넘우 만코 外國人의 奴隷氣와 中國人의 奴隷氣가
넘우 重하야 國民의 自覺이 조금도 업스으로 政治上으로 旣往
獨立을 일코 學術, 文藝上에도 亦是 影響을 바더서 새로운 氣
象이 업다. 國民文學의 呼聲은 此種 墮落한 民族의 興奮劑가
된다고 말할 수 잇슬 것이다. 비록 그 效果는 預知할 수가 업
지만은 結局 適當한 方法이라고는 할 수 잇다.』

　氏는 다음에 國民文學과 同時에 個人主義를 提唱할 것을 말하고 그 다음
에 國民文學의 흐르기 쉬운 弊害를 든 후 中國民族의 改革를 하여야 할 諸
點을 列擧하엿다.

『그러나 내가 한 마듸 附加하여야 할 것은 國民文學을 提唱하
는 同時에 꼭 個人主義를 提唱하여야 할 것이다. 나 보기 國
家主義를 鼓吹하는 사람이 個人主義에 對하야는 竭力 反對한
다. (그러면) 國家主義가 그 根據를 일허버릴 뿐 아니라 또 그네
들 主張으로 하여곰 宗敎의 氣味가 잇게 하야『狂信』으로 變
하기가 쉽다. 그런 結果는 무엇이나 本國의 것은 꼭 조코 무엇
이나 外國의 것은 다 나빠서 自己의 國土는 世界의 中心이요,
自己의 戰爭은 天下의 正義라 하면서『自尊心』이라고 일컷게

된다. 우리는 다른 사람의 欺侮를 反抗한다. 그러나 決코 우리
가 他人을 欺侮하여야 한다고는 말하지 안흐며 우리는 他人
이 우리의 長處를 抹殺하는 것을 願하지 안는다. 그러타고 하
야서 우리가 自己의 短處를 陰護하여야 한다고는 말하지 안는
다. 우리의 要求하는 것은 一切의 正義다. 正義에 依하야 우리
는 自主와 自由를 要求하며 또 正히 正義에 依하야 우⁰⁹우리
는 自己를 譴責하고 自己를 鞭撻하는 것이다. 우리가 現在 이
와 가티 欺侮를 當하는 것은 一半은 本來 他人의 强橫에서 由
來한 것이지만 그 다른 一半——적고 또 적어도 一半——은 亦
是 自己의 墮落에 잇는 것이다. 우리가 他人을 反對하기 前 或
은 同時에 極力으로 自己의 惡根性을 發掘, 鏟除하여야만 民
族再生의 希望이 잇는 것이요, 그러치 안흐면 그저 拳匪思想
의 復活에 不過할 것이다. 拳匪의 排外思想을 나는 決코 絶對
로 그르다고 생각지 안흐나 그러나 그 本國 것은 꼭 올코 外國
것은 꼭 그르다는 偏見, 『國粹』를 가지고 新法을 反抗할 수 잇
다는 迷信이 結局 拳匪의 動作이다. 나는 이것을 絶對로 反對
한다. 어떤 사람은 國家主義를 信奉한 後로 古文이 아니면 짓
지 안코 古詩가 (이하 1행 판독 불가 - 엮은이)¹⁰ 여곱 퍽 근심을 품
게 하고 正當한 國家主義를 惡化하려고 하는 것이라고 저어하
게 된다. 우리가 國民文學을 提唱하는 데에는 이 點에 十分 注

---

09 오식으로서 잘못 기입되었다.

10 원본 상태로 이하 1행이 판독 불가능하나 중국어 원문은 '非古詩不諷, 這很令我懷憂'이
므로 '古詩가 아니면 짓지를 아니하니 나로 하여곰 퍽 근심을 품게'일 것이다.

意를 하야 이러한 流弊가 잇게 하야서는 안될 것이다.……積極的으로 民族思想을 鼓吹하는 以外에 또 이下 몃가지 工作이 잇서야 할 것이다.

우리는 民族의 卑怯한 麻木性을 醫治할 것.

……民族의 淫猥한 淋毒을 消除할 것.

……民族의 不明事理한 難症을 切開할 것.

……民族의 自大하는 風狂을 斷割할 것.』

氏는 十四年 六月 一日에 以下의 말을 添付하얏다.

『나는 어떠케 遺傳學說에 壓迫이 되엿는지 몰으거니와 中國 사람은 結局 中國 사람이여서 조커나 나뿌거나 國粹를 保存할 必要는 업다고 생각한다.……現在에 緊要한 것은 個人과 國民의 自覺을 喚起하야 할 수 잇는 限에서 今古의 文化를 研究 紹介하야 自由로 滲入케 하야서 民族精神의 滋養料가 되게 하야 가지고 自動的으로 新漢族의 文明을 發生케 할 企望이 잇슬 것이다. 이것이 나의 생각하는 夢想이요, 또한 내가 國民文學의 提唱을 贊成하는 理由다.』[11]

---

11 周作人, 「與友人論國民文學書」, 『語絲』 第34期, 1925.7.

(六) 國民文學과 無産文學 批判

筆者는 ××[12]文學 或은 階級文學에(中國에서 맑쓰主義文學의 前期를 ××文學이라고 말할 수 잇슴으로 나는『××文學』과『階級文學』이란 名詞를 境遇에 따라 混用한다[13] 對한 氏의 意見을 瞭然하게 하기 爲하야 (一) 몬저 氏의 文學에 對한 見解를 말하고, (二) 中國 階級 及 意識에 對한 觀察을 든 後, (三) 氏의 文學과 宗敎 社會運動과의 差異를 말하고, 그 다음에 (四) 氏의 本項의 結論을 써볼까 한다.

當時의 ××文學派는『單純한 表現』을 主張하엿섯다.

氏는 이에 對하야 文學을 書信과 談話에 比較하야서 上說을 反駁하엿다.

『文學의 性質은 書信, 談話에 近似하다. 그러나 書信, 談話 等은 任意로 쓰고 이야기하는 것이요, 그리 큰 意義가 업슴으로 퍽으나 平凡 無味한 것이다. 그러나 文學은 思想上, 藝術上에 深入하여야 함으로 書信, 談話의 우에 超出하는 것이다.

『文學이 書信, 談話에 超出하는 理由는 (一) 思想에 複雜한 情緒가 잇서야 하고, (二) 寫事를 하는 데 藝術上의 方式을 注意하여야 한다. 그가 描寫하는 事實은 含意가 多方面이요, 다못 一人 一時 一地에 對한 것이 아니다. 그 表現하는 方式을 藝術이라고 한 以上 그안에 藝術이라야 表現할 수 잇는 것이 잇서야 할 것이다. 그럼으로 그 取안 手段은 複雜하다.

『普通 사람의 談話를 文學이라고 할 수 업는 것은 文學은 반

---

12 '革命'이다. 이하도 마찬가지다.

13 ')'가 누락되어 있다.

드시 豊富한 情感과 敏銳한 思想이 잇서야 한다. 豊富한 情感과 敏銳한 思想이 잇다 하드래도 表現의 手段이 업다면 文學家라고 말할 수가 업다. 이 가티 文學家는 情感上, 思想上, 藝術上에 잇서 모도 다 普通人을 超出하여야 함으로 文學家는 實際上, 精神上의 貴族이여서 社會制度上의 貴族과는 判然히 不同하다.

『만약 사람사람이 다 表現할 수 잇는 것이여서 表現하기 어려운 表現이 안니라면 文學이랄 것이 업다. 그럼으로 普通 一種의 思想은 文學이라고 혀일 수 업고 思想이 잇는 것으로서 表現할 수가 업는 것은 亦是 文學이라 혀일 수 업다.』

다음에 氏의 中國 階級 及 階級意識觀을 注意하여 보기로 하자.

『實際上으로 말하면 外國에는 或 갓지 안은 몃 階級의 差別이 잇스나 中國에서는 이와 갓지 안타. 大槪 中國에서는 두 階級으로 난흘 수 잇스니 (一)은 뿔으조와階級이여서 그 안에 第三 及 第四 兩 階級을 包含하고 잇스며 (二)는 反뿔으조와階級일 것이다.

『實上 第三 及 第四 兩 階級은 思想上에 잇서 가튼 것이다. 모도 다 富貴尊榮이 되려하고 或은 妻妾 奴婢를 享有하려 한다. 元曲과 가튼 것은 平民文學이라고 말할 수 잇다.

그러지만 歸納하야서 審査하여 보면 主要한 意思는 富貴功名을 버서난 것이 업다.

그럼으로 中國에서 말하는 貴族文學은 곳 古代의 神仙을 求하며 歸隱하는 文學을 갈으침일 것이다. 實上 그들은 本來 퍽 조흔 生活이 잇섯스나 現在 實際生活에 對하야 反感이 잇섯슴으로 神仙에 寄托하기를 求하고 隱遁하야 歸山을 하는 것이엿다. 뒤집어서 말하면 그 反뿔으조와階級의 思想과 上述한 思想(貴族思想?)과는 갓지 안타. 一切의 文學은 거긔서 産生하게 된다. 그 本身도 亦是 偉大한 것이다. 明太祖와 가튼 사람은 無産階級 出身이나 그러나 그가 窮困할 때에는 帝皇이 되여가지고 顯貴한 것만을 夢想하얏고 帝皇이 된 때에는 專心으로 專制를 하야 民生을 不顧하얏섯다. 이로써 中國 無産階級의 思想은 完全히 第三階級의 升官 發財와 同一한 鼻孔에서 나온 김(氣)인 것을 알 수가 잇다.

『그럼으로 中國에서는 根本으로 第四階級文學을 云謂할 수가 업다. 조흔 文學은 實際上 第三階級만 갓지 못하고 決코 第四階級의 文學은 아니다. 일로 보아 中國의 文學은 그저 反뿔으조아階級에서 産出할 뿐이다.

『文學家는 반듯이 어떠한 一種 階級에서나 跳出하여야 한다. 그러치 안코 第三 或 第四階級 中에 버틔고 서서는 決코 成功할 수가 업슬 것이다.』[14]

氏는 다른 論文에서 平民文學의 內容에 關하야 알에와 가티 말하얏다. 氏는 以上과 가티 말한다고 하야 本質的으로 貴族文學을 主張하는 것이 아니요, 언제나 英雄主義와 奴隷主義를 反對하는데 그 本意가 잇는 것을 알 수가

---

14   周作人,「文學的貴族性」,『晨報副刊』, 1928.1.5~6.

잇슬 것이다.

(七) 國民文學과 無産文學 批判

『第一, 平民文學은 普通의 文體로써 普通의 思想과 事實을 써
야 할 것이다. 우리는 英雄豪傑의 事業, 才子佳人의 幸福을 記
錄할 것도 업고 그저 世間 普通 男女의 悲歡 成敗를 記載할 뿐
이다. 왜 그러냐하면 英雄豪傑, 才子佳人은 世上에서 常見하
는 사람이 아니요, 普通의 男女는 大多數이며 우리도 그 중의
한 사람임으로 그것이 더 普通的일 것이요, 亦是 더욱 自己에
게 切迫할 것이다.

우리는 一面에 偏重한 畸形的 道德을 말하여야 할 것이다. 왜
그런고 하니 참 道德은 반드시 普遍일 것이요, 決코 偏傾하지
는 안흘 것이다.……第二로 平民文學은 眞摯한 文體로써 眞摯
한 思想과 事實을 記錄하여야 할 것이요, 旣往 上面에 안저서
才子佳人으로 自命하지 안는 以上 또한 下風에 서서 英雄豪傑
을 頌揚할 것도 업다. 그저 스스로 人類 中의 한 單體로 알고
人類 中에 渾在함으로 人類의 일이 곳 自己의 일이라고……
(自認하면 그만이다.)』

　　　　　　　　　　　　　　　　　　──『平民의 文學』에서

氏는 社會運動, 宗敎, 文學의 差異를 말하기 爲하야 文學을 다시 이러케
說明하엿다.

『文學은 思想과 情感을 表現하는 것이여서 或은 一種 苦悶의 象徵이라고 말할 수 잇슬 것이다. 내가 社會에 對하야 不滿이 잇다던지 或은 社會가 내게 不快를 加하면 나는 나와 相反된 對象을 目標삼고 自己가 생각한 바 思想과 느낀 바 情感을 表現하는 것이다. 이 一種의 反映한 苦悶의 象徵이 곳 文學의 立場과 背景이 되는 것이다.

『그럼으로 이 點으로 觀察하면 文學과 社會運動은 가티 한 源流에서 나온 것이요, 그저 그 立足點과 結果가 갓지 안흘 뿐이다. 單히 宗教上으로만 말하드래도 그 起源은 亦是 苦悶으로 因하야 일어난 것이다. 우리가 鬼神을 供敬하는 섯은 우리 自身의 生活에 不滿이 잇고 大自然에 對하야 征服하지 못한 後에야 人神의 密接한 關係를 생각하게 되고 만들게 된 것이다.………社會運動은 꼭 問題를 解決하고 理想을 完成하려 하며 宗教는 自己를 克苦하야 來生을 注意하게 된다. 그러나 文學은 그러치 안타. 單只 一種 苦悶과 一種 理想을 表現할 뿐이요, 表現의 手段과 方法이 完成한 後에는 그 本身의 能事를 다한 셈이여서 決코 實行에 念及한다던지 或은 그 理想을 解決 或은 完成하려는 것은 아니다. 그럼으로 要求를 滿足한 一點으로 말한다면 文學은 宗教와 社會運動에 比較하야 갓지 안타.』[15]

氏는 『北溝沿通信』이란 一文에서 群衆運動을 偶象化하는 것을 反對할 뿐

---

15   周作人, 「文學的貴族性」, 『晨報副刊』, 1928.1.5~6.

아니라 群衆을 밋지 안는다고까지 말하엿다.

> 『群衆은 亦是 現在 가장 새로운 偶像이다. 自己가 하려고 한
> 일은 무슨 일이나 다 民衆의 要求에 應한 것이라 하여서 古時
> 의 奉天承運과 조금도 다름이 업다.……나는 群衆을 밋지 안
> 는다. 群衆은 곳 暴君과 順民의 平均일 뿐이다. 그럼으로 무릇
> 群衆을 根據로 한 一切 主義와 運動을 나는 亦是 否認하지 안
> 흘 수 업다. 이것은 꼭 反對할 것은 아니나 그저 그것이 可能
> 하다고 承認할 수는 업다.』[16]

그럼으로 氏는 階級文學을 一種『載道의 文學』으로 보아서 相[17]城派의
通하지 못하는 것과 맛치 한가지 理由로 이 革命文學 或은 階級文學이 成功
하지 못할 것을 말하얏다.

> 『──文學으로써 革命의 工具로 한다는 此種 所謂 革命文學은
> 南方에서 吶喊하는 口號와 紙上의 標語와 가튼 것이다. 萬若
> 文學이 참으로 革命의 工具가 되여서 能히 羣衆을 奮起시기여
> 모도 다 革命의 戰士가 되게 한다면 念願하는 妙法 或은 宗敎
> 上의 祈求 降福과 가튼 것이 되지 안켓는가? 그리고 革命文學
> 을 提唱하는 사람이 革命文學으로서 世人을 引起하야 다 革命
> 을 하게 하려고 한다면 이야말로 이前 舊派人物이 四書五經,

16　豐明, 「北溝沿通信」, 『薔薇』 1927.12.1.

17　'桐'의 오식이다.

諸子百家 等 古書를 읽은 것으로써 治國 平天下를 하려는 夢想과 무엇이 다르랴!』[18]

勿論 階級文學에 對한 氏의 意見을 다 贊成할 수는 업스나 注意할 要點은 만타고 생각된다.

(八) 氏의 小品文論

中國文壇에서는 『小品文』과 『隨筆』을 多少 區別하는 傾向이 잇다. 곳 『小品文』은 英語에 『엣세이』를 表示하고 『隨筆』은 『스켓취』를 意味하는 것으로 생각하는 것이다. 日文 雜誌에서도 흔히 『小品文』과 『隨筆』을 區別하야 揭載하는 例를 보기는 하지만 그 內容에 잇서 確實한 界線을 發見할 수가 업고 中國文壇 某氏의 意見을 들으면 『小品文』이란 것은 그 한 篇으로서 完全한 內容과 形式을 가추운 것을 意味하는 것이요, 『隨筆』은 隨感의 一片이나 스켓취의 一部라도 적어논 것을 意味한다고 하는 것이다.

그러나 이 亦是 確然한 區別이라고 볼 수는 업다. 그럼으로 어떠한 雜誌나 著者는 包括의 範圍가 넓은 『散文』이란 名稱下에 『小品文』, 『隨筆』 等 文字를 容納하기도 한다.

또 或 어떤 者는 『隨筆』(小品文, 隨筆을 意味함)의 起源을 말할 때 韻文의 以前이라고 推測하기도 하나 周氏는 隨筆의 起源을 퍽으나 늦게 잡는 것이다. 希臘의 例에서도 그러한 것을 말하고 中國의 例에서도 그러한 것을 氏는 主

---

18   周作人, 「文學的貴族性」, 『晨報副刊』, 1928.1.5~6.

張한다.

또 한 가지 氏의 『小品文』에 對한 意見을 注意할 것이 잇스니 그것은 곳 小品文과 政治狀態와의 關係를 말한 것이다. 氏는 文學思潮를 論할 때에도 政治가 紋亂하여지면 思想과 文學이 發達하고 政治가 整頓되면 思想과 文學은 衰頹한다고 말한다. 小品文의 發達도 亦是 政治와 反比例로 消長한다는 것이다. 此說은 퍽으나 吾人의 注意를 끄는 말이다.

現在 朝鮮文壇에서는 多量의 隨筆(小品文도 內包함)을 要求한다. 그러나 隨筆의 重要性을 理解하지 못하고 그저 紙誌 空白을 채우는 것으로 自他가 是認하며 雜文의 待遇도 밧지 못하고 粗雜한 流行歌보다도 賤視하는 傾向이 잇다.

이러한 傾向에 注意를 끌기 爲하야서도 筆者는 周氏의 小品文硏究 等 內容의 글을 後日로 밀우고 本題下에서는 氏의 小品文에 關한 全的 意見을 紹介하고저 한다.

以下에 譯出한 一節은 『近代散文抄』의 周序 中에 잇는 것이다.

『……文藝의 發生 次序는 大槪 韻文이 먼저이며 散文이 그 다음이고 韻文 中에도 또 叙事 抒情이 먼저이며 說理가 다음이요, 散文은 먼저 叙事, 다음에 說理며 最後에사 抒情이다. 希臘文學을 빌려서 例를 든다면 一方面은 史詩(에픽)와 戲劇, 抒情詩, 格言詩요, 一方面은 歷史와 小說, 哲學이다——小品文은 希臘文學의 盛時에도 아즉 發達하지 못하얏섯다. 비록 그 哲人(SPohirstai[19])들이 이 氣味가 잇는 것 갓기는 하얏스나 그들은

역시 思想家에 不過함으로 中國의 諸子와 가티 그저 억지로 한 淵源을 끄집어 낼 뿐이요, 바로 基督 紀元後 希臘文學 時代에 이르러서야 참으로 始初라고 말할 수 잇다. 꼭 中國에서는 晋文 中에서야 겨우 小品文의 色彩를 볼 수가 잇는 것과 갓다. 나는 粗雜하게 한 마듸 하자면 小品文은 文學 發達의 極致요, 그 興盛은 꼭 王網이 解紐한 時代에 잇는 것이다. 未來의 일은 내가 關心處가 아님으로 알 수가 업거니와 過去의 史蹟에 이르러서는 아즉도 査考할 수가 잇다. 나의 생각에는 古今 文藝의 變遷에 두 個 큰 時期가 잇섯슬 것이니 一은 集團的인 것이요, 또 한아는 個人的인 것일 것이다. 文學史上에 記錄한 것은 大部分이 後期의 일이지만은 上代의 遺留한 歌謠 等은 亦是 前期 文藝의 百分之一을 推想할 수가 잇슬 것이[20]

『文學上에 잇서서는 集團的인『文以載道』와 個人的인『詩言志』의 兩種 口號가 서로 敵對가 되야 文學이 後期로 된 以後로부터 이 新舊勢力이 永遠히 相搏하야 過去의 만흔 五花八門의 文學運動을 釀成하게 되얏다. 朝廷이 强盛하고 政敎가 統一된 時代에는 載道主義가 一定코 勢力을 占有하야 文學이 大盛한다.

그러나 大部分은 한 모덕이 쓰러기』[21]여서 읽으면 잠이』 쿨쿨 오는 것이요, 頹廢時代에 이르게 되여 帝皇, 祖師 等等 要人

---

20 원본 상태로 이하 1행을 판독할 수 없으나 중국어 원문으로 미루어 볼 때 '다.'로 보인다.

21 이 곳과 뒤의 겹낫표는 모두 오식이다. 중국어 원문에 의하면 『大部分은 한 모덕이 쓰러기여서 읽으면 잠이 쿨쿨 오는』이여야 한다.

이 그리 力量이 업게 되면 處士가 橫議를 하고 百家가 爭鳴하
야 正統家는 그 人心이 不古한 것을 大歎하지만은 우리는 만
흔 新思想, 조흔 文章이 다 이 時代에 發生하는 것으로 생각함
으로 이것은 自然히 우리가 詩言志派인 까닭이다. 小品文은
個人的인 文學의 尖端에서 『言志』하는 散文으로 그것은 敍事,
說理, 抒情의 分子를 集合하야 다 自己의 性情에 당구워(浸) 가
지고 適宜한 手法을 써서 調理하는 것이다. 그럼으로 近代文
學의 潮頭에서 小品文은 前頭에 서서 잇슴으로 萬若 壁에 부
듸치게 되는 때에는 自然 가장 먼저 부듸치게 될 것이다.』[22]

곳 다시 말하자면 小品文은 近代文學의 尖端임으로 近代潮流를 가장 銳
敏하게 觸感하리라는 것일 것이다.

(九) 文學 一般에 對한 態度

氏의 特徵을 나는 여긔서 두 方面으로 난우어 말하고자 한다. 첫재는 上
面에서도 말한 것과 가티 氏의 讀書 範圍가 廣汎한 만큼 文學 各 部類에 對
한 理解가 다른 사람보다 만흔 것이요, 둘재는 氏가 『詩言志』를 主張한 만
큼 다른 評家가 料解하지 못한 作品을 拔摘하며 다른 評家가 狹少한 自己의
見解로 攻擊하는 作品도 氏는 能히 作者의 意見을 尊重하고 그 作品의 長短
利失을 廣範圍로 評하는 데 氏의 長點이 잇다. 이러한 例로는 郁達夫의 『沈

---

22   豈明,「『近代散文抄』序」,『駱駝草』第21期, 1930.9.

淪』을 評하는 데서 가장 顯著하게 드러낫섯든 것이다.

以下에서 氏의 文學 各 方面에 對한 意見 中 二三을 例擧하기로 하고 特히 氏의 郁達夫의 『沈淪』에 對한 批評을 紹介하는 것으로써 此題를 맺기로 하겟다.

氏는 民間文學의 各 分野에 關하야 남 먼저 注意하기 始作하얏스며 中國의 新思潮가 勃興하면서 非科學的 思想을 排擊할 때에도 氏는 文藝上 神話 傳說 等에 關한 見解를 正當하게 가젓섯다.

氏는 『文藝上의 異物』이란 題下에서 『精靈』, 『疆尸』 等을 말하는 中 아래와 가튼 意見을 가젓섯다.

> 『民間의 習俗은 大槪 精靈信仰(ANimism) 根本한 것이어서 事
> 實上 文化 發展에 퍽으나 障害가 잇는 것이다. 그러나 藝術上
> 으로 平心靜氣하여 가지고 본다면 우리는 怪異한 傳說의 裡
> 面에서 人類 共通한 悲哀 或은 恐怖를 瞥見할 수가 잇슴으로
> 無意義한 일은 아니다. 科學思想은 文藝 속에 加入시켜서 (文
> 藝)에 若干 變化를 發生케 할 수 잇스나 그러나 科學과 藝術의
> 領域은 判異한 까닭에 (文藝를) 完全히 占有할 수는 업는 것이
> 다.』[23]

또 『神話와 傳說』이란 一文에서는 우리가 神話와 傳說을 應當 어떠케 보와야 하겟다는 것을 아래와 가티 말하엿다.

---

23   仲密, 「文藝上的異物」, 『晨報副鐫』 1922.4.16.

『中國의 凡事는 만히 兩極端이여서 一部分의 사람은 아즉도 神話 中의 信仰을 가지고 잇고 一部分의 사람은 神話를 科學에 맛지 안흔 誑話라고 하야 排斥하지 안흐면 안된다고 한다. 내 생각에는 萬若 神話 等을 崇信과 攻擊의 박게 提出하야 한 中立의 位置를 주워서 學術의 考訂을 加하야가지고 文化史에 歸入하야 一方面으로는 古代文學으로 보고 歷史批評이나 或은 藝術鑑賞으로써 取扱한다면 相當한 好結果를 收穫할 것이다. 이 方法은 거의 適當한 것이요, 亦是 世界에서 通行하는 神話에 對한 方法이다.』[24]

氏는 이外에 古文學의 硏究에 對한 意見을 發表한 것으로서 『古文學』이란 小論이 잇고 또 兒童文學에 關한 것으로서 『歌詠兒童的文學』, 『兒童劇』, 『兒童的書』, 『와일드童話』, 『兒童의 文學』 等 許多한 論文이 잇스며 氏가 中國歌謠를 蒐集하는 데 퍽 만흔 功獻이 잇섯든 것은 여기서 呶呶를 要치 안흘 것이다. 氏는 北京大學에 『歌謠硏究會』를 組織하여 가지 (이하 1행 판독 불가 - 엮은이) 本 四冊을 刊行하야[25] 一般의 民歌에 對한 注意를 끌게 하엿섯다.

또 氏는 世上에서 猥藝한 歌謠라고 말하기도 실허하며 甚至於 風俗을 紋亂케 한 것이라고 反對한 데 對하야 그의 反證으로 文人의 읍조리는 古詩詞에서 그러한 例證을 들어 歌謠硏究에 正當한 門經을 열엇섯다. 氏가 古詩詞에서 들엇 낸 例證만을 두워 首 적어보면 아래와 갓다. 첫재로 道學家의 聖詩로 역이는 『詩經』에서

---

24 周作人, 「神話與傳說」, 『自己的園地』, 北新書國, 1923.

25 내용상 '『歌謠周刊』 合訂本 四冊'으로 추측된다.

子不我思,

豈無他人.

을 들고 歐陽修의 『生査子』에서 『月上柳梢頭, 人約黃昏時』를 들엇스며
솔로몬 雅歌 第八章을 들고 英詩人 『로바―트·헤릭』의 『To Digneme[26]』中
에서 "Show me Ihat[27] hill where smieing[28] love do[29] Sit, Having A Living
fauntain under it" 等을 들어서 猥褻한 歌謠를 그리 排斥할 理由가 업는 것
을 말하얏다.

氏의 藝猥論에 關한 意見은 英國의 有名한 優生學 及 性의 心理學者이요,
文明批評家인 『하벨로크·엘리스』氏의 學說에 影響됨이 만흔 것을 알 수가
잇다. 氏의 『猥褻論』[30]이나 『文藝와 道德』 等은 此間 消息을 잘 傳하고 잇는
것이다.

(完) 文學 一般에 對한 態度

다음에 말할 『沈淪』의 批評도 實은 이 猥褻 不道德에 關한 意見으로써 出
發한 것인 것을 알 수가 잇다. 勿論 『沈淪』이란 論題下에서는 米國 『모―델』

---

26 'To Dianeme'의 오식이다.

27 'that'의 오식이다.

28 'smiling'의 오식이다.

29 'doth'의 오식이다.

30 周作人, 「猥褻的歌謠」, 『歌謠周刊』, 1923.12.

의 『文學上의 色情』에서 引用하기는 하얏스나 結局은 『엘리스』의 說과 同根 支葉으로 볼 수 잇는 것일 것이다.

郁達夫氏의 그 代表作集 卷頭 첫퍼—지를 펴들면 아래와 가튼 말을 六行에 朱印한 것이 잇다,

> 『이 책은 周作人先生의게 바친다. 왜 그러냐하면 그는 나의 幼稚한 作品에 對하야 好意를 表示한 中國 第一 첫재 批評家이기 때문이다.』

郁氏는 왜 이러한 글을 卷頭에 쓰게 되엿는가? 거긔에는 作者의 쓸알인 回憶이 잠겨잇슬 것이다. 郁氏의 『沈淪』이란 小說集이 出世하자 中國의 評壇은 一齊히 『不道德의 文字』이니 『猥褻한 小說』이니 하고 攻擊이 如干 안히엿섯든 것이다. 그도 無理한 일은 안히엿섯든 것이다. 왜 그런고 하니 이 『沈淪』은 日本에 留學한 中國學生의 『性의 苦悶』等을 그린 것이다. 곳 作者의 말을 빌면 『第一篇 沈淪은 한 病的 靑年의 心理를 描寫한 것이여서 靑年 憂鬱病의 解剖라고도 말할 수 잇다. 그 안에는 亦是 現代人의 苦悶——곳 性의 要求와 靈의 衝突——도 敍述한 것이다.』하고 말하얏다. 우리는 이 말로서도 可히 『沈淪』의 內容 如何를 推測할 수 잇슬 것이다. 周氏는 이러한 『沈淪』을 評할 때 『모—델』의 三種 不道德文學說을 引例하야 略說한 後 『沈淪』은 곳 그 中 『第二種의 非意識的 不端正한 文學에 屬한다』고 말하고 『비록 猥褻한 分子는 잇스나 決코 不道德한 性質은 업다』고 論斷하엿다. 그리고 또

> 『所謂 猥褻한 部分에 이르러서는 꼭 文學的 價値를 損傷한 것은 아니다. 或者는 말하기를 넘우나 東方氣分 (即 日本氣分이

만타고 하나 그러나 나는 萬若 著者가 이러케 하지 안하야서
는 그의 氣分을 表現할 수가 업다면 自然 무슨 反對할 곳이 업
다고 생각한다.』

고 말하얏다.

氏는 끄트로 누가 『보드레―르』의 詩를 批評한 말을 引用하야 『沈淪』에
適用하얏다.

　　『나는 끄트로 鄭重하게 聲明한다. 『沈淪』은 한 개 藝術의 作
　　品이다. 그러나 그것은 『受戒者의 文學』(Literature For the in ini
　　ated[31])이요, 一般人의 讀物은 아니다. 누가 『보드레―르』의 詩
　　를 評하면서 이러케 말하얏다. 『그의 幻景은 검고(黑) 무서운
　　것이다. 그의 著作의 大部分은 少年과 蒙昧者의 誦讀하기는
　　不適合하다. 그러나 智明한 讀者는 이 詩에서 참으로 希有한
　　힘을 엇게 될 것이다.』 이 말은 이 곳에도 移用할 수 잇다.』[32]

우리는 氏의 文學批評의 態度를 이 『沈淪』의 評에서 잘 窺知할 수가 잇스며
또 上記한 바와 가티 文學 各 部分에 남다른 料解가 잇는 것을 알 수가 잇다.

氏의 批評的態度는 新舊 狹少한 道德에 拘束된 凡儒의 到底히 미칠 수 업
는 바일 것이요, 實로 그의 汎博한 學識은 그의 批評의 視野를 널니하는 데
큰 原因이 되엿슬 것이다.

───────

31　'in ini ated'는 'initiated'의 오식이다.

32　仲密, 「『沈淪』」, 『晨報副鐫』 1922.3.26.

結論

筆者는 여긔서 上記한 諸 項을 다시 槪括하야 略說하려고는 하지 안는다. 다못 周氏의 生活과 思想에 큰 影響이 잇섯스리라고 생각되는 그의 親友 『엘로셍코』와의 關係를 말하는 것으로써 이 小論 全篇의 끄틀 맷즐가 하는 것이다.

『엘로셍코』는 露西亞의 盲詩人이다. 日本에서 漂浪의 旅行을 한 일도 잇섯고 또 妓館의 安摩를 하는 것으로 糊口를 하엿다는 傳說도 잇다. 『엘로셍코』는 또 世界語(에쓰퍼란토) 學者로서 北京에서는 世界語와 希臘語의 敎鞭을 들엇섯다 한다.

『엘로셍코』氏가 北京에 잇슬 때에는 周作人氏의 住宅에서 寓居하얏스며 周作人, 魯迅 兩氏에게 深刻한 影響을 준 것은 더 말할 것도 업섯거니와 一般文人에게도 그의 影響이 만하얏고 特히 中國 世界語의 初期의 基礎가 슨 것은 專혀 『엘로셍코』氏의 힘이라고 傳하는 것이다. 周作人氏가 『에쓰퍼란토』에 能한 것도 『엘로셍크』氏의 影響이 아닌가 생각된다.

그러면 『엘로셍크』는 어떠한 사람인가? 筆者는 그와 한번도 面談하야 본 일이 업고 또 周氏와 談語하는 機會에도 『엘로셍크』氏에 關한 것은 言及치 못하야 直接 或은 間接으로 그의 面貌를 推摩할 수는 업다. 다못 周氏의 『送 엘로셍코君』(一九二二年 七月), 『懷엘로셍코君』(同 十一月)과 『再送엘로셍코』 (一九二三年 四月) 等 三篇 文章으로 그의 모든 것을 알 뿐이다.

> 『엘로셍코』君은 三日에 出京하얏다. 그가 이번에 『핀렌드』에
> 간 것은 第十四次 萬國世界語大會에 가는 것이다. 그럼으로 그
> 의 琵琶, 長靴와 이불은 다 中國에 두고 가지고 가지 안하얏다.

『엘로셍코』君은 世界主義者다. 그는 오래 離別한 故鄕에 對하야도 十分 迫切한 戀慕를 가지고 잇는 것이다. 이것은 척 보기에 矛盾되는 것 갓기는 하나 그러나 우리로 하여금 深厚한 人間味를 늣기게 하는 바이다.

『그는(엘로셍코) 人類에 對한 사랑과 社會에 對한 悲哀를 가지고 잇슴으로 늘 冷刻한 言詞와 熱烈한 情調로 그의 愛와 憎을 써낸다.

이로 因하야 外國 資本家 政府의 忌避를 맛나나 이것은 그네들의 쓸 데업는 憂慮에 不過할 것이다. 그는 究竟 한 詩人이어서 그의 人類愛와 社會의 悲를 喚起할 뿐이요, 決코 사람을 指揮하야 暴動을 하거나 或은 政治運動을 하는 것은 아니다. 그의 世界는 童話가튼 꿈의 奇境이여서 決코 共產 或은 無政府의 社會는 아니다.』[33]

우리는 以上의 引例로써 넉넉히 『엘로셍코』의 思想을 짐작할 수가 잇다.

그의 著作으로는 日本語의 『桃色의 雲』이란 것이 잇는데 魯迅의 中譯으로 出版하야 中國 文藝思想에 大衝動을 주웟스며 그 內容은 여긔서 略說할 餘裕도 업고 또 그 冊도 업슴으로 말할 수가 업거니와 恰似 『체크슬로바키야』의 作家 『채페크』 兄弟(J.S.K Chapek[34]) 著 『昆虫의 生活』과 비슷한 點이 만타.

우리는 魯迅의 小說集 『吶喊』에서 『鴨의 喜劇』이란 一篇을 보면 亦是 『엘로셍코』氏에 關한 것이다. 그 처음에 이러한 말이 잇다.

33　仲密, 「送愛羅先珂君」, 『晨報副鐫』 1922.7.17.

34　'Capek'의 잘못이다.

『俄國의 盲詩人『엘로셍코』君이 그의 六絃琴을 가지고 北京
에 온 후 얼마 되지 안하야 나보고 이러케 말하얏다.
『寂寞해요. 寂寞해. 沙漠에 잇는 것 가티 寂寞해요!』

또 어느 기픈 밤에 그는 緬甸의 밤을 回憶하면서 알에와 가튼 말을 하얏
다는 것이다.

『이러한 밤에 緬甸서는 遍地에 音樂이지요. 방안이나 풀 새이
나 나무 우에나 어듸서나 昆虫이 울음으로 各種 聲音이 合奏
를 하게 되여 퍽으나 神奇하지요. 그 새이는 때때로 배암 우는
『시시!』 소리도 끼이지만은 역시 버레 소리와 서로 調和되지
요……』

그는 또 北京을 떠날 때 自己 故鄕의 夜鶯 소리를 들으려 간다고 하얏다
한다. 盲目의 詩人인지라 音響에 만흔 趣味를 늣기엿든 模樣이다.
이런 것은 如何間에 『엘로셍코』가 周作人氏나 魯迅에게 준 印象과 影響
은 普通 것이 아니엿든 것을 알 수가 잇스며 또 吾友 向培良君의 『中國戱劇
慨評』을 보면 엘로셍코가 中國에 잇슬 劇評으로 相當한 影響을 주웠다고 한
말이 잇는 것으로 보드래도 에氏의 中國文壇에 寄與가 적지 안흔 것을 兼하
야 알 수 잇다.

(了)

中國의「國故」整理에 對한 諸說[01]

丁來東

【一】[02]

一. 緖論

朝鮮의 學術界를 觀察하면 一面으로 文學方面에 잇어서는 外來의 影響을 받은『文藝復興』先聲이 들리고 또 一般 學術界에 잇어서는 語文整理, 過去 朝鮮文物 學術 等을 硏究하자는 傾向이 顯著하게 나타나 잇다.

이러한 時機를 當面한 우리로서는 過去 外國에서 이러한 問題가 提起되엇을 때 그네들은 어떠한 意見을 가지고 잇엇으며 또 어떠한 態度와 經路를 가지고 잇엇든가를 考察할 必要가 잇을 것이다.

筆者는 이에 中國의 新文化運動 直後로 일어난『國故整理』,『古文學整理』運動에 對한 中國學者 諸氏의 意見을 紹介하야 우리 學術界에 잇어 斯界에 努力하는 諸氏의 參考에 供하고자 하는 바이다. 中國 諸氏의 意見을 紹介하는 筆者의 意圖는 決코 中國 諸氏의 意見 그대로를 우리가 接受하여야 하겟

---

01 『東亞日報』1934.11.2~11.3, 11.6, 11.8~11.11, 11.13, 석간 3면.

02 매회 연재분 표기로서 8회에 걸쳐 연재되었다.

다는 것도 아니요, 또 그 中 一個人의 整理方法 態度를 讚揚하야 吾人도 正히 그와 같이 하여야 하겠다는 것도 아니다. 왜 그러냐하면 벌서 그네들에게이 問題가 提起되엇을 때와 現下 우리와는 그 時期에 差異가 잇을 뿐 아니라또한 그네들과 우리와의 새이에는 그 環境이 퍽으나 다른 까닭이다. 그럼에도 不拘하고 筆者가 여기서 그네들의 意見을 紹介할 必要를 느낀 것은 그네들의 意見, 態度, 方法 等等은 아즉도 우리에게 參考될 點이 만흔 까닭이다.

이에 中國 國故整理에 對한 諸氏의 意見, 主張 等을 읽은 後에 筆者에게注意되는 點과 또 우리가 朝鮮 過去의 學術을 硏究할 때 應當 注意하여야할 點을 綜合하야 생각하여 보면 大槪 아래에 列擧한 數點을 特히 念頭에 둘必要가 잇다고 생각한다.

㈠ 이 傾向의 發生 原因

過去의 文化, 學術을 再認識하자는 傾向은 大槪 어떠한 時期, 環境에 處할때 發生하게 되는가? 이 問題의 發生 原因은 두 種類로 나누어 볼 必要가 잇고 또 이 두 種類 中 第一種類의 原因을 다시 四點으로 나누어 볼 수가 잇다.

⒜ 外來의 勢力, 文物이 急速度로 迫來하야 自體 內의 一般 文化에 變化를 일으키게 되는 때.

⒝ 社會의 情形이 劇變하야 過去 及 現在의 文化運動의 全部까지는 拒否하지 안는다 하드래도 적어도 過去의 文化에 缺陷을 느끼는 때.

⒞ 社會의 客觀的 情勢 及 內部의 情勢로 因하야 모든 方面의 新舊 文化運動이 前進하기에 困難하야 다른 新方途를 模索하는 때.

⒟ 前進하여가는 모든 文化運動에 加一層 豊富한 內容을 갖게 하기 爲하야 歷史的 考察을 要하는 때.

等等일 것이다.

곧 以上 四點을 一言으로 總括하여 말하면

新文化가 輸入되자 過去의 文化運動이 그 繼續性을 喪失하게 되며 또 新文化運動도 어느 程度까지 挫折된 處地에 잇을 때 新文化의 影響 或은 反動으로 自體의 過去 學術, 文化를 새로운 眼光으로써 硏究하자는 運動이 일어나는 것이다. 그러므로 外來의 文化, 學術에 對하여는 多少間 對抗的 意味를 띠게 되는 例가 만타. 直接 對抗의 例로서는 朝鮮의 東學亂, 中國의 拳匪亂 等을 들 수 잇고 文化運動으로는 朝鮮 己未 前後의 新文化運動과 中國 『五四』前後의 新文化運動을 들 수가 잇을 것이다.

이 傾向의 發生 原因 中 第一種類의 原因은 如上하거니와 第二種類의 原因은 所謂 『國泰民安』한 時機에 自國의 古典籍을 整理하는 때일 것이다. 이러한 境遇에도 勿論 自體의 古文化, 學術을 硏究, 整理는 하지마는 그 範圍가 퍽으나 偏陜하다고 볼 수 잇다.

그 偏陜한 理由는 그 硏究, 整理의 目標가 當時 統治層에 有利한 方面과 그네들의 主張에 適合한 方面만에 잇는 까닭이다. 中國 淸代의 康熙, 乾隆, 雍正 時에 古籍整理, 字典編纂 等은 이러한 例에 屬한 것으로 볼 수 잇으며 朝鮮 李朝의 儒敎文化, 新羅, 高麗 時의 佛敎文化의 彰明 等도 同例로 볼 수 잇다.

(二) 이 傾向의 評價

우리로서 古文化, 學術을 現在에 再認識 硏究하는 것 等이 現下 學術 其他의 發展上 第一 緊急한 問題인가 아닌가? 또는 이 傾向을 어느 程度로 評價할 것인가? 하는 問題에 對하야는 여러 가지 意見과 異議가 잇을 것이다. 或者는 이 傾向이야말로 將來 朝鮮 學術의 發展을 促進하는 第一 原動力이 될 것이라고 말할 것이며 或者는 將來의 學術文化를 促進하는 것은 現下의

社會的 情勢가 第一 重要한 原動力이 될 것이요, 그런 整理, 硏究는 第二義的이라고 低評도 할 것이다.

이 問題는 勿論 各自의 觀點에 따라 各各 그 評價가 다를 것이요, 또 그 得失에 對하야는 만흔 討議를 要할 것이다. 그러나 다른 利害得失은 爲先 除外하고 다못 우리가 學術上 史的 事實을 例證할 때나 或은 모—든 文化의 歷史的 變遷을 觀察할 때 朝鮮의 文化 各 方面의 史上에서 그 實例를 引用할 수 잇는 點으로만 보드래도 古文化, 學術의 整理는 重要하며 必要한 일일 것이다. 그 整理, 硏究의 如何에 따라서는 有害한 方面이 全無하다고 볼 수 없지 안치마는 大體로 보면 朝鮮民衆에 有利한 學說과 實踐이 開拓될 수도 잇는 것이며 또 全人類 文化史上에도 큰 光彩가 될 史蹟이 들어나게 될지도 모르는 것이다.

그러나 이 硏究 整理는 不得不 斯界에 素養이 깊고 또 그 方面에 興味를 가진 이에게만 自然 極限되게 될 것이요, 누구나 다 할 수 잇는 일은 아니다.

(三) 硏究整理의 方法

朝鮮 過去의 學術은 그 范圍가 퍽으나 單純하엿든 만큼 系統잇게 整理되지 못하엿으며 學術의 界線이 없엇든 것이다. 그러므로 過去의 學者들은 擧皆가 다 『出將入相』을 目標를 하야 現在에는 當然히 軍事學, 法學, 政治學, 經濟學, 商學, 哲學, 文學, 天文學, 地理學, 歷史學, 醫學 等等으로 分門될 것이여늘 그 當時는 이런 等等의 學問을 一人이 모도 다 混合하야 硏究하엿든 것이다. 또 文學을 뜻한 사람도 그 胸中에는 恒時 『修身, 齊家, 治國, 平天下』를 柱石으로 하엿으므로 現在의 學術 部門으로 보면 五六門 乃至 十餘門을 兼修하엿든 것이다.

오늘날 우리가 整理하여야 할 것은 個人別로 整理하는 것도 必要는 하지

마는 그보다도 一步를 나어가 文學, 哲學, 政治, 經濟 等等 各 部門으로 分類하며 區別하야 各 專門의 學者가 整理하며 硏究하는 것이 더욱 必要할 것이다. 곧 다시 말하면 그 整理하는 方法에 잇어 科學的 方法을 採用하여야 할 것이다. 이 整理方法에 參考가 될 것으로는 以下에 記述할 胡適氏의 『史的』, 『分類的』 整理法을 퍽 注意할 必要가 잇다고 생각한다.

現在와 같이 古籍 刊行이 盛行하는 때 吾人의 가장 時急하게 希望하는 바는 漢文으로 된 書籍을 時文으로 飜譯하야 一般 讀者에게 普及할 必要가 잇다는 것이다. 或 文學書類와 같이 그 飜譯하는 데 多大한 時日과 努力을 要하는 書籍은 爲先 莫論하드래도 一般 學術에 關한 것은 될 수 잇는 限에서 時文으로 譯出하야 漢文의 素養이 적은 學者에게 供讀할 必要가 잇을 것이다. 飜譯事業이 目下의 情勢로 至難한 境遇에 行 最少限度로 詳細한 解題 序文 等은 時文으로써 添付할 必要가 잇으리라고 생각된다.

㈣ 材料의 撰擇

硏究, 整理의 對象 卽 材料를 撰擇하는 데에는 勿論 目下에 需用될 것, 硏究, 整理의 價値가 잇는 것 또는 硏究者의 嗜好에 應하는 것 等이 主要한 動機가 될 것이다. 그러나 여기서 한 가지 注意할 것은 모든 材料를 平等하게 觀察하며 그 學術의 發生 當時에는 어떠한 地位에 잇엇든 것을 宣明히 한 後 主觀的 評價를 하여야 할 것이다. 곧 다시 말하면 過去의 學派, 黨派, 宗派 等에 偏重 輕視하는 主觀을 抑制하고 同一하게 整理한 然後에 그 學術의 輕重을 論하는 主觀的 評價를 試하는 것이 過去 學術을 整理하는 데 正當한 順序라고 볼 수 잇다. 그러므로 現在에 잇어서는 모든 過去의 學術을 同一하게 整理하는 것이 第一 重要한 任務인가 한다. 곧 換言하면 그 材料 撰擇에 잇어 比較的 廣範圍로 할 것이요, 그 모든 材料를 平等한 地位에 두고 整理

의 工作을 始作할 것이란 것이다.

以下에서 筆者는 中國에서 이 問題를 論한 諸氏 卽 胡適, 周作人, 鄭振鐸, 顧頡剛, 成仿吾, 郭沫若 等 六氏의 것을 紹介하려 한다.

【二】

二. 胡適의 歷史的 整理論(上)

西洋의 學術, 文物이 輸入되면서부터 中國에도 朝鮮 最近의 過去와 같이 古學者들은 『古學이 淪亡하겟다!』느니 或은 『古書는 未久에 能讀할 사람이 없어지겟다!』느니 하고 悲觀을 하엿든 貌樣이다. 이러한 悲觀論에 對하야 胡適氏는 퍽으나 樂觀한다는 것을 말하엿다. 우리는 當時 中國의 『古學』에 對한 認識 差誤의 狀況을 알기 爲하야 胡氏의 아래와 같은 論述을 볼 必要 가 잇다.

> ……이러한 悲觀의 呼聲 中에 自然히 一種 無氣力한 反動의 運動이 일어나게 되엇다. 어떤 사람은 아즉도 西洋學術思想의 輸入이 古學 淪亡의 原因이라고 생각하므로 그네들은 지금까 지도 그네들 自身이 무엇인지도 알지 못하는 西洋學術을 抗拒 하고 잇으며 어떤 사람은 孔敎가 完全히 中國의 古文化를 代 表하므로 只今까지 孔敎의 復興을 夢想하고 잇으며 甚至於 어 떤 사람은 基督敎의 制度를 抄襲하야 孔敎를 光復하려고 하며 어떤 사람은 古文, 古詩를 保存한 것을 古學의 保存으로 여기 므로 그네들은 只今도 語體文字의 提倡과 傳播를 壓倒하려고 생각하고 잇다.

……이러한 行爲는 그들이 憂慮하는 國學의 淪亡을 挽救하지
못할 뿐만 아니라 도리어 國中 少年들의 古學에 對한 藐視를
增加할 뿐이다. 萬若 이러한 擧動이 國學을 代表한다면 國學
은 淪亡하는 것이 오히려 더 나을 것이다!

……우리가 平心하야 三百年來의 古學發達史를 觀察하고 다
시 眼前 國內 國外의 學者들이 中國學術을 硏究하는 現狀을
觀察한다면 우리는 悲觀하지 안을 뿐 아니라 도리어 無窮한
樂觀을 가지게 된다. 國學의 將來는 一定코 國學의 過去보다
훨석 나아질 것이다.……

　다음에 우리는 胡適氏의 具體的 整理方法을 보기 前에 그가 『國學』, 『國
故學』과 『歷史』의 關係를 어떠케 말하엿으며 또 그 範圍, 그 使命 等을 어떠
케 말하엿는가를 몬저 볼 必要가 잇다.

……『國學』이란 것은 우리의 心中에는 그저 『國故學』의 縮寫
일 뿐이다. 中國의 一切 過去의 文化歷史는 다 우리의 『國故』
이며 一切 過去의 歷史文化를 硏究하는 學問은 곧 『國故學』이
다. 이것을 畧하야 『國學』이라고 말한다. 『國故』라는 名詞는
한 개 中立의 名詞여서 襃貶의 意義를 包含하지 안으므로 가
장 妥當할 것이다. 『國故』는 『國粹』도 包含하지마는 亦是 『國
渣』도 包含하는 것이다. 우리가 萬若 『國渣』를 了解하지 못하
면 어떠케 『國粹』를 알 수가 잇겟는가? 그러므로 우리는 只今
國學의 領域을 擴充하여서 上下 三四千年의 過去文化를 包括
하야 一切의 門戶 偏見을 打破하여야 할 것이다.

……歷史의 眼光으로써 一切를 整理하야 國故學의 使命이 中
國 一切 歷史를 整理하는 것이란 것을 잘 알어야만 一切 狹陋
한 門戶의 見을 掃除할 수가 잇을 것이다.

……歷史는 多方面의 것이요, 朝代 興亡만을 記錄하는 것이
本是 歷史가 아니며 다만 一宗一派만이 잇는 것도 亦是 歷史
가 아니다. 過去 種種의 것 곧 우으로는 思想, 學術의 大로부
터 아레로는 한 字, 한 首 山歌의 細에 이르기까지 모두 다 歷
史며 모두 다 國學研究의 範圍에 屬하는 것이다.……

宗派, 學派의 成見을 打破하며 過去『國故學』의 一切 弊害를 없애기 爲하
야 整理의 第一步 工作으로 첫재『國故』에 對하야 어떠한 態度를 取하여야
할 것인가? 또는『國故』를 評價하려면『國故』整理의 階段이 어떠한 程度에
이르러야 可能할 것인가? 이러한 問題에 對하야 胡氏는 아래와 같은 段玉裁
의 例를 引用하야써 其他 諸點을 說明하엿다.

『校經之法, 必以賈還賈, 以孔還孔, 以陸還陸, 以杜還杜, 以鄭
還鄭, 各得其底本, 而後判其理義之是非……不先正注, 疏, 釋文
之底本, 則多誣古人. 不斷其立說之是非, 則多誤今人.』

(經韻樓集·與諸同志書論校書之難)

그러므로 胡氏는 이에 準하야 아래와 같이 말한다.

……例를 治經하는 데서 들면 鄭玄, 王肅도 歷史上에 本來한
位置를 占하거니와 王弼, 何晏도 亦是 한 位置를 占하며 王安

石, 朱熹도 亦是 한 位置를 占하고 戴震, 惠棟도 亦是 한 位置를 占하며 劉逢祿, 康有爲도 亦是 한 位置를 占하는 것이다.……

胡氏는 『國故』를 整理하는 데도 이 論調로 말하엿다.

[03]……國故를 整治하는 데도 반다시 『以漢還漢』, 『以魏晋還魏晋』, 『以唐還唐』, 『以宋還宋』, 『以明還明』, 『以淸還淸』, 『以古文還古文家』, 『以今文還今文家』, 『以程朱還程朱』, 『以陸王還陸王』하야써……各各 그 本來 面目으로 돌려보낸 然後에 各代, 各家, 各人의 義理의 是非를 評判하여야 할 것이다.……몬저 그네들의 本來 面目을 明白하게 하지 못하면 우리는 그네들의 是非를 評判格할 資이 없다.』

그러므로 胡氏는 民間의 兒女가 부르는 歌謠와 詩 三百篇이 同等한 位置에 잇다고 보며 民間의 流傳한 小說과 高文典冊을 同等하게 보고 吳敬梓, 曹霑과 關漢卿, 馬東籬와 杜甫, 韓愈도 同等의 位置에 잇다고 말하는 것이다.

【三】

二. 胡適의 歷史的 整理論(中)

胡適氏는 『國故』 整理의 具體的 方案을 말하기 爲하야 中國 最近 三百年

---

03 ' 『 '가 누락되어 있다.

間의 古學整理의 成績과 그 缺點을 指摘하엿다.

『이 三百年은 참으로 古學 昌明의 時代라고 볼 수 잇다. 이
三百年의 成績을 總括하여 보면 如左한 方面으로 나누어 볼
수 잇을 것이다.』

(一) 古書의 整理——이 方面도 또 三門으로 나눌 수 잇으니 第一은 書册
의 校勘, 第二는 新字의 訓詁, 第三은 眞僞의 考訂이다.

그러나 眞僞의 考訂 方面은 少數 學者 崔述 等을 除하고는 그 成績이 만
지 못하며 그 方法이 그리 精密치 못하엿고 考訂의 範圍도 크지 못하엿다.
그러나 『經』, 『史』, 『子』, 『古詞典』의 硏究에 이르러서는 相當한 成績이 잇엇
든 것이다.

(二) 古書의 發現——淸朝 一代를 古學復興時代라고 말하는 것은 單只 訓
詁, 校勘의 發達에만 잇는 것이 아니요, 古書 發現과 翻刻의 만음으로서일
것이다.

(三) 古物의 發現——鼎彝, 泉幣, 碑版, 壁畵, 雕塑, 古陶器의 類를 系統잇
게 整理를 하지는 못하엿으나 그 材料는 적지 안앗엇다. 最近 三十年來 甲骨
文字의 發現은 殷商 一代의 歷史에 地下의 證據가 잇게 하엿으며 그리고 文
字學에도 無數한 最古의 材料를 添加하엿다. 最近 遼陽, 河南 等處에 發現한
石器時代의 文化는 亦是 퍽으나 重要한 것이다.』[04]

三百年來에 第一流 學者의 心思 精力을 모도 다 이 方面에다 썻 것마는
結局 이만한 적은 結果 밖에 없는 것은 亦是 만흔 缺點이 잇엇든 까닭이다.

---

04 겹낫표는 오식이다.

그 缺點도 分別하야 보면 三層으로 말할 수 잇다.

(一) 研究의 範圍가 狹窄하엿든 것.

이 三百年의 古學에 史書를 整治한 것도 잇고 子書를 研究한 것도 잇엇으나 多數人의 眼光과 心力의 集射한 焦點은 結局 儒家의 幾部 經書에 잇엇을 뿐이다. 古韻의 研究, 古詞典의 研究, 古書 舊注의 研究, 子書의 研究는 모도 다 이 材料 本身 價值를 爲하야 研究한 것이 아니엿고 一切 古學은 모도 다 經學의 下女엿엇든 것이다!……

專攻은 本是 學術進步의 한 條件이다. 그러나 清儒의 狹小한 研究의 範圍는 成見이 없는 分工은 아니엿엇다. 그네들은 『儒書一尊』의 成見을 벗어나지 못하엿으므로 全力을 治經하는 데 쓰고 그 餘力만을 他種 書籍을 研究한 데 썻을 뿐이다. 그러으로 그 研究範圍는 퍽으나 狹窄하엿엇다.

(二) 너무 功力을 注重하고 理解를 忽略하엿든 것.

學問의 進步에 두 重要한 方面이 잇으니 其一은 材料의 積聚와 解剖요, 其二는 材料의 組織과 貫通이다. 前者는 精神의 功力을 須要하고 後者는 綜合의 理解를 必要하는 것이다. 清儒는 主觀의 見解를 力避하엿으므로 이 三百年 中에 거의 經師가 잇엇을 뿐이고 思想家가 없엇으며 그저 校史者가 잇엇을 뿐이요, 史家가 없엇으며 校注가 잇엇을 뿐이요, 著作이 없엇든 것이다.

(三) 參考 比較의 材料가 缺乏하엿든 것.

이 原因을 推求하려면 우에서 말한 第一層의 缺點 곧 研究의 範圍가 너무 狹小하엿다는 問題로 도라가지 안을 수 없다. 宋明의 理學家가 理解에 富하엿든 것은 專혀 六朝, 唐 以後의 佛家와 道士의 影響을 받아 自己네의 學說에 一種 參考 比較의 資料를 삼앗든 까닭이다. 宋明의 사람이 佛書의 眼鏡을 쓰고 『大學』, 『中庸』을 볼 때에는 『明明德』, 『誠』, 『正心誠意』, 『率性之謂道』 等等과 같은 말이 다 哲學의 意義가 잇엇든 것이다.

……그런데 淸朝의 學者는 理解의 危險을 느끼고 또 『異端』을 排斥하엿엇으므로 參考 比較의 資料가 퍽으나 적엇섯다.

(以上 三段은 胡氏의 該條下를 隨意로 畧譯하고 그 例證을 만히 畧하엿음.)

【四】

二. 胡適의 歷史的 整理論(下)

胡適氏는 以上 三項의 缺點을 補充하는 것이 곧 將來 『國學』을 硏究하는 方針이라고 말하고 다음에 그 補充하는 方針을 아래와 같이 들엇다.

(一) 硏究의 範圍를 擴大할 것.

(二) 系統的 整理에 注意할 것.

(三) 參考 比較의 資料를 널리 採擇할 것.

以上 三項 中 第一項은 곧 모든 『國故』의 材料를 平等하게 보고 歷史的 眼光으로써 그 範圍를 널리자는 것이며 第三項의 『參考 比較의 資料를 博採하자』는 것은 곧 學術에 잇어 國境을 超越하야 外國의 學術과 比較 硏究하는 데서 만흔 所得이 잇으리라는 것이다. 그 實例로는 中國文의 文法이 西洋 文法을 了解하는 데서 더 明白하여질 것이며 또 中國古音을 參考하는 데에는 日本語, 朝鮮語, 安南語와 比較하는 것이 有助할 것이며 李覯, 王安石의 政治思想은 近代의 社會主義의 政策을 알면 더 感服할 것이며 易·繫辭傳에 『易者, 象也』의 理論은 『푸라토』의 『法象論』과 比較하면 더욱 明白할 것이며 荀卿의 『類不悖, 雖久同理』의 理論은 『아리스토틀』의 『類不變論』을 參考하면 더욱 容易하리라는 것이다.

上記 中 第二項——곧 系統의 整理에 注意할 것——은 多少 重要하므로

特히 以下에 胡氏의 그 大意를 比較的 詳細하게 記錄할 必要가 잇다고 생각한다.

『國故』를 系統잇게 整理하는 데에는 三部의 工作이 잇어야 할 것이니 곧

(甲) 索引式의 整理,

(乙) 結賬式의 整理,

(丙) 專史的 整理

等이다. 索引式 整理法은 곧 學術 各 部門을 索引式으로 整理하야 사람마다 古書를 쓸(用) 수가 잇게 할 것이요, 結賬式 整理法은

(一) 過去의 成績을 結束할 것.

(二) 將來에 努力할 新方向을 豫備할 것이란 것이다.

그러면 (丙)項의『專史式 整理法』이란 어떠한 方法인가? 胡氏는 아래와 같이 말하엿다.

……索引式 整理는 古書를 사람마다 쓰(用)게 하자는 것이요, 結賬式 整理는 古書를 사람마다 읽게 하자는 것이어서 이 兩項은 다 國學을 提唱하는 設備에 不過하다. 그러나 우에서 우리가 主張한 바와 같이 國學의 使命은 여러 사람으로 하여금 中國의 過去 文化史를 알게 하자는 것이요, 國學의 方法은 歷史의 眼光으로써 一切 過去文化의 歷史를 整理하자는 것이요, 國學의 目的은 中國文化史를 만드자는 것이다. 國學의 系統的 研究는 이로써 歸宿을 삼는 것이다. 一切 國學의 研究는 時代의 古今을 莫論하고 問題의 大小를 莫論하고 이 一大方向으로 나어가야 할 것이다. 다못 이 目的이 잇어야만 一切 材料를 整統할 수가 잇으며 다못 이 任務가 잇어야만 一切의 努力을 容

納할 수가 잇을 것이요, 다못 이 眼光이 잇어야만 一切 門戶의 畛域을 打破할 수가 잇을 것이다.

우리 理想 中의 國學研究는 적어도 아래와 같은 系統이 잇다.

中國文化史

(一) 民族史

(二) 語言文字史

(三) 經濟史

(四) 政治史

(五) 國際交通史

(六) 思想學術史

(七) 宗敎史

(八) 文藝史

(九) 風俗史

(十) 制度史

이것은 한 개 總系統이다. 歷史는 사람마다 만들 수 잇는 것이 아니요, 歷史家에게는 兩種 缺如되어서 안될 能力이 잇어야 하나니 (一)은 精密한 功力이요, (二)는 高遠한 想像力이다. 精密한 功力이 없이는 史料를 搜求하고 評判하지 못하며 高遠한 想像力이 없이는 歷史의 系統을 構造하지 못한다. 中國은 歷史가 길고 材料가 만흔 만큼 分功 合作을 하는 以外에는 이 큰 目的을 到達할 수가 없을 것이다.……

그러므로 처음에는 各 方面의 專史를 짓고 그 다음에는 또 時代 區域 等을 나누어서 研究할 必要가 잇다고 胡氏는 말하엿다.

胡氏는 中國 國故의 整理方案으로 以上에서 敍述한 諸 點을 結論하야 아래와 같이 말하엿다.

第一. 歷史의 眼光으로써 國學研究의 範圍를 擴大할 것.
第二. 系統的 整理로써 國學研究의 資料를 部勒할 것.
第三. 比較의 研究로써 國學材料의 整理와 解釋을 幇助할 것.
──胡適 著『國學季刊發刊宣言』에서[05]

【五】

三. 古文學研究論 - 周作人

古文學을 研究하는 必要는 어디에 잇는가? 周氏는 이 問題를 解答하기 爲하야 自己 友人의 아래와 같은 書信의 一節을 引用하야 말하엿다.

『……前人이 우리에게 남겨 둔 無數한 綾羅綢緞을 다못 끈허서 裁衣를 하지 못하엿으므로 只今은 正히 그것을 利用하야 裁縫하는 研究를 할 것이요, 그저 裂帛 撕扇한 것으로써 快意 事를 삼을 것은 아니다. 經驗을 蔑視하는 것은 우리의 愚陋한 짓이요, 前人을 抹殺하는 것은 우리의 罪過다.』

이 말을 周氏는 좀더 具體化하야 古文學을 研究하는 目的을 左와 如히 說

05　胡適, 「國學季刊發刊宣言」, 張若英 編, 『中國新文學運動史資料』, 光明書局, 1934.

明하엿다.

　『藝術上의 造詣는 本來 天才로써 基礎를 삼는 것이지마는 思想
　과 技巧의 涵養도 퍽으나 重要한 것이요, 前人의 經驗과 積貯는
　곧 그 必要한 材料가 될 것이다.…經驗과 積貯는 決코 本國에만
　限한 것이 아니나 그저 研究의 便宜上 外國의 文學은 語言과
　資料의 關係로 直接 研究하기가 比較的 困難하므로 自己 國語
　의 知識을 利用하야 古代의 文學을 研究하야써 創作力 或은 文
　藝 鑑賞의 趣味를 涵養하는 것이 가장 便利한 까닭이다.
　『그러므로 自國의 古文學을 研究하는 것은 國民의 義務가 아
　니라 곧 國民의 權利다. 따라서 傳統을 服從할 必要는 없는 것
　이다.』

　中國 新文化運動의 第一 目標는 過去의 傳統을 打破하자는 것이엇고 中
國 過去의 傳統의 한 가지로 儒敎의 弊害를 除去하자는 것이엇다. 中國의 儒
敎는 過去 二千年 間 그 自體 學理의 發展을 圖謀하기 爲하야 모든 文學, 哲
學, 其他 學術에 儒敎의 탈(面具)을 쓰이는 差誤를 犯하엿든 것이다. 周氏 亦
是 新文化運動 中의 一人인지라 이 儒敎의 탈을 文學 其他 學術에서 解除하
는 데 努力하엿든 것이다.

　그리하야 過去 作品의 本來 內容을 그대로 接受할 것이오, 中間의 儒敎的
註釋을 一切 排擊하자는 것이다.

　周氏는 그 實例를 들기 爲하야 아래와 같이 말을 始作하엿다.

　『우리가 古代文學을 읽은 데 가장 우리의 享樂을 妨害하며 우

리로 하여금 正解를 喪失하게 하거나 或은 魔道에 墮入하게
하는 것은 原來『業儒』前人의 解說이다. 玉帛 鍾鼓는 本來 正
當한 禮樂이어늘 그들은 따로 名分의 意義를 加하는 것이다.
그래서 一切 叙事, 抒情의 詩文에도 到處에 綱常 名教의 塗飾
을 加하게 되엇다.『關關雎鳩』는 原是 한 首의 좋은 戀愛詩어
늘 그들은『后妃之德也, 風之始也, 所以風天下而正夫婦也.』라
고 말한다.『尙有樛木』이란 詩句 亦是 結婚歌이어늘 도리어
이러케 말한다.『后妃逮下也, 言能逮下而無嫉妬之心也.』
『이와 같은 解說을 經過하면 그 儒業者가 崇拜하는 多妻主義
는 一層이 擁護를 얻기는 하나 그러나 벌서 詩의 眞意는 完全
히 抹殺되고 만다. 萬若 우리가 그것을 訂正하지 안는다면 이
兩篇 詩의 眞價는 出現하지 못할 것이다.
『어떤 사람은 忠君 愛國을 評詩하는 標準으로 하므로 古詩
十九首에 對하야 그네들은 이 標準과 不合하기는 하나 그러
타고 또 던저 버리기도 아까워서……이 詩를 모도 다『思君의
作』이라고 解釋한다. 이것은 勿論 거짓이다. 우리가 君主政治
를 憎惡하기 때문에 그것을 反對하는 것이 아니요, 實로 이 解
說은 事理에 맞지 안는다. ……文學上으로 말하면 그 忠愛의
詩文은(萬若 顯著하게 이런 類에 屬한 것이라면) 萬若 故意로 사람을
속인 것이 아니면 無意識的으로 스스로 속인 것이어서 참文藝
라고 말할 수가 없다.
中國文藝上 傳說의 主張은 正히 이 虛假한『名教를 爲한 藝
術』이다. 이 主張을 萬若 먼저 打破하지 안코 잘못 古代文學을
硏究한다면 利益을 엇지 못할 뿐만 아니라 도리어 欺騙을 當

하야 迷途에 들어가게 될 것이다. 이것은 注意하야 警戒하지 안흐면 안될 일이다.』

이와 같이 儒敎의 탈을 벗기고 虛僞의 解釋을 排擊하고 作品 그 本來의 面目을 鮮明히 하야 硏究하자는 究竟 目的은 어디에 잇는가? 周氏는 現代文藝의 創作上 重要한 利益을 얻기 爲함이라고 말하엿다.

『우리가 萬若 詩經의 舊說을 訂正하여 가지고 國風을 一部 古代民謠로 읽을 때에는 現在의 歌謠硏究에나 或은 新詩 創作上에 퍽 만은 効用이 잇을 것은 斷言할 수 잇는 일이다.
『古文學의 硏究는 現代文藝의 形式上에도 亦是 重大한 利益이 잇을 것이다. 現在의 詩文 著作에는 다 語體文을 쓰므로 所謂 古文과는 다르나 終是 同一한 來源이어서 그 表現力의 優劣은 根本上으로 一致한 것이다. 그러므로 古文學 中에서 前人의 經驗을 査考하는 것은 創作의 體裁上에도 적지 안흔 幇助를 얻게 될 것이다.』

上例로써 周氏의 말하는 古文學硏究의 目的을 알 수가 잇을 것이다.

　　　　　　　　　　　　——『古文學』에서[06]

06　周作人, 「古文學」, 張若英 編, 『中國新文學運動史資料』, 光明書局, 1934.

四. 新文學의 建設과 國故의 新研究 - 鄭振鐸

氏의 所論을 紹介하기 前에 먼저 氏의 經歷과 著書를 畧擧하야 氏가 國故 整理에 素養과 經驗이 豊富한 것을 알 必要가 잇다.

鄭振鐸氏는 號를 『西諦』라고 하고 過去에 中國의 最大 書店인 商務印書 舘의 編輯, 共學社의 編輯, 時事新報 學藝面 『學燈』의 編輯, 『兒童世界』의 主 編人, 『小說月報』의 主編을 歷任하엿고 上海 復旦大學에서 敎鞭을 잡은 일 도 잇엇으며 現今에는 純文藝 雜誌 『文學季刊』의 編輯, 『文學』의 編輯人으 로 잇고 燕京大學, 淸華大學에서 敎授를 하고 잇다. 그의 著書로는 『文學大 綱』, 『中國文學史』 等이 잇고 그 外에 雜著, 譯著가 만흐며 中國 民間文學, 明淸雜劇 等의 彙集, 出版에 努力하고 잇다. 己往 이 方面에 努力이 不鮮하 엿으므로 氏의 論은 實地 經驗에서 얻은 것이 만흐리라고 推測된다.

氏는 『國故』整理의 新精神을 아래와 같이 말하엿다.

……나의 國故整理의 新精神은 곧 『徵據 없는 것을 믿지 안는 것』과 科學的 方法으로써 前人이 開發하지 안흔 文學의 園地 를 硏究할 것이라는 것이다. 우리는 懷疑하고 우리는 一切 傳 統의 觀念——漢宋儒와 孔子 及 그 同時人에 이르기까지—— 을 超出하여야 할 것이다. 그러나 우리의 言論은 반드시 極히 穩固한 根據가 잇어야 할 것이다.……

鄭氏는 이러한 精神下에서 新文藝 觀念을 確立하려면 먼저 舊文藝 觀念 을 打倒하여야 할 것이오, 中國의 固有한 文藝作品의 眞價를 評하기 爲하여서는 먼저 過去의 傳統을 시처버려야 하겟다고 말하는 것이다. 鄭氏는 新文學運動 中에 應當『國故』를 整理하여야 할 理由를 두 가지로 들엇다.

……第一, 나는 新文學의 運動이 創作과 翻譯 方面에만 努力할 것이 아니라 一般 社會의 文藝觀念에 對하여서도 더욱 徹底하게 改革하여야 할 것이라고 생각한다. 왜 그러냐하면 舊文藝 觀念을 打倒하지 안은즉 그네들이 新文學에 對하야 一定코 反對의 態度를 가지거나 或은 新文學을 誤解하게 되는 것이다. 例를 들면 그네들이 먼저 大槪 詩란 것은 五七言이라야만 한다거나 或은 協韻의 傳統觀念이 心中에 잇은즉 現在의 新詩에 對하야 꼭 反對를 하려고 하고 攻擊을 하려고 한다. 或은 그네들이 먼저 大凡 새로 나온 것은 古代에 다 잇든 것이란 意見을 가지고 잇게 되면 우리가 지은 것과 譯來한 것을 다 誤解하게 되어서 『동키호테』를 『笑林廣記』로 보고 『모파상』의 性慾描寫의 作品을 『金甁梅』 等類로 본다.……이것은 얼마나 不幸한 일인가! 우리가 此種 舊文藝 觀念을 打倒하려면 一方面으로 무엇이 文學이며 무엇이 詩인것과 其他 等等의 文學原理를 紹介하여 와야 할 것은 勿論이요, 또 一方面으로는 舊文學의 眞面目과 弊病을 指出하야 그네들이 崇信하는 傳統의 信條를 一一히 打倒하여야 할 것이다.……
『第二, 우리의 所謂 新文學運動은 決코 完全히 一切 中國의 固有한 文藝作品을 推翻하려는 것은 아니다. 이 運動의 眞意義는 一方面으로 우리의 新文學觀을 建設하고 新作品을 創作하는 것이요, 一方面으로는 中國文學의 價値를 새로 評價하

고 或 發見하는 것이다. 金石을 瓦礫 中에서 搜出하고 傳統의 灰塵을 光潤한 거울(鏡)에서 씻어 버리자는 것이다. 例를 들면 元, 明의 雜劇 傳奇와 宋의 詞集의 書目을 編纂한 사람들은 小道이어서 足히 取錄할 것이 없다고 생각하지마는 實相인즉 그네들의 眞價値가 四庫 書目上에 著錄한 元明人 詩集 以上이다. 또 『水滸傳』, 『西遊記』, 『鏡花緣』, 『紅樓夢』 等 諸書도 亦是 正統派 文人이 價値 없는 것으로 여기는 바이지마는 그들의 眞價는 亦是 無聊한 經解와 子部, 雜家, 小說家와 史部의 各書 以上이다.……[07]

곧 다시 말하면 本來의 價値를 發揮하지 못한 古書籍을 새로 評價하자는 것이 氏의 第二 理由일 것이다.

氏는 끝으로 中國의 國故를 談論하는 論文 中에서 그 通病을 세 가지로 들어 말하엿다.

一. 새 見解가 없는 것.

二. 너무 空疏하고 切實한 研究態度가 없는 것.

三. 歐米의 言論을 끌어다 附會하는 것.

──該氏의 問題論文에서[08]

---

07 '』'가 누락되어 있다.

08 鄭振鐸, 「新文學之建設與國故之新研究」, 張若英 編, 『中國新文學運動史資料』, 光明書局, 1934.

五. 國故에 對한 態度 - 顧頡剛

國故整理에 對하야 前代人과 現在人의 態度가 根本的으로 다르다는 것을 顧氏는 아래와 같이 말하엿다. 前人은 『擇其善者而從之, 其不善者而棄之』의 態度를 取하엿으므로 自己네가 願하는 어느 家派에 들어가서 그 一家派의 것만을 硏究하고 整理하엿든 것이다.

> ……그러나 現在의 우리는 그러치 안타. 우리는 家派의 外에 서서 平等한 眼光으로 各 家派 或은 向來에 家派에 屬하지 안흔 思想 學術을 整理하여야 한다. 우리도 亦是 한 가지 態度가 잇으니 그것은 곧 『그 原有의 地位를 看破하여 가지고 그 原有의 價値를 還給하자!』는 것이요, 우리는 『善』, 『不善』의 分別도 없으며 『從』, 『棄』의 需要도 必要치 안는다.……

다음에 氏는 國故整理와 新文學運動의 關係를 이러케 말하엿다. 『國故整理는 新文學運動과 서로 仇讎같이 對立되는 것이 아니요, 新文學運動 中에 의례이 잇어야 할 것이다.……(그 差異는) 다못 一種 學問上의 두 階段』에 不過하다.

> ……現在에 살아 잇는 사람이 現在의 이야기를 말하려 하므로 新文學運動이 잇고 現在에 사라 잇는 사람이 過去의 生活狀況과 現在 各種 境界의 由來를 알려고 하므로 國故를 整理하자는 要求가 잇는 것이다.……

곧 다시 말하면 왜 國故를 整理하게 되는가?

······우리가 歷史觀念이 없으면 모르거니와 萬若 歷史觀念이
잇다면 어떠케 過去 情形을 알고자 하는 渴望을 禁할 수가 잇
겟는가!······

氏는 이와 같이 國故整理의 必要를 말하기는 하나 그러타고 하여서 『國
故整理』로써 現在의 前程을 開拓하는 것이라고는 보지 안는다.

······우리가 現在에 나갈 길(路)은 本來 現時代가 우리에게 指
示한 바이 잇으므로 구태어 國故 中에 向하야 敎誨를 받을 必
要는 없을 것이다. 國故를 整理하는 理由는 完全히 歷史上의
興趣를 滿足시키기 爲한 것이거나 或은 學問을 硏究하는 사람
이 그것을 一種 職業으로 함에 不過한 것이오, 決코 古人에게
向하야 術策을 배우는 것도 아니며 古人에게 徒弟를 받아달라
고 請하는 것도 아니다.······

氏는 國故整理의 方法으로 아래의 네 가지를 들엇다. (一) 收集, (二) 分類,
(三) 批評, (四) 比較.[09]

---

09 顧頡剛, 「我們對於國故應取的態度」, 張若英 編, 『中國新文學運動史資料』, 光明書局,
1934.

六. 國故整理의 評價 - 郭沫若

郭氏 此論의 前半部는 吳稚暉의 國故整理가 時急할 問題가 아니라는 論과 다음에 紹介한 成仿吾의 所論을 反駁한 것이다. 그 反駁의 要旨는 사람마다 同一한 事物을 研究할 수 없으므로 國故를 研究하지 말고 國民 全部가 時急한 目前의 事를 研究하라는 것도 不可能한 일이며 또 누구에게나 國故整理에 努力하라는 것도 亦是 不可能하다는 것이다.

다음에 氏는 國故整理를 評價하면서 아무리 國故整理를 잘한다 하드래도 有名한 原作을 當할 수 없는 것인즉 結局은 創作이 훨석 價值잇는 것이라고 論斷하엿다.

> ……國學에 이르러서는 究竟 研究할 價值가 잇는가 없는가?
> 이것은 研究를 하여본 後에야 解決할 수 잇는 問題이다. 우리
> 가 그것을 解決하려면 그것을 研究하지 안하여서는 안된다.
> 研究의 方法은 科學의 精神에 맞어야 할 것이요, 研究에 把握
> 이 잇는 然後라야 整理를 말하게 될 것이다. 그리고 此種 整理
> 事業의 評價는 우리가 너무 過히 할 것이 없다.
> 整理의 事業은 기꿋햇자 그저 一種의 報告요, 一種 舊價值를
> 重新으로 評價한 것이요, 決코 一種 新價值의 새로운 創造가
> 아니며 그것은 한 時代의 文化의 進展上 그 貢獻이 퍽으나 微
> 少한 것이다. 『섹쓰피어』와 『꾀―테』의 研究書가 車載斗量이
> 지마는 그러나 一篇의 『함레트』와 『파우스트』가 英獨 文化史
> 上에 占하고 잇는 勢力을 當하여 낼 수가 없다.
> 千家가 『杜』의 註를 내고 五百家가 『韓』의 註를 내지마는 亦
> 是 杜甫, 韓退之의 一詩 一文이 우리의 文化史上에 積極的 創

造가 잇는 것을 어떠케 當할 수가 잇겟는가? 우리는 恒常 朋
友에게 談笑를 하면서 우리는 傑作을 지어내는 데 努力하야
百年 後의 考證家의 考證에 供할 것이라고 말한다.──이것은
決코 考據家나 或은 國學研究家의 尊嚴을 蔑視하는 것이 아니
요, 實際로 國學研究나 或은 考據 考證의 評價가 在來 그저 이
럴 뿐인 것이다. 그것은 그저 既成 價值의 估評이요, 決코 新
生 價值의 創造는 아니다. 우리로서 國學研究에 從事한 사람
은 應當 먼저 이 一點을 詳知한 然後에 虛心 克己하야 從事하
면 거위 多數人의 盲從을 적게 할 것이요, 眞摯한 研究家가 참
으로 出現하게 될 것이다.

──『我們對於國故應取的態度』(顧頡剛)과 郭氏의 上題文[10]에서

【完】

七. 國學運動의 我見 - 成仿吾

氏는 中國 新文化運動 以後의 變遷을 三階段으로 나누어 말하면서 그 大
部分이 그러케까지 成功하지 못하엿고 도리어 退步를 하엿으며 또 그 弊害
가 적지 안흔 것을 들엇다.

……最初 우리에게 所謂 國語運動이 잇엇으나 이것은 우리의
有耶無耶한 革命과 같이 何如間 成功한 셈이엇다. 그 다음에

---

10 郭沫若, 「整理國故的評價」, 張若英 編, 『中國新文學運動史資料』, 光明書局, 1934.

所謂 學術運動이 잇어서 社會, 經濟, 哲學에 關한 만흔 書籍이 雨後의 竹筍같이 나타낫엇으나 不幸히 投機의 商人이 만하 조흔 것은 完全히 없엇고 廣告는 크게 내나 그 內容은 되려 空虛하엿엇다. 一文의 價値도 없는 사람이 自稱 哲學家, 自稱 社會學者라고 하야 더욱이 사람으로 하여금 噴飯을 하게 하엿으므로 此種 運動의 結果는 그저 商人 各人이 그네들의 骸骨을 赤裸하게 暴露한 셈이엇엇다. 最後로 現在 所謂『國學運動』이란 것이 잇으나 이 運動이 어떠케 奇怪하고 이 運動에 參加한 사람이 어떠케 無聊하든지 나에게는 適當하게 表現할 말이 없다. ……國學運動! 퍽으나 듯기 조튼 名詞다!……그러나 그네들의 此種 運動의 神髓는 可惜하나마 死灰 中에서 火燼을 찾아내어 가지고 그네들의『安樂하든 옛날』의 이야기로서 滿足을 하며 그네들은 盲目한 愛國的 心理를 利用하야 그네들의 倒行 逆施하는 狂妄을 實行하려고 한다. 그러므로 萬若 國粹派가 新文化運動을 淸談이라고 말한다면 우리는 此種 國學運動을 淸談 中의 淸談이라고 하여야 適當할 것이다. 그 遺害가 百倍나 더 甚한 淸談일 것이다.

氏는 이 國學運動에 參加한 사람을 三種類로 나누어 그 人材의 適當치 못한 것, 그 方法의 非科學的인 것을 들어 當時 中國 國學運動의 有害한 點을 說明하엿다. 氏의 三種人이란 것은 아래와 같은 것이다.

⑴ 學者, 名人으로서 배운 것이 有限하야 不得不 國學으로 孤城을 삼는 者.

⑵ 老儒, 宿學과 國學을 除한 外에는 能事가 없어 乘機倡和한 者.

⑶ 盲從 一派, 이것은 어느 運動에나 必需한 것.

……이 三種類의 사람이 그 性質은 不同하나 古人의 非科學的 舊法을 純全히 襲用한 것으로는……마치 한가지다. 科學的 方法으로 眞切한 硏究를 하려면 그네들은 다 科學的 素養이 缺欠되어 잇고 그네들의 方法과 態度는 淸時의 考據家를 承襲한 데 不過하다. 그러므로 그네들이 죽기를 限하고 硏究를 한다 하여도 기껏햇자 그 前과 같이 無益한 考據를 增加할 뿐이다. 이와 같은 硏究는 우리의 生活과 조금도 相關이 없을 뿐 아니라 國學의 硏究에도 何等의 有益이 없을 것이다.……

……廣義로 말하면 무슨 事物이나 다 硏究의 對象이 되는 것이다. 그러나 硏究하는 사람이 첫재 十分의 素養이 잇어야 하고 둘재는 適當한 方法이 잇어야 할 것이다.(그런데) 現在 만은 國學運動에 熱心한 사람들을 보면 非但 十分 素養이 없을 뿐 아니라 亦是 아즉 適當한 方法도 가지지 못하엿다.……

成氏도 結局은 國學도 硏究할 價値가 잇는 것으로는 말하엿으나 아즉 그 適當한 方法을 얻지 못하엿고 또 批評的 態度가 없으므로 現在는 그저 修養할 時期요, 硏究나 整理할 時期에 到達하지 못하엿다는 것이다.

……國學은 우리가 自然히 硏究할 價値가 없다고 말할 수는 없다. 그러나 現在에 그저 硏究를 高談하는 것은 上列의 三種 人에 對하여는 아즉 時期尙早인 것을 免치 못할 것이다. 그런데 더군다나 群起하야 一種 運動을 한다는 것은 말도 되지 안는다. 大凡 한 事物을 硏究하는 데에는 恒常 批評의 態度를 가저야만 眞確한 結果를 얻을 수 잇고 批評의 態度를 保持치 못

하면 도리어 迷惑하는 바가 되는 것이다.…批評의 態度 或은 精神을 保持하려면 반드시 十分의 素養이 잇어야 하므로 우리가 國學을 硏究하드래도 亦是 먼저 十分의 素養이 없어서는 안될 것이다. 現在는 修養의 時期요, 아즉 硏究는 이야기도 하게 되지 못하엿다.……

그러치 못하고 다맛 考證만을 하는 것은 그저 死文字를 羅列한 데 不過하리라는 것이다.[11]

(了)

——全篇은 『中國新文學運動史資料』에서

---

11 成仿吾, 「國學運動的我見」, 張若英 編, 『中國新文學運動史資料』, 光明書局, 1934.

中國 劇藝術의 研究[01]

洪海星

(1)[02]

中國의 劇場

1. 演劇 宣傳文

中國서 演劇을 求景할야면은 무엇보다도 먼저 어느 劇場엔 어떤 演劇을 上演하고 또 어느 劇場에선 어떤 俳優가 出場하는지를 調査해야 할 것이다. 그럴랴면 地方에 따라『무슨 話報』란 조고마한 新聞 廣告欄을 求해서 보든지 或은 그 地方新聞 演藝欄에서 오날은 어느 劇場에는 어떤 演劇을 누가 하는지를 아라 본 후에 가는 것이 確實할 것이다. 그리고 또 每日 아침마다 街路上에서 뿌리고 단이는 演劇 비라를 求해서 보는 것도 完全한 것이라고 生覺한다. 演藝欄이나 비라를 보면 거기에『夜戲』或한『晚戲』라고 쓴 것은 夜間에 한는 演劇을 말함이오,『日戲』或은『早戲』라고 하는 것은 晝間에 하는 演劇을 말한 것이라. 비라는 우리가 使用하는 그것보담 조곰 큰 것인데 그

---

01 『朝鮮日報』 1934.11.23, 11.25, 11.27~11.30, 12.1, 4면.

02 매회 연재분 표기로서 7회에 걸쳐 연재되었다.

內容도 거진 갓다. 開場하는 時間은 『日戲』 即 晝間 興行은 正午 頃에 始作해서 午後 五時 頃까지, 『夜戲』 即 夜間 興行은 午後 六時부터 十二時까지. 그러나 어떤 때는 夜半을 지날 때까지 終演을 못하는 수도 때때로 잇다고 한다. 그리고 『日戲』보다 『夜戲』편을 第一로 생각을 하고 또 出場하는 俳優들도 夜間이라야 一流의 舞臺 藝術家들이 登場을 하고 그들의 神通한 名演技를 볼 수가 잇는 것이다.

2. 劇場의 外觀

中國 舊式劇塲의 現狀 外觀은 劇塲 門首에는 黑色의 二大 木柱가 正門 左右에 놉히 소사 잇고 一大 偏額을 中央에다가 『某某茶園』이란 劇塲 名稱이 걸녀 잇다. 劇塲 名稱도 녯 날엔 『戲萩[03]』, 『戲園』으로 有別한 것이라고 한다.

(2)

戲荻이란 것은 某堂, 某會舘이라고 부르든 것으로 『衣冠揖遜, 上壽娛賓의 處所로써 淸歌妙舞, 絲竹迭奏 하든』 곳이다. 即 大宴會과 劇場을 兼用한 것이며 戲園乾[04]은 某園, 某樓, 某軒이라고 하든 것인데 이것은 『偶然茶話, 人海雜遝, 諸伶登場, 各奏爾能, 鉦鼓喧闐, 好好라는 叫聲이 往往 萬鴉競噪함 갓다』는 것으로 이것이 普通 劇場이나 現今에 中國劇場의 名稱은 通俗的으로 或은 戲園子, 或은 戲舘子라고 한다. 南北 各地에는 또 茶園이라 부른다. 例를

---

03 청 楊懋建의 『夢華瑣簿』에 나오는 기록으로서 '戲莊'의 잘못이다. 아래도 마찬가지다.

04 '乾'자는 잘못 기입된 오식이다.

들면 丹桂茶園, 天樂茶園, 天仙茶園, 春桂茶園과 가튼 것이다. 그러든 것이 近來에 와서는 某某 舞臺란 名稱을 使用하게 된 것이다. 그러나 劇場 構造만은 只今도 在北平에 잇는 劇場 中에 慶樂園, 三度園[05], 廣和樓 가튼 것은 現隆[06] 以來로 何等 變化가 업시 今日까지 保存되야 온 것이라고 한다. 그리고 劇場 外面에 『紙榜』을 드리우고 正門 左右側 壁에는 紅紙에다가 上演하는 劇名, 出演하는 俳優들의 姓名과 配役 等을 大字로 쓴 포스터—가 부터잇다.(이것을 中國에선 報條라고 한다.)

劇場 正門은 二重 或은 三重으로 되야 잇다. 劇場 出入門도 녯 날엔 男女의 出入門이 區別된 것이라고 하나 只今은 男女가 共通으로 出入들을 하고 잇다. 劇場 門前에서 正門을 바라보면 紅黃條子에 某某演 某班 某戲라고 大書한 것만 눈에 띄일 뿐이다. 何如間 劇場 門안에 들어가야만 모든 것을 알수가 잇다는 것처럼 劇場의 構造가 되야 잇는 것이다. 正門에서 出入門으로 들어가면 右便에는 票房이란 것이 잇고 左便에는 櫃房이란 것이 잇다. 入場票란 것도 新式 劇場에서는 座席表圖를 보고 入場券을 사지만은 舊式 劇場엔 劃場안으로 들어가서 入場券을 사게 된다. 入場券도 녯 날엔 茶票 또는 座劇券이라고 하든 것이라고 한다.

入場券을 사는 것도 自己가 안고 십흔 座席에 가서 座定을 하면은 조곰 잇다가 入場券 파는 사람이 觀劇者에게로 와서 入場券을 팔고 간다. 그 때에 비로소 入場 料金과 茶代 等을 한거번에 支拂하게 된다. 그러나 萬一에 演藝 話報나 劇場비라 가튼 것을 보지 못한 사람은 支那 劇場은 우리 劇場과는 달나서 劇場 門間에서는 入場券을 팔지 안을려고 든다. 우리 觀客은 劇場안에

---

05 '三慶園'의 오식이다.

06 '乾隆'의 잘못이다.

서 하는 演劇이야 觀客 마음에는 들든지 안들든지 간에 演劇 求景을 할야면은 于先 入場 料金을 내지 안코서는 劇場 안으로 아모나 마음대로 들어가지를 못하지마는 中國劇場의 道德은 그러치가 아니하다. 演劇을 自己 눈으로 보지도 안코서는 自己 마음에 滿足할 劇인지 아닌지를 모르는 까닭에 何如間 들어가서 한번 보기로 되야 잇는 것이다. 門間에서는 아모도 무어라고 창견하는 사람도 업다. 그래서 自由스럽게 누구든지 마음 내키는 대로 劇場에 들어가서 十分이나 或은 二十分 동안이라도 客席 맨 뒤에서 空짜로 求景을 하게 된다. 그러고 잇는 동안에 오날 演劇이 저만하니까 座定해서 觀劇할만 하다고 生覺이 나면은 그때에 비로소 自己 마음에 안고 시픈 座席에 가서 座定을 하게 되는 것이다. 中國 演劇은 椅子에 한번 안끼만 하면은 그때부터는 觀劇者도 한동안은 奔忙하게 되고 만다.

(3)

一定한 座席에 안끼만 하면은 얼마 안가서 入場券을 가저 오느니 수박씨를 가저 오느니 또 茶를 가저 온다. 그러는 동안에 뜨거운 물에다 찐 手巾을 짜서 가저 오기도 하고 멀니서 손님에게로 던저 주기도 하고 서로 밧기도 한다. 그래서 한바탕 物件을 밧고 돈을 내여 주고 또 밧고 수[07]기를 한참 하고 나면은 이때야말로 정말 그 劇場에 손님이 되는 것이다. 그러니까 萬一에 上演하는 演劇이 自己 마음에 들지 안흘 때는 椅子에 안지를 말고 섯다가 그대로 나가 버리면 그만이다. 어느 누가 空求景만 하다가 나가느니 드러 오느

---

07 '주'의 오기다.

니 수다스럽게 干涉을 하지 안는다. 들어갈 때에 마음대로 들어갓는데 나간다고 누가 무어라고 하지를 안흘 뿐 아니라 座定을 하지 안코 空求景 한다고 이마ㅅ살을 찌푸리는 그러한 小人的 興行師는 한 사람도 업는 것 갓다. 座定한 顧客은 入場券과 紅紙로 만든 푸로그람을 밧게 된다. 푸로그람 內容은 上演하는 劇本의 劇名과 出演하는 俳優들 中에 有名한 人物들이 紹介되야 잇다. 그리고 入場 料金은 朝鮮에 比하면 조곰 놉고 劇場 客席도 普通으로 相當히 넓히가 잇다. 큰 劇場은 定員이 二千 三四百, 그러나 人口가 적은 곳에는 千餘名 박게 더 들어가지 못하는 小劇場式 劇場도 보인다.

3. 劇場 內部의 構造

劇場 內部의 構造는 本來가 觀客席에서 演劇을 눈으로 보는 것(視覺)보담 귀로 듣는 것(聽覺)을 重要視하는 까닭에 觀劇者의 座席도 舞臺를 向하야 縱으로 平行해서 잇다. 그리고 이 客席은 한 間마다 板壁으로 間隔을 하야 잇고 每間마다 前面에는 茶具 等을 池[08]備해 두는 橫板 茶卓이 노혀 잇스며 後面에는 藤椅子가 羅列해서 잇다. 支那 舊劇은 朝鮮 舊劇처럼 元來 귀로 듣는 것을 重要視하는 까닭에 그네들의 使用語에도 演劇을 『聽戱』라고까지 한다. 그러나 中國의 南部, 例를 들면 廣東이나 福建 地方에서는 『看戱』곳 演劇을 본다고도 한다. 그것은 支那의 舊劇은 一般的으로 北京官語를 標準語로 臺詞를 使用하므로 南方 支那人들은 그 官語를 모르는 까닭에 그들의 歌詞를 알 수가 업스니 不得己 舞臺 우에서 表現하는 動作을 보는 것이 重要하게 되는 故로 看戱란 말을 使用하나 그것은 南方人에 限한 用語이고 정말 觀劇

---

08 '準'의 오식이다.

은 赤是 本來의 目的은 唱戱 그것이다. 觀客은 먼저 俳優의 聲樂의 好不好를 評하게 되고 咽喉가 조흔 俳優는 그 地位가 노프고 名俳優라고 하는 點은 唱劇 如何에 달인 것이다. 그러니까 따라서 支那 演劇에는 朝鮮 舊劇처럼 樂人이 舞臺에 나타나게 된 것이다. 이 樂人(伴奏者)에 座席 位置는 舞臺 左側에다가 設備해 두는 것이다. 그래서 奏樂의 소리와 거기에 和하야 俳優가 舞臺에 나타나서 노래와 춤으로 演劇을 表現하는 것이다. 樂人들은 或은 椅子에 안기도 하고 어떤 樂人은 그 樂器에 따라서 그대로 서기도 하고 모도들 한 곳에 모혀서 橫笛이나 從笛을 부르는 樂人들도 잇다. 그들의 第一 重要한 것은 舞臺에서 表現하는 歌詞가 特別한 注意를 끄으는 그 句節에[09](크라이막스)에 가서 效果를 내는 것이다. 그리고 劇場 客席의 配置는 三方으로 二層이 둘너 잇서 樓上 樓下로 區別되야 잇는데 中央 上部에는 天井, 그 天井 밋바닥의 廣場이 下層 客席이 되야 잇다. 이 廣場(맨 밋칭 바닥)을 『池心』 或은 『池子』라고 부른다.

(4)

여기는 大槪가 市井에 小人 客席으로 賤席이다. 그러나 亦是 設備는 長椅部와 茶卓子가 橫으로 노혀 잇다. 只今 上海 戱園 가튼 데는 池心에다가 上等席을 設備햇다고 한다. 客席에 對한 名稱도 여러 가지로 區別이 되야 잇스니 例를 들면 『官座』라는 것은 只今 普通 부르는 『包廂』이라고 하는 것인데 이 官座의 位置는 樓上에 最後部, 戱臺에 갓가운 곳에 左右가 各各 屛風처

---

09 '에'자가 중복 기입되어 있다.

럼 되여서 間隔을 지은 것이 곳 官座라고 하는 것이다. 이 官座의 來客은 特別席으로 所謂 豪客들에 座席이며 右樓上의 官座를 上場門이라 하고 左樓의 官座를 下場門이라고 한다. 官座는 下場門에 第二座를 가장 高貴한 座席이라고 하며 『正樓』란 座席을 客席으로 使用치 아니함은 高貴한 人物이 不時에 來臨할 때에 使用케 할야는 貴人들의 預備席이라고 한다. 녯날 康熙帝가 月明樓(淸朝 初期에 有名한 戲園으로 乾隆時代까지 尙存한 劇場)에 微行한 일이 잇섯다고 한다. 그래서 그때 이 微行한 이야기가 世俗 相傳한 것이 오늘날에는 歌謠가 作成되고 雜劃이 되여서 婦人, 孺子할 것 업시 모르는 사람이 업다. 그리고 乾隆皇帝가 亦是 微行으로 北平(北京)에 有名한 劇場 廣和樓에 來臨할 때도 亦是 正樓에 案內햇다는 傳說이 今日에 梨園에서는 큰 榮光으로 傳해온다. 그리고 『散座』란 것은 樓下에 周廻하야 長椅子를 設置하고 觀者들은 比肩하면서 環座하는 곳을 말함이오, 正樓 下에는 『邊坐[10]』란 것을 設置한 곳이 잇는데 여기가 第一 票價가 헐한 곳이다. 그 다음은 『釣魚臺』, 只今은 이 座席을 『小池子』라고 한다. 下場門側인 까밝에 高貴한 座席으로 친다. 그러나 上場門側에는 鳴鉦喤聒, 目眩耳聾하는 까닭에 그 座席은 來客들이 願치 안는다고 한다.

『前臺』. 中國 舞臺는 俗稱에 前臺 或은 戲臺라고 한다. 이것은 劇場 中央에 突出하야 地面에서 놉히가 三四尺, 純方形으로 된 것인데 그 面積은 約 十七八方尺에서…二十方尺에 갓가운…前端 左右의 兩隅에는 各 大圓柱에 黑漆한 것이 놉히 서잇고 柱間 上部에는 鐵桿 一根 或은 二根을 橫으로 設置한 것이 잇는데 이것은 武藝 演習 時에 使用하는 것이라고 한다. 舞臺 前面과 左右에는 高가 一尺餘의 欄干으로 되야 잇는데 아름다운 彫刻으로 裝飾

---

10   '邊座'의 오기다.

한 것이다. 그 다음은 『鬼門道』란 것이다. 이것은 戲臺의 後壁 左右 兩端에 各 小門을 말하는 것이다. 簾幕을 드리운 俳優들의 出入門이다. 右便을 上場門이라 그리고 左便을 下場門이라 한다. 兩小門을 부르되 『鬼門道』라고 하는 理由는 鬼란 뜻은 俳優들의 그 扮裝하는 登場人物들은 모도가 벌서 往昔의 人物인 故로 이 出入門을 일홈하야 鬼門道라고 한다. 『後臺』. 後臺 或은 戲房이라고 하는것은 板壁으로 間隔을 한 舞臺에 後面과 相接한 곳, 前臺에 後方을 가라처 後臺라고 한다. 그 構造는 普通으론 舞臺에 連續하야 長方形으로 되야 잇고 그 面積은 劇場 規模에 따라서 一定하지가 안흐나 大槪는 長이 六七丈, 廣은 二丈 左右로 되야 잇고 그 舞臺와 連續한 곳에 高가 二尺餘쯤 되고 깁히가 一間쯤 되는데, 이곳에는 開演 中에 俳優들이 自己네들의 登場할 時間을 기대리고 잇는 處所이다. 『扮裝室』. 扮裝室은 後臺 上部 二層과 後臺 左右側에 設備되야 잇다. 그리고 後臺 뒤에는 寫戲報房과 衣包房, 茶房이 잇고 所持品과 其他 使用物品은 後臺 天井이나 壁에 걸어두기도 한다.

5. 面幕 업는 舞臺

中國 演劇의 特色은 舞臺와 客席과의 中間에 面幕이란 것이 업다. 일을 테면 面幕이 업시 始演할 때부터 終演할 때까지 面幕에 開閉가 업스니 自然 幕間이란 것을 두지 안코 여러 場景이 맛치 走馬燈처럼 變化하는 것이다. 勿論 廻轉舞臺란 것도 업다. 그리고 보니 觀衆이 떠드러서 劇場 內部는 一種의 亨樂的 氣分이 充滿하고 俳優들의 扮粧(所謂 臉譜)한 奇怪한 얼골과 燦爛한 衣裳에 彩華며 冠玉에 美光 等 어듸를 보와도 劇藝術美에 感嘆하지 안흘 수 업다. 面幕을 使用치 안는 故로 幕間 休息이 업스니 觀衆들은 客席에 안진 채로 飮食을 먹는 그러한 習慣을 가지게 하는 同時에 開演 中이라도 觀客들 끼리는 서로 떠들고 擾亂하다. 觀劇者의 頭上으로 더운 물에 찐 手巾을 던지

기도 하고 밧기도 하는 奇觀은 처음으로 中國 劇場에 求景 가는 觀劇者로 하여금 참으로 異常한 늣김을 준다.

(5)

이와 가튼 習慣도 無理가 아닌 것은 實際에 잇서서 하로 밤 演劇을 求景하는 동안에 沈默을 覺悟하지 안는 以上, 幕과 幕 사이나 劇과 劇 사이에는 寸時라도 幕間休息이 업는 까닭에 開演 中이라도 談話를 自然 할 수 박게 別道理가 업슬 □[11]이다. 그러나 觀劇하는 民衆의 程度는 萬一에 有名한 俳優가 登場할 때는 피우든 卷煙을 꺼버리기도 하고 그리고 只今까지 떠들든 客席은 쥐 죽은 듯이 고요하다. 『聽戱』와 飮食과의 調和는 어느 나라보다도 中國에서 第一 發達된 것 갓다. 비단 中國뿐 아니라 近代 娛樂의 傾向은 다 시금 넷날로 도라가서 모든 官能的 慾望에 滿足을 劇場 內部로 集中할야는 것 가튼 生覺이 난다. 劇場에서 飮食을 먹는 것은 中國 劇場에서는 觀劇의 重要한 一部分으로 되야 잇다. 이것이 中國 劇場 內部에 特異한 光景의 하나라 할 것이다. 中國 劇場人 Y氏는 나와 劇談을 하든 中에 이러한 에피소트를 들여 주엇다. 『客席에서 演劇을 求景하다가 將來性을 가진 女俳優가 榮光스러운 舞臺에서 處女 出演을 할 때 그의 天才的 美妙한 演技가 絶頂에 니르게 될 때에 客席에서 觀劇하든 손님이 舞臺 우에 띄여 올라가서 그 女俳優를 껴안는 習慣이 잇다. 그뿐 아니라 입을 마추고, 야단을 하는 판에 그만 只今까지 連續하든 그 演劇은 中止가 되고 觀衆들은 熱狂하야 拍手喝采를 하고 그러한 事件이 니러난 後日에는 그 地方 新聞紙上에 劇評이 실리고 그 女俳

---

11 '것'자로 추측된다.

優의 寫眞과 樂園 某班의 歷史가 나고 그래서 好評이 京鄕에 휘날리면은 그 때에 비로소 그의 名聲이 노파지며 出世를 하게 되고 中國 第一의 名俳優로써 尊敬을 밧게 된다.』고 한다. 觀客들은 어떤 俳優의 歌詞라든지 或은 勤作이 入神에 妙技를 表現하면은 觀衆은 自我를 忘却하고 그 劇에 熱中이 되야서 『好好』소리를 連發을 한다. 그리고 無我境으로 心醉하고 만다.

6. 裝置가 업는 舞臺

中國 劇場은 朝鮮 舊劇과 近似하다. 그들의 舞臺藝術(舊劇)은 舞臺 裝置나 舞臺 照明가튼 것으로써 舞臺의 效果를 내어서 幻影的으로 무엇을 줄만한 것이 업다. 勿論 中國 舊劇의 演出家나 舞臺 美術家들도 오랜 동안 硏究한 結果에 한 가지 主義이지마는——或은 오히려 오랜 習慣의 保守的일지도 모르나 如何間 舞臺 效果에 手段은 다만 劇本의 歌詞와 舞臺의 動作에만 重要視하는 것 가티 보힐 뿐이다.

(6)

事實 舞臺는 한갓 演壇처럼 되여 잇고 俳優는 그 우에서 그들의 個性과 技藝 以外에는 何等 舞臺的 힘을 빌리지 안코 劇術만 表現하는 것이다. 우리 觀劇者에게는 잇서야 할 그러한 舞臺 裝置가 업서도 그들은 何等의 不平과 不滿을 갓지 안는다. 舞臺 照明도 上演하는 劇本에 必要한 무슨 特別한 照明 裝置나 般[12]備가 되여 잇는 것이 아니라 晝間에는 劇場 中央 天井에 큰 유리

---

12 '設'의 오식이다.

窓과 二層 客席 後壁에 둘려 잇는 유리窓으로 드러오는 日光 그대로 天然的 光線을 利用하야 開演을 하고 夜間에는 五色이 玲瓏한 燈籠이 舞臺 天井과 客席 欄干 周圍에 裝置가 되야 잇서서 그 燈籠의 光線으로 舞臺와 客席에 照明을 한다.

7. 中國 劇舞臺 約束

中國劇은 朝鮮 舊劇처럼 俳優는 主戱曲을 歡詞에 伴奏를 마추어 表現하는 까닭에 或은 舞踊化 한 것도 잇고 또 劍舞나 武藝로서 表現하는 것이다. 그럼으로 業則으로는 背景이나 舞臺 裝置나 舞臺的 效果를 使用치 안코 演劇을 進行하는 故로 거기에 따라서 動作으로써 모든 것을 表現하기 때문에 舞臺의 約束이란 것이 大端 複雜하다. 例를 들면은 다음과 갓다.

一. 손으로 門을 여는 動作과 또 門을 닷는 動作을 하는 것은 門에 開閉를 表現하는 것.(勿論 舞臺 우에는 門이라고 할만한 裝置物이 업다.)

二. 門이 잇다고 假定하고 右足을 조곰 드는 것은 門안으로 드러간다는 것.

三. 門이 잇다고 假想을 하고 門박게 來客이 잇슬 때 또 門을 여는 動作을 하지 안코 門안에 잇는 사람과 서로 말을 하는 것은 主人은 집안에 잇는 것이며 只今 차저온 손님은 門박게 잇다는 것을 表現함이다.

四. 椅子와 卓子 等을 나란히 노코 그우흐로 올나가 안거나 서는 것은 노픈 곳에 올나 갓다는 것.(山에 오를 때는 山을 그린 背景 쪼각을 裝置함.)

五. 四方에 椅子를 노코 兩端이 버러지는 幕으로 寢臺를 맨들고 그 우에 눕기도 한다.

六. 馬箠가튼 것을 들고 잇슬 때는 그 사람은 馬上에 人物을 表現하는 것.

七. 紫色 旗발에다가 車輪을 그린 二個의 幕사이로 俳優가 드러가 잇는 것은 車騎에 人物이 탓다는 것.

八. 風浪을 그린 旗를 가지고 登場하면은 龍宮(水國)을 意味하는 것.

九. 白紙 쪼박을 兩 억게 우에 길게 내려터리는 것은 幽靈이란 것을 보이는 것.

十. 紫雲을 그린 것을 舞臺 우에 보이는 것은 仙境에 神仙을 表現하는 것.

우에 例를 든 것과 가티 이러한 舞臺 約束이 이 박게 만히 잇스나 後日에 미루기로 한다. 그리고 舞臺에는 卓子와 椅子 等이 裝置되야 잇다. 어떠한 場景을 表現하든지 椅子와 卓子만은 언제든지 그대로 두는 것이다. 또 森林을 觀客에게 알니울 때는 椅子 뒤에다가 나무가지 두어 게를 꼬자두면 그만이다. 또『數萬名에 軍士를 거나리고 行軍하다가 本陣營으로 도라왓다는 演劇』가튼 것도 우리가 生覺하기에는 어려운 演出이고 매우 困難한 것이지마는 그들은 아주 簡單하면서도 名演出을 우리에게 보이는 것이다. 일을테면 數千萬의 軍士를 거나린 大將은 한 편 손에는 馬箠 가튼 것을 놉히 들고 또 한 손에는 馬勒을 잡고 登場하면은 이때에 伶人들은 第一 놉흔 曲調에 音樂을 伴奏하야 俳優가 舞臺 中央에 戰馬가 다라나는 듯이 한바탕 廻旋타가 그 다음에는 舞臺 中央에서 손에 드럿든 馬箠을 놉히 들고 두 눈을 부릇뜨며 바른 편 다리를 번적 드럿다가 힘차게 발듸됨을 하면은 이것은 벌서 軍士를 거나리고 遠征을 갓다가 겨우 目的地에 到着햇다는 것을 觀衆에게 알리이는 것이다. 이때 軍士 數萬名을 表現하는 데 總出動한 俳優는 겨우 十餘名에 不過하다. 어떤 者는 三角旗를 들기도 하고 或은 靑龍刀를 휘둘르는 兵卒이며 槍 들고 나오는『端役者』들이 自己네야 大將과 呼吸을 마추어서 亦是 舞臺를 數次 廻旋하는 것이다. 나로 하야굽 不快한 늣김과 놀나게 하는 것은 舞臺에서 表現하는 俳優가 自己의 歌詞를 끗마치면은 舞臺 後方에 서 잇든 後見人(椅子와 卓子 等을 裝置하는 사람)이 나타나서 俳優에 목이 마르지 안토록 恒常 茶水를 마시우는 것과 또 한 가지 奇怪한 習慣은 俳優가 舞臺에서 觀客

들이 보는데 각금 손으로 中國式 코를 풀기도 하고 또 가래침을 탁 배트면서 그러한 行動에 對하야는 何等에 悔恥的 氣色이 보이지 안는 것이다.

8. 無臺 衣裝과 臉譜

上述한 바와 가티 舞臺 裝置를 全全 無視하는 것과 比較하며은 俳優로서는 거기 따라서 自己네들에 特殊한 役에 對해서는 그 役에 外觀은 勿論이요, 敎自가 專攻한 그 演技에 對한 練磨에 잇서도 全心全力으로 敎養을 밧지 안으면 아니될 그러한 苦心이 완연히 보이는 것이다. 中國 觀劇者들은 演出法에 原始的인 不自然함에 잇서서는 大端히 寬大하지마는 舞臺 衣裳의 正裝함과 傳統的 人物에 正確한 臉譜(扮粧)에 關해서는 要求가 大端히 峻嚴한 것이다. 中國 演劇에 使用하는 衣裳에 名稱을 『行頭』라고 한다. 行頭의 樣式 製法은 唐, 宋, 元, 明 이 四朝의 衣服을 斟酌하야 製定된 것이라 한다.

어떤 登場人物은 무슨 行頭를 입는다는 것은 特別한 規定이 되야 잇는 것이다.

(7)

時代, 土地, 季候에는 分別이 업시 演劇에 關한 衣裳은 이 特別한 規定에 依해서 使用한다. 例를 들면 明朝 時代의 人物을 나타낼 때에도 演劇에 잇서서는 嚴密하게도 明朝의 服裝을 使用치 안코 亦是 우에 말한 唐, 宋, 元, 明 四朝의 衣服을 斟酌하야 製定한 一種의 『戲裝』이라고 할만한 衣裳을 使用한다. 中國 舞臺 衣裳은 다만 裝飾的인 點에만 舞臺를 美化할 뿐 아니라 그 登場人物의 階級, 地位, 稱號까지 表示하는 것을 約束하는 것이라 俳優가 登

塲하면은 먼저 自己가 마튼 그 役을 說明하지마는 衣裳과 扮粧한 그 얼골노 亦是 가튼 說明이 되는 것이다. 그 中에 한 가지 例를 들면은 녯날 歷史的 武劇의 武裝한 俳優가 背後에다가 小形의 三角旗를 꽂고 나타나는 것은 武將을 表現하는 것이다.

臉譜(扮粧)

中國劇에는 俳優의 顏面에 各種의 色彩와 複雜한 線으로 扮粧을 한다. 녯날에는 假面을 使用한 것이나 近世에 와서는 假面을 使用치 안는다. 그것은 中國 演劇이 歌劇인 때문에 假面을 使用하면은 노래를 잘 부를 수가 업는 까닭이다. 우리가 使用하는 扮粧品에는 比較도 할 수 업슬 만치 그들은 色彩와 種類를 만히 가지고 잇다. 例하면 赤, 黑, 黃, 靑, 紫, 綠, 白, 金, 銀, 白紙 等의 各種을 使用한다. 또 그들이 使用하는 色彩에 따라서 그 人物의 性格을 表現하는 方法도 區別이 되야 잇스니 例하면 赤色은 惡漢을, 또는 武勇을 表示함이요, 紫色은 죽은 亡靈을, 金色은 妖怪, 白色은 滑稽 或은 暴惡한 政治客, 어릿광대(道化[13] 役은 코 끄테다가 白色漆 한다. 또 顏面 全體가 白色인 것은 가장 惡毒한 非人間을 表示한 것, 또 武將이나 大官들은 三角鬚를 휘날리면서 나오는 것이다. 나는 奉天서 Y氏의 好意로서 後舞臺를 見學할 때 俳優들의 扮粧室을 들어가 보앗다. 舞臺 뒤에도 亦是 二層으로 되야는데 맨 아랫층 左右側에는 男女 俳優들의 扮粧室이 잇고 最高 幹部들의 扮粧室은 二層에 잇다. 俳優들의 座席도 各自가 따로 잇고 重量 잇서 보이는 衣裳을 입고 正冠을 쓰느라고 奔忙한 것을 보니 그들의 苦心하는 것을 알겟다. 女形의 演技 鍛

---

13 ')'가 누락되어 있다.

鍊은 幼時부터 修業을 始作한다고 한다. 그러나 이 難行 苦業을 通過하는 날이면 그 修業한 藝術은 정말 本格的인 藝術家다. 中國 舞臺 藝術家는 組織인 敎育을 바더오는 것이다. 普通 八九年 乃至 十餘年 間이나 自己에게 合當한 한 가지 役을 專攻한다. 其外에 役은 出場할야고도 願치 아니하고 또 許諾도 하지 앗는 것이다. 女形이 同時에 男役을 硏究할 수 업는 것은 그 音聲의 鍊鍛法을 드르나 그것이 얼마나 不可能할 것을 알 수가 잇다. 中國 俳優는 한 사람이 平均 五六十種의 劇本 歌詞를 修業하야 自己의 役은 全部 暗誦하지 아니하면 안된다. 그 理由는 中國 舞臺에서는 우리처럼 舞臺 後見人을 使用하지 안는다. 또 俳優는 觀客들이 어느 劇本을 請할 때는 언제든지 그 자리에서 演劇을 할 [14]한 그러한 準備를 해두지 아니하면 안되는 까닭이다.

(完)

---

14 '만'자가 누락되어 있다.

屈原小考[01]

丁來東

一. 緒言

距今 約 二千 二百 五十年 前 陰五月 五日에 楚의 大詩人 屈原이 汨羅水에 自溺하엿다는 傳說은 非但 中國뿐만 안이라 朝鮮에까지도 流傳하여 오는 바이다. 이제 이 不備한 小論을 草하야 中國 最初의 詩人인 屈原을 回憶하는 것도 無意味한 일은 안이거니와 그보다도 더 意義가 잇는 것은 中國에서 古代文學을 整理함에 當하야 現代 中國學者들은 어떠한 態度로 古典에 臨하는가 하는 그네들의 學究的 一端을 朝鮮에 紹介함에 잇슬 것이다. 現今과 가티 文學上 思想의 分歧가 甚하야 文學遺産의 接受에 對한 物議가 紛紛한 때를 當하야 屈原과 가티 그 史實이 未詳하고 그 作品의 眞僞가 未確하고 그 詩에 對한 解釋이 各代의 學者에 따라 各異한 이 詩人을 硏究하는 그네들의 方法과 態度를 考察하는 것은 現今 文學遺産을 論議하는 우리에게도 큰 參考꺼리가 될 것이다.

屈原의 『離騷』 等 諸詩가 잇기 前에 勿論 詩經과 가튼 詩歌도 잇섯다. 그러나 詩經에 실여잇는 諸詩는 비록 孔子의 刪詩說이 잇기는 잇스나 比較的

---

01 『新朝鮮』 제7호, 1934.12.

詩人 文客의 潤刪을 經過하지 안흔 民間의 抒情詩이며 屈原의 作品은 楚國 民間의 傳說, 詩歌를 屈原이 改作 或은 加刪, 創作한 것들이다. 그럼으로 屈原은 中國의 最初에 나온 詩人이요, 그의 諸作은 그 詩想의 雄壯함과 歌詞의 華麗함과 熱情의 橫溢함이 古今의 詩歌 中에서 그 比類를 차저보기 어려우며 호─마─의 『일이야드』, 『오뎃시』와 가티 世界 最古의 古典 中의 一篇이 될 것이다. 그러나 호─마─의 二篇 長詩는 叙事詩임에 反하야 屈原의 諸作은 長篇이 抒情詩임이 다른 点일 것이다.

그러나 한 가지 遺憾인 것은 年代가 오래된 만큼 그의 著作에 對한 眞僞가 確然하지 못한 것과 甚至於 屈原이란 사람까지 잇섯는가를 疑訝하게 되야 잇는 일이다. 이에 對한 各家의 研究를 詳細하게 紹介할 수가 업스며 屈原의 諸作에 對한 筆者의 研究가 周到하지 못한 것이 더욱 遺憾이다.

二. 屈原의 生涯

屈原의 生涯에 關하야는 史記의 『屈原賈生列傳』 外에 別로 詳細한 다른 記事가 업다. 그러나 이 『列傳』은 梁啓超의 『屈原研究』에 말한 것과 가티 『議論이 너무 만코 事實이 亦是 적다.』

그럼으로 胡適之와 가튼 學者는 그의 『讀楚辭』에서 屈原이란 사람이 참으로 잇섯는가까지 疑心하면서 그 理由로 두 가지를 들엇다.

『第一. 史記는 本來 信賴할 수 업는 것이요, 『屈原賈生列傳』은
더욱 밋을 수가 업다.』

胡氏는 屈原傳 中에 不明한 곳을 子, 丑 二頃[02]에 난우워 列擧하엿스나 繁雜한 考證이기에 여긔서는 暑한다.

> 『第二. 傳說의 屈原이 萬若 참으로 잇섯다면 꼭 秦漢 以前에는
> 나지 안하엿슬 것이다.
> (子) 屈原은 確實히 理想의 忠臣이다. 그러나 此種 忠臣은 漢
> 以前에는 날 수가 업다.
> 왜 그러냐하면 戰國 時代에는 此種 奇怪한 君臣觀念이 잇슬
> 수가 업다. 나의 이 見解는 비록 空泛하기는 하나 넉넉히 成立
> 할 수가 잇슬 것이다.
> (丑) 傳說의 屈原은 一種 『儒敎化』한 楚辭 解釋에 根據한 것이다.
> 그러나 此種 『儒敎化』한 古書 解釋은 漢代人의 常習이어서 다
> 못 笨陋한 漢朝의 學究라만 能히 할 수 잇는 愚笨한 일이다.
> 나의 意見으로 보면 屈原은 一種의 複合物이여서 黃帝, 周公
> 과 同類의 것이요, 希臘의 『호―마―』와 가튼 類의 人物이다.』

胡適의 此說은 民國 初年에 四川 井研 廖季平이란 이가 唱道한 바이엿고 胡氏가 繼承하야 主張한 바이나 그 說이 넘우라 極端임인지 別로 讚同한 學者가 적다. 그러나 그 理由가 荒唐하지 안은 만큼 勿論 硏究할 價値는 잇는 考證이라고 말할 수 잇슬 것이다.

胡適의 此說에 反對하는 이로는 徐炳昶, 陸侃如, 鄭賓于 等 諸氏가 잇다. 그 反對한 理由로 『史記』는 後人의 竄亂한 곳이 만으나 屈原의 有無說과는

---

02 '頃'은 '項'의 오식이다.

兩事인 것, 또 漢 以前에도 微子, 箕子, 比干 等 忠臣이 잇섯다는 것 等을 들엇다.

屈原의 硏究에 以上 諸說은 퍽으나 注目할 바이나 大槪 屈原의 史蹟이 文字上에 나타나 잇는 것은 아래와 갓다.

屈原의 生年에 關하야는 아즉 確實한 記事가 업스나 大槪 話說을 綜合하여 보면 西歷 紀元前 三四三年 卽 楚顯王[03] 二十六年 戊寅 正月 三十一日[04]이라는 것이다. 그의 일홈은 또 『平』이라고도 하고 그의 字는 『正則』 또는 『靈均』이라고 한다. 楚懷王 時에는 『左徒』란 官職에 잇스면서 國事를 圖謀하고 賓客을 接應하엿섯다. 그러나 『上官大夫』와 서로 間隙이 잇서 屈原은 朝廷에서 나오게 되얏섯다.

이 일로 推測하여 보건대 屈原은 그 政治的 手腕이 辛辣한 政治家라기보다 潔白한 詩人이란 것을 알 수가 잇다.

우리는 屈原의 生涯와 屈原의 創作力의 發動한 動机를 알기 爲하야 當時의 國際情形 卽 楚, 秦, 齊 三國 間의 葛藤을 觀察할 必要가 잇다.

當時의 秦은 齊를 치고자 하엿스나 齊와 楚가 親近함으로 秦은 秦의 大說客 張儀를 楚에 보내여 六百里의 地域을 獻上하겟다 假稱하고 齊, 楚 間의 離間策에 成功하엿섯다. 그러나 秦의 張儀는 그 前에 相約한 地廣은 六百里가 안이라 六里라 詐託함으로 楚懷王은 大怒하야 戰爭을 始作하엿섯다. 이 戰爭의 始初에 秦은 漢中地를 獲得하엿다가 그 後 다시 漢中地를 楚에 退還할 條件으로 講和를 請하엿섯다.

楚王은 土地를 엇는 것보다 張儀를 엇는 것을 願한다 함으로 張儀는 楚에

---

03 '周顯王'의 잘못이다.

04 '二十一日'의 잘못이다.

가기를 自願하야 楚臣『靳尙』과 懷王의 寵姬『鄭袖』를 買收하는 데 成功하엿섯다. 張儀는 無事히 秦에 도라갈 수가 잇섯다.

이때 屈原은 齊에 使節로 가서 楚에 잇지 안하얏슴으로 도라 와서 懷王의게 諫하기를 왜 張儀를 죽이지 안하얏는냐는 것이엿다. 懷王도 後悔는 하엿스나 張儀를 쫏차 잡을 수는 업섯든 것이다.

그 後 秦昭王은 楚와 婚姻을 하겟다고 懷王과 맛나기를 願하니 懷王은 가고자 원하엿섯다.

이 때에 屈原은 또 諫하기를 秦은 虎狼의 國인즉 밋을 수가 업고 가지 안흔 것만 갓지안타고 말하엿섯다. 그러나 懷王은 稚子『子蘭』의 말을 듯고 武關에 갓다가 秦의게 쇠기여 다시 楚의 땅을 밟아보지 못하고 죽어서야 도라오게 되얏다.

그 後 屈原은 流放의 길을 떠낫섯다. 屈原의 諸作은 모도 가 懷王을 思慕하고 楚國을 睠顧한 데서 創作되엿다는 것이다.

過去 王逸, 朱子, 洪興祖 等 楚辭 注釋家들은 모도 다 이 忠君 愛國의 熱情에 着眼하엿든 것이다. 그럼으로 그네들은 純粹의 戀愛詩에까지『儒敎化』한 注釋을 하엿다는 것이다.

三. 屈原의 生涯(續)

流放 後의 屈原은 어떠한 生涯를 하엿는가 알 바이 업다.『卜居篇』에 말하기를『屈原旣放三年不得復見』이라 하엿고『哀郢篇』에는『忽若不信兮至今九年而不復』라 하엿슴으로 그 後 몃 年 間을 살아 잇섯는지도 未詳하다. 그러나 屈原이 政治生活과 斷絶한 後 十四年 間은 大槪『郢』都(武昌 一帶, 或은 湖北 荊州府)에서 居住하엿섯고 文學生活을 한 것은 大槪 二十年 間이나 된

다는 것이다.

그의 作品에 나타난 地名 等으로 보면 大槪 湖北, 湖南, 江西 等地에 流浪한 것을 알 수가 잇고 그의 出生地는 美人 王昭君과 갓다는 것을 알 수가 잇다.

그의 死亡한 年月은 亦是 詳細한 記錄이 업고『屈子遭讒放逐, 九年不反, 自沈汨羅以死』(張時徹) 等이엿는 것으로 보아 放逐 後 九年만에 自溺한 것을 斟酌할 수가 잇다. 또『疑年錄彙編』에는『卒於赧王三十八年年六十七.』이라 하엿다.(中國文學年表[05])

이에 또 한 가지 疑問이 잇는 것은 그의 家族에 關한 것이다. 梁啓超의 『屈原硏究』에 보면 아래와 가튼 一節이 잇다.

> 『屈原의 家庭 狀況이 어떠한 것은『本傳』이나 그의 作品 中에
> 나 그 그림자도 차자 볼 수가 업다.『離騷』에『女嬃之嬋媛兮,
> 申申其詈余』란 兩語가 잇고 王逸의 注에는『女嬃는 屈原의 姊
> 也』라 하엿다. 이 말의 確實 與否는 亦是 斷言할 수가 업다. 참
> 말이라 치드래도 우리는 그의게 누나가 한 분 잇는 것을 알뿐
> 이요, 그 外에 兄弟 妻子의 有無는 통 알 수가 업다. 그저 作品
> 上으로 보면 最少 限度로 그가 放逐이 되야 湖南에 간 後로는
> 獨身生活을 하엿다는 것을 알 뿐이다.』

或者는『女嬃』를『女婢』라고 解釋하는 사람도 잇서서 女嬃가 참으로 그의『누나』인지도 仔細히 알 수가 업다.

또 한 가지 알 수 업는 일이 잇스니 곳 屈原은 大槪 어떠한 敎育을 밧앗는

---

05   鄭振鐸,「中國文學年表」,『中國文學硏究』(『小說月報』 제17권 호외), 商務印書館, 1927.6.

가 하는 疑問이다.

勿論 楚의 貴族이요, 또 楚國의 三大 王族『昭』,『屈』,『景』三姓을 總管하는 『三閭大夫』로 잇섯슴으로 當時의 高等敎育을 밧은 것만은 事實일 것이다. 그러나 그 高等敎育이란 것은 어떠한 것인가? 이 赤是 알 바이 업는 바이다. 屈原의 밧은 敎育을 아는 것은 그의 作品을 硏究하는 데 缺如할 수 업는 問題이건만 어떠케 參考할 수가 업게 되야 잇다.

그러므로 어뜬 學者는(日本의 鹽谷溫 博士 等) 屈原의 偉大한 作品이 産生하는 데에는 必然코 그 前의 鬻子, 左史倚相 等 先進 學者가 씨를 뿌린 것이라고 推測한 이도 잇다. 中國의 鄭賓于와 가튼 이는 此說을 否認한다. 그의 作品을 硏究하는 데 이와 가티 分岐가 생긴 것은 屈原이 밧든 敎育을 알지 못한 것과 그의 讀書 範圍를 알지 못하는 데 基因한 일 것이다.

(本來『屈原硏究』란 題下에『屈原의 作品』,『楚辭의 起源』,『屈賦解釋의 新傾向』,『楚辭의 文學的 特徵』等이 잇스나, 紙面의 關係로 略하고 爲先 이에 근친다.——著者 付記)

中國劇壇의 動向과 學生劇運動의 躍進[01]

上海에서 金光洲

(一)[02]

一. 前言

昨年度에『中國劇壇 一瞥』이라는 極히 簡單한 글로 中國劇壇의 大綱 情勢를 紹介한 後로 벌서 一年이 되어온다. 그 동안에도 大小를 莫論하고 各 演劇運動團體들의 公演이 잇을 때마다 이것을 朝鮮에 紹介하자는 一種의 貢[03]任感을 느껴오면서도 此日彼日한 것이 이제야 겨우 붓을 잡게 되엇다.

언제나 되푸리하는 말 같고 또한 부끄러운 말이나 閑暇롭게 材料를 收集하고 公演마다 一一히 參觀할만한 生活의 餘裕가 없는 몸이라 이 글을 草함에도 적지 안은 筆者 스사로의 不滿足과 不充分을 느낀다. 그러나 中國 新劇運動의 이 一年 間 動向의 輪廓만이라도 그려보자는 意圖 아래에서 劇壇의 重要 動情의 紹介와 아울러 若干의 感想 乃至 批評을 加해보려 한다.

---

01 『東亞日報』1934.12.5~12.9, 12.11, 석간 3면.

02 매회 연재분 표기로서 6회에 걸쳐 연재되었다.

03 '責'자의 오식이다.

이 一年 間의 中國劇壇을 한 말로 얼른 말할 때 昨年에 比하야 不活潑하엿고 寂寞하엿다는 것은 新劇運動에 關心을 가진 사람이라면 누구던지 容易히 느낄 수 잇는 일이다 라고 생각한다. 그러면 이 原因을 어데 가 찾을 것인가? 一國의 文化運動을 말함에 첫재 그의 政治的 諸般 動向을 看過할 수 없다는 것은 말할 必要도 없는 極히 平凡한 일이다. 이 一年 間에도 各種 散亂한 內亂과 外變 속에서도 漸漸 露骨化하여가는 『蔣』의 獨裁政治가 文化運動의 各 部門에 끼친 바 影響은 實로 컷다. 그의 御用 『테로』團體인 『藍衣社』 一派의 『藝華映畵社』襲擊, 『映畵劇本檢閱制度』의 確立 等 一般的으로 表面에 나타난 이런 事實 속에서도 우리는 그것을 充分히 窺知할 수 잇다.

政治部門에 門外漢인 筆者로서 이 問題에 對하여는 細密한 分析이나 檢討를 試驗하고 싶은 아모런 興味도 느끼지 안을 뿐더러 新聞紙上의 報道만으로도 充分할 것이다. 다만 『蔣』의 이 一年 間에 잇서서 第一 큰 業跡이라는 『新生活』運動을 政治的 쩌나리즘이 如何히 過大視한다 하더라도 그 修身 敎科書의 條目 같은 提唱이 現下 中國民衆의 實生活을 根本的으로 改革할 수 잇느냐 하는 것은 커다란 疑問이라는 것만을 말해둔다. 일즉이 日本의 『新居格』氏가 『改造』(八月 夏季 讀物 特輯號)誌上의 『支那を斯く見たり』라는 一文 中에서 南京政府의 文化彈壓에 對한 意見을 論하고 아울러 藍衣社 一派의 『팟쇼』的 傾向을 指摘한 끝에 『……이러한 원숭이 같은 흉내(猿眞似)는 一切 進步主義에 對한 彈壓이 되며 統一制度의 白日夢을 꿈꾸는 일이다.』라고 한 말은 매우 興味 잇는 말인가 한다. 何如間 南京政府의 文化彈壓이 繼續되는 날까지 中國 藝術家들은 受難時代를 免할 수 없을 것이니 그것이 新劇運動에 미친 바 影響은 可히 推測할 수 잇을 것이다.

그 다음 劇壇 沈滯의 重要 原因으로 映畵의 勢力 占領과 中國 新劇運動의 最大集團體인 『戲劇協社』의 重要 幹部 『應雲衛』——『袁牧之』等의 映畵界

로의 方向轉換 等을 指摘할 수 잇다. 長足의 進步를 보이고 잇는 中國의 映畵界가 今年에 와서는『漁光曲』같은 優秀한 作品을 내논 것은 기뿐 일이라 하겟으나『아메리카니즘』에 陶醉된 一般 觀衆의 自國 藝術, 더욱이 演劇에 對한 蔑視의 觀念은 新劇運動의 發展을 阻礙함이 적지 안타.

『戲劇協社』幹部들의 映畵로의 方向轉換은 어떤 意味로 보면 劇藝術과 映畵藝術을 徹底히 認識할 수 잇는 조흔 試練의 機會라고도 볼 수 잇으며 그들이 完全히 新劇運動을 抛棄한 바도 아니라 하겟으나『戲劇協社』의 一年間의 沈默은 中國劇壇 더욱이 一般 劇團體의 沈滯를 가저 온 最大 原因이라 할 수 잇을 것이다. 그들의 轉換 以後의 첫 作品은 새로 設立된『電通公司』라는 映畵會社와의 製作으로 撮影은 終了되엇으나 아즉도 未公映 中에 잇다. 昨年度에『怒吼吧! 中國!』에서 미덤직한 演出家로서의 手腕을 보여 준『應雲衛』와 劇人 中에서 演技로 첫 손을 꼽은『袁牧之』, 그들이 映畵 製作에서 果然 舞臺劇만 한 成績을 거둘넌지는 아즉도 未知數이고 또한 中國 藝苑에 적지 안는 興味와 期待를 일으키고 잇다.

이러한 一般 社會 演劇團體들의 沈滯한 反面에 이 一年 間 劇壇에서 特記할 것은 學生劇運動의 猛烈한 氣勢이다. 學生劇運動을 除하고는 一年 間 劇壇의 動向을 말하기 어려울 만치 그들은 從前에 보지 못하던 活躍을 하엿다. 朝鮮의 學生劇運動이 如何한 進展을 보이고 잇는지 詳細한 것을 모르므로 얼른 말할 수 없고 中國 學生들은 朝鮮에 比하야 男女共學이라는 公演의 容易性을 具有하고 잇다는 條件이 잇지만 그들의 新劇運動에 參加하는 學究的 眞實性과 더욱이 女學生들의 勇敢性은 感服할 바이 만타. 以下 學生劇運動과 一般 社會 劇團體의 一年 間 工作의 重要한 것을 두 部分으로 나누어서 簡單히 말해보려 한다.

（二）

二. 學生劇運動과『上海大學戲劇聯合會』(上)

爲先 三四年度 學生劇運動에 活躍한 上海의 各 學校와 團體의 主要한 것을 들면『麥倫中學』,『淸心女學』,『商學院劇社』,『上海美專劇團』,『復旦劇社』,『滬江大學國劇社』,『光夏大學劇社』와 暨南大學의『暨南實驗劇社』,『暨南劇社』두 團體와『上海各大學戲劇聯合會』等이다. 이 中에서 復旦大學의『復旦劇社』와『暨南實驗劇社』等等 昨年度에 紹介한 團體와『滬江大學國劇社』等을 除하고 그 外의 劇社들은 三四年度에 처음 나타난 것이라 할 수 잇다.

『麥倫中學』의 上演 劇本은『警號』[04],『揚子江的暴風雨』等 創作 劇本과 [05]出走後的姚拉』(집을 나온 뒤의 노래) 等이다. 特히 注目할 바는 그것이 비록 一個 中學生들의 小規模의 公演이엇으나 翻譯戲曲의 上演이 汎濫하는 中國 劇壇에서 上記와 같은 新創作 劇本의 上演을 試驗하야 外國 劇本 上演보다 못하지 안흔 效果를 거두엇다는 것이다.(遺憾인 것은 上記 두 戲曲의 作者를 紹介하지 못하는 것이다. 學生劇 或은 一般社會劇, 藝術團體를 勿論하고 劇作이거나 翻譯이거나 中國劇壇에서는 原作者 或은 譯者의 이름이 明白히 表示하지 안코 劇名도 얼토당토 안흔 譯名을 갖다 붙일 때가 만타. 그런 까닭으로 그것이 一般的으로 알려진 戲曲이라면 別問題거니와 그러지 못한 때에는 그 原作이나 또는 戲曲 本身上의 意義 等을 理解하기 어렵다. 筆者는 數三 親分 잇는 劇人들에게 이것을 詰問한 일이 잇거니와 何如間 이것은 조고마한 일이면서도 疎忽히 하지 못할 일이다.)

이 두 作品을 簡單히 紹介하면『警號』는 水災 時의 一般 下層階級 사람들

---

04 중국어 원제는『警報』이다.

05 '『'가 누락되어 있다.

의 生活을 描寫한 것으로 堤防 修理를 爲하야 派遣된 水利局 官吏階級들과 下層階級을 對照시키어 被壓迫 階級의 團結을 提唱한 作品이다. 劇人 『袁牧之』의 出演을 비롯하야 舞臺의 音響効果라던지 어느 方面으로 보던지 相當한 成績을 얻엇다.

『揚子江的暴風雨』는 새로운 形式의 歌劇으로 歌劇의 缺乏을 느끼는 中國劇壇에서 音樂上으로나 演出上으로나 貴重한 收穫의 하나라고 一般 劇評家들이 말한 바와 같이 形式上 새로운 느낌을 주는 作品이다. 揚子江 沿岸의 『쿠―리』들의 生活에서 取材하야 列强 帝國主義 軍艦의 侵畧과 壓迫 勞働者의 集團力과 억세인 부르짖음을 表現하랴 하엿다. 處處에 漠然한 『打倒帝國主義』의 意識을 엿볼 수 잇으나 어느 程度까지 中國 勞働階級의 現實을 反映하엿다고 할 수 잇다. 『出走後的娜拉』는 그 이름과 같이 外國劇의 改編이거나 그러치 안흐면 『입센』의 『人形의 家』를 『힌트』로 『그 後의 노라』式으로 編劇한 作品이다. 劇本의 本身上 아무런 特殊한 곳을 찾을 수 없는 作品이다.

다음 『商學院劇社』는 『徐蘇靈』, 『方之中』 等 劇人의 導演(演出) 아래에서 『重燃壞了的火』(佛 Berniard[06])? 作, 烈文先[07] 譯)와 『父歸』(菊池寬 『父歸る』) 두 劇本을 가지고 第一次의 公演을 試驗하엿다. 부끄러운이나마 筆者는 佛國 戱曲에 對한 아모런 硏究도 智識도 갖지 못한 까닭으로 上記 劇本을 詳細히 말하지 못한다. 다만 歐洲戰爭을 背景으로 出戰한 한 中學敎員과 故鄕에 남기고 온 안해, 米國軍人 等 사이의 平凡한 愛情問題를 取扱한 作品으로 戰爭의 殘酷性과 資本主義 尖端化의 頹廢를 表現하엿고 어떤 意味로 보면 戰爭의 漠

---

06 'Bernard'의 잘못이다.

07 '黎烈文'의 잘못이다.

然한 咀呪만을 表現한 作品이라고 할 수 잇다는 것만을 말해둔다. 經濟上 困難으로 許多한 未洽한 點이 잇음에도 不拘하고 그들의 演劇에 對한 眞摯한 態度와 上記 劇本이 上海에 初次 上演이엇든 關係上 一般 觀衆에게 새로운 感興을 주엇다. 『菊池寬』의 『父歸』에 對하여는 말하지 안는 便이 도리어 나을 것이다. 『山本有三』의 『嬰兒殺し』와 함께 이 『父歸』도 中國劇壇에서 上演해온 日本戲曲 中 第一 平凡化한 作品이다. 『父歸る』가 『菊池寬』의 戲曲 中에서 比較的 優秀한 作品이라는 것은 一般이 是認하는 바지만 三四年度에 이런 劇本을 또다시 되푸리한다는 것은 좀 생각할 일이라 하겟다.(이것은 勿論 까닭 없이 새로운 戲曲을 上演하라는 好奇的 心理로 하는 말과는 그 意味가 다름.)

　　三三年度 十二月의 『上海美專劇團』의 公演은 時期上으로는 昨年度에 屬하나 三三年 紹介에 미처 말하지 못햇던 關係로 本文 中에 編入키로 한다. 『레퍼토리』는 外國 作品으로 『銀包』, 『誰是朋友』, 『嬰兒殺戮』(山本有三 『嬰兒殺し』) 等과 『袁牧之』의 作品 『叛徒』이다. 그 中에서 『叛徒』는 戰爭의 두려움과 禮敎의 冷酷性을 諷刺하고 論心者의 어리석음을 비웃은 作品으로 戲曲上으로 『袁牧之』의 例의 輕快한 手法을 보인 作品이나 演出上으로는 平凡한 效果를 거둔 데 不過햇고 觀衆에게 比較的 深刻한 印象을 준 作品은 『誰是朋友』이다. 이것은 日本 內地 或은 朝鮮 等地에서 『荷車』라는 譯名으로 數年 前에 上演한 『포풀라』란 作品이나 勞働者로 扮裝한 『萬或』의 『유모라스』味가 充滿하고 眞實性 잇는 演技는 이 戲曲의 上演 效果를 圓滿히 發揮하엿다 할 수 잇다. 特히 이 公演에는 『戲劇協社』의 『應雲衛』 以下 『冷波』, 『黃惶』, 『沈潼』, 『唐槐秋』 等 諸 劇人들이 各 一幕式 演出을 分擔하엿다는 것도 注意할만 한 일이다.

　　學校 劇團體로 第一 長久한 歷史와 經驗을 가진 『復旦大學』의 『復旦劇社』는 今年에 第十五回와 十六回 二次의 公演을 거듭하엿으나 從前에 比하

야 그다지 큰 進步를 보이지 못햇다. 第十五回 公演 劇本 中에서 中國劇壇에서 이미 數次 上演된 『蠢貨』, 『月亮上昇』과 『約翰曼利』라는 戀愛悲劇을 除한 外에 劇作家 『丁西林』의 創作 劇本 『壓迫』의 上演이 一般의 적지 안흔 期待를 갖게 하엿엇으나 完全한 失敗랄 수도 없고 成功이랄 수도 없는 平凡한 結果에 머므르고 말엇다. 中國劇壇의 優秀한 女優 『王瑩』女士가 出演하엿□ □도[08] 不拘하고 『壓迫』이란 두 글짜를 觀衆에게 印象깊이 하지 못하고 도리어 一種 喜劇에 가까운 느낌을 갖게 한 것은 劇本이 表現하랴는 題材를 또렷이 把握하지 못햇음에 그 原因이 잇다 할 수 밖에 없을 것이다. 第十六回 公演에는 『유진·오닐』作 『皇帝 존스』를 『瓊斯皇』이라는 譯名으로 上演하엿다. 이 戲曲은 紹介를 必要치 안는 作品으로 觀衆의 鑑賞力의 程度를 理解하지 못한 곳에 失敗의 原因이 잇엇다는 것이 一般 劇評家들의 定評이나 八幕이나 되는 演出上 容易치 안는 이 上演은 『復旦劇社』自體로서는 커다란 試驗이엇고 經驗上 적지 안는 所得이 잇엇으리라고 생각한다.

(三)

二. 學生劇運動과 『上海大學戲劇聯合會』(中)

四回나 되는 公演을 繼續해 왓으나 一般의 注意를 그다지 끌지 못햇던 『滬江大學國劇社』는 今年에 『第二夢』(M,Barril[09] 作·洪深 改譯)과 唯美主義 作品 『沙樂美』(Salome) 等으로 第五回의 成績을 發表하엿다. 舞臺効果로만 말

---

08 '하엿음에도'일 것이다.

09 'J·Barrie'의 잘못이다.

할 때는 그다지 다른 學校 劇社에 遜色이 없엇으나 神話式의 形式으로 一種의 運命論을 表現한 데 지나지 못하는 『第二夢』 같은 作品을 選擇한 것은 中國 新劇運動의 步調를 한 걸음 뒤로 물러서게 하엿다는 一般의 評을 받엇다. 이런 劇本을 選擇하엿음에는 宗敎를 崇尙하는 學校라는 特殊한 條件이 잇는 데 그 原因이 잇으리라고 믿는다.

『暨南大學』은 從來의 『暨南實驗劇社』가 劇人 徐蘇靈의 導演 아래에서 『摩登夫婦』(모―던 夫婦), 『有家室的人』 等 두 篇의 喜劇으로 第四回의 公演을 한 外에 『暨南劇社』라는 새로운 劇社가 『實驗劇社』와 對立의 形勢를 取하며 誕生되엇다. 한 學校 內에 두 個의 演劇團體가 對立的으로 成立되어 잇다는 것은 그다지 아름다운 現象이 아니라고도 하겟으나 어떤 意味로 보면 이런 現象은 도리어 그들의 演劇에 對한 學究的 情熱을 붙도드는 데 有利한 일이라고도 할 수 잇다.

『暨南實驗劇社』는 『우리는 이번 公演에 喜劇만을 擇한 데 對하야 別로 다른 뜻이 없다. 다만 目前의 中國 新劇運動에 對하야 學究와 實驗의 態度로 한 篇의 戲曲을 舞臺위에 옮겨 놋는데 忠實하랴 한다.』라고 한 그들의 聲明과 같이 今年의 公演에 잇어서도 特異한 成果를 發揮하지 못햇으나 그들의 多年間 學究的 態度를 꾸준히 끌고 내려왓고 新生된 『暨南劇社』는 첫 公演인 만큼 相當한 新興 氣勢를 보엿다. 그들의 『레퍼토리』는 『她未必肯吧?』(歐陽予倩 作)――『討漁稅』(馬彦祥 編), 『潮』(向培良 作) 等 全部가 中國劇作家의 作品이엇고 演出은 『王紹淸』, 『左明』, 『徐蘇靈』 等 劇人과 暨南敎授 『顧仲彝』 等이 直接 分擔햇으며 裝置와 舞臺效果 其他 方面으로 努力의 痕蹟을 歷歷히 찾어낼 수 잇다.

以上 세 篇 作品 中에서 特히 우리에게 興味를 갖게 한 것은 『討漁稅』이니 演出上으로도 比較的 優秀한 效果를 거두엇으며 演員들도 非常한 忠實

味를 보엿다.

이 作品은 中國의 所謂『京劇』『打漁殺家』란 것을 現代劇化한 것으로 一九二五年 頃 中國 漁業民의 生活을 描寫하야 反封建主義를 提唱하고 反抗精神을 鼓吹한 作品이다.

『她未必肯吧?』(原名『買賣』)는 所謂 實業家라는 階級들의 無廉恥性, 軍閥들의 淫蕩한 生活, 物質 앞에 降服하는 意志 薄弱한 現代女性들의 虛榮心 等을 暴露한 作品으로 戲曲의 構成上으로는 그다지 어색지 안흔 手法으로 社會問題를 取扱하엿으나 演員들의 練習 不足에서 나온 役에 對한 不忠實味 等 效果上으로 前者에 比할 바이 못된다. 마즈막으로『潮』는 反帝主義를 高唱한 悲劇으로 民國 十六年 北伐革命軍을 背景 삼고 戰線에 나선 軍人들의 意思 衝突, 戀愛問題 等을 取扱하엿다. 이 세 篇 戲曲의 選擇에 對해서도 劇評家들은 中國의 現實이 需要치 안는 劇本이라고 異口同聲으로 不滿을 表示햇으나 以上 三篇의 作品은 앞에서 말한『麥倫中學』이 上演한 戲曲과 함께 今年度에 脚光을 입은 中國 劇作家들의 作品 中에서 注意할만한 作品임에는 틀림없다. 이 外에『淸心女學』은 "OuaLitg Straet[10]",『黑蝙蝠』等을 上演햇고『光夏劇社[11]』는『救命圈』,『互助』,『男人』(日本 小山內薰 作),『奇蹟』等을 上演하야 小規模의 公演으로 各各 첫 걸음을 내노앗다.

---

10 확인되지 않는 극명이다.

11 '光美劇社'의 오식이다.

二. 學生劇運動과『上海大學戲劇聯合會』(下)

끝으로 今年度 中國 學生劇運動 가운데에서 特記해야 할 것은 夏季休暇를 利用한『上海各大學戲劇聯合會』의 첫 公演이다. 이것은 벌서 三四年 前부터『復旦』,『暨南』,『大夏』等 各 大學 間에 宿題로 내려오던 것으로 學生劇運動에 잇어서 뿐만 아니라 實로 寂寞한 全 中國 劇壇에 던진 大學生의 情熱과 努力이엇다. 無條件하고 남의 것을 模倣하자는 것이 아니라 朝鮮같이 新劇運動에 學生劇의 一翼的 任務를 切實히 느끼는 곳에서도 各 中學 或은 專門學校가 힘을 모아 이런 聯合公演을 試驗해 보는 것도 매우 興味잇는 일이라고 생각한다. 먼저 그들의 이 公演에 對한 主張의 一部를 다음에 摘出해 보겟다.

『……그러나 우리들의 應當해야 할 일은 무엇인가? 遠東, 太平洋, 中歐의 風雲이 切迫하여 잇고 國家는 內憂外患과 天災人禍의 生死의 境界線에 빠저 잇으며 民族意識의 消沈, 文化의 退步, 醉生夢死하는 民衆 이러한 모든 것들은 우리로 하여금 이 老大한 古國에 對하야 悲觀을 갖게 하는 바이다.

이러한 時機는 大學生인 우리들로써 朦朧하게 求樂些福하고 잇을 때가 아니다. 우리에게는 오직 救亡圖存의 길이 잇고 文化建設, 民族復興이 잇을 뿐이다. 이것이 우리들이 目前에 가장 切實히 要求하는 길이다. 아! 親愛하는 大學生 諸君아! 일어나라! 그대들이 저야만 될 責任을 짊어지고 일어나라! 戲劇은 藝術의 一種이니 其他의 藝術──文學이나 藝術이나 音樂

或은 詩歌 等에 比하야 사람에게 준는 바 感應은 더 한층 클
것이다.……』
日刊新聞『晨報』八月 十六日,『上海各大學戲劇聯合會第一回
公演特刊』에서

以上과 같은 主張 外에 劇本을 選擇함에도 標語, 口號를 目的으로 하는
虛僞的 作品을 버리고 時代에 適應하고 中國 新文化의 建設, 國民의 新生活
의 創造, 民族精神의 徹底한 提唱 等을 目標 삼는다는 것을 聲明하엿다. 그
러나 이러한 主張과 目標 아래에서 選擇한 劇本이 象徵主義의 史劇『茂娜凡
娜』,『마텔링크』의『몬나봔나』와『可憐的裴迦』,『約翰曼莉』等 空想的이고
幻想的이며 喜劇的 諷刺性을 가진 데 不過하는 獨幕劇이라는 것은 一般 劇
評家들에게 時代의 叛逆이니 甚至於『팟시즘』의 宣傳이니 하는 罵倒까지를
가저오게 하엿다. 勿論 民族精神 云云한 것을 바로『팟시즘』이라고 斷定해
버리는 것은 評家들의 지나친 燥急性이라 할 수 잇으나 그들의 主張과 實際
에 커다란 矛盾이 잇엇음은 否認할 수 없는 事實이고 따라서 劇壇에 一時 物
議를 일으킨 모딤인 만큼 그들의 앞으로의 工作은 一般의 注目과 아울러 커
다란 期待를 받고 잇다. 上記한 飜譯 作品 外에『時事月報』에 일즉이 所載되
엇던『張道藩』의 官僚階級의 戀愛問題를 取扱한 諷刺作品『自救』라는 四幕
戲曲을 映畫評論家『冒舒湮』이 改編하야 三幕으로 上演하엿으나 그다지 問
題視할만한 作品은 못되고 以上의『레퍼토리』[12] 中에서 重要視되는 것은 물
을 것도 없이『茂娜凡娜』,『몬나봔나』이다. 이것은 日本에서는『明治』,『大
正』年代에 上演한 것이라 하나 中國서는 初次의 上演이요, 더욱이 十五世紀

---

12 '』'가 누락되어 있다.

時代의 史劇인 만큼 그들의 이 上演에 對한 苦心을 全然 否認할 수는 없고 營利를 떠난 學究的 態度는 充分히 찾어낼 수 잇는 것이다. 日本의『厨川[13] 白村』은 일즉이 이 作品을 歐洲 文藝復興 時代의 新精神과 新運命을 表現한 傑作이라 하엿다 하나 一般이 잘 아는 바와 같이 豊富한 文學的 價値를 가지고 잇으나 舞臺性이 적은『마텔링크』의 作品 中에서 이『몬나반나』는 比較的 舞臺性을 가춘 作品이라지만 文學에 對한 어느 程度의 修養이나 研究가 없는 觀衆에게는 그 臺詞의 妙味를 解得하기 어려운 것은 事實이다. 참된 藝術은 低級趣味만을 迎合할 수 잇다는[14] 것은 勿論이나 또한 觀衆의 現實을 完全히 無視할 수는 없고 觀衆의 現實生活의 向上을 爲하야는 지나간 世紀의 作品보다 現 社會의 赤裸裸한 現實을 보여주는 것이 힘 잇으리라는 것은 말할 것도 없이 平凡한 常識이다. 앞으로는 現實性 잇는 作品을 上演해 달라는 것은 이 大學聯合會에 對한 一般 評家들의 一致되는 希望이다. 하여튼 이 公演은 中國 學生運動史를 通하야 特記할 創擧이엇음은 否認할 수 없는 바이다. 以上에서『아우트라인』에 不過하나마 今年 中學 學生運動의 大部分을 말햇다. 거듭 말하거니와 우리는 이 속에서 적어도 演劇運動에 對한 營利를 떠난 眞實한 研究의 態度와 特히 學生들과 一般 劇人들이 不可分離의 密接한 關係를 맺고 이 運動에 參加하고 잇다는 것을 容易히 알 수 잇으리라고 믿는다.

---

13 '村'은 '川'의 오식이다.

14 '없다는'의 잘못이다.

三. 社會 演劇團體

二[15]三年부터 活躍해 오던 演劇團體로 昨年에 이미 紹介한 『新地劇社』와 比較的 左翼傾向를 띠웟던 『春秋劇社』等은 今年에 와서 完全히 形跡을 감추어 버리고 大部分 예전 劇人들을 主로 새로이 組織된 『零零劇社』, 『上海無名劇人協會』, 『螞蟻劇社』, 『揭曉劇社』等이 一般 社會 劇團體로서 中國 新劇運動의 命脈을 이어온 세음이다.

이 中에서 特히 出衆한 努力을 한 團體는 『無名劇人協會』다. 『鎖着的箱子』, 『誰是朋友』, 『記念日[16]』等 外에 用[17]漢의 『梅雨』로 第一回 公演을 한 後 『潘老板』[18], 『樑上君子』, 『捕鯨』, 『兄弟[19]』, 『流浪者』, 『一百金磅』, 『同住三家』[20] 等 七篇의 獨幕劇으로 第二回의 公演을 하엿다. 이 許多한 獨幕劇 中에서 가장 優秀한 效果를 거둔 것은 『樑上君子』와 『捕鯨』, 『一百金磅』 等이라고 생각한다. 『一百金磅』은 곧 앞에서 『復旦劇社』의 『레퍼토리』에서 말한 『月亮上昇』, 그레고리夫人 作 『月出』이다.(이 戲曲은 日本內地는 勿論 朝鮮에서도 벌서 數年 前에 翻譯되엇다고 記憶한다.) 警長으로 出演한 『魏鶴齡』의 老練한 演技, 流浪人으로 扮裝한 新人 『王瑛』의 天才的 演技는 貧弱한 舞臺 裝置임에

---

15 '三'의 오식이다.

16 정보가 잘못 되었다. 응당 '洗衣老板與詩人'여야 한다.

17 '田'의 오식이다.

18 田漢의 '梅雨'의 별칭으로 보인다.

19 중국어 원제는 '兩兄弟'이다.

20 중국어 원제는 '同住的三家人'이다.

도 不拘하고 이 戱曲을 充實히 살렷다고 해도 過言이 아닐 것이다.

『捕掠』은 『유진·오닐』 作(發表한 雜誌名은 記憶되지 안흐나 『고래』라는 譯名으로 『柳致眞』氏의 朝鮮文 譯도 잇다고 기억된다.)이고 『樑上君子』는 『二階の男』라는 日 譯名으로 有名한 『업튼·씽클레어』의 作이다. 劇本으로는 그다지 새로운 느 낌을 주는 것이 아니나 獨特한 무게 잇는 演技를 가진 『魏鶴齡』은 이 두 篇 의 出演에서도 그의 洗鍊된 演技를 發揮하엿다.

이外에 創作 劇本으로 女敎員을 主人公으로 하고 上海의 貰房사리 階級 들의 經濟的 苦悶을 描寫한 作品 『同住三家』도 알맞은 效果를 거두엇고 亦 是 背景을 上海로 工場 勞勵者들의 生活을 그린 作品 『潘老板』은 演技의 未 熟으로 이러타고 指摘해 낼 特殊한 成績은 얻지 못햇으나 帝國主義의 經濟 侵畧——水災와 旱災——軍閥들의 內亂——高利貸金業者의 殘酷性——이런 悲慘한 環境에서 破産을 當하고 都市로 나온 失業 勞動者들의 괴로운 心境 을 어느 程度까지 엿볼 수 잇는 作品이엇다.

『螞蟻劇社』의 『레퍼토리』 中에서는 『菊池寬』의 『父歸』에 前記한 『月亮上 昇』 等을 除하고 新創作 劇本으로 『金寶』를 들 수 잇다. 『月亮上昇』의 上演 은 『無名劇人協會』의 그것에 比하야 失敗한 上演이엇고 『金寶』에 잇어서도 戱曲上으로는 秋收期의 農村生活에서 取材하야 年來의 天災와 高利貸金業 者의 搾取, 帝國主義의 經濟的 侵畧 아래에서 신음하는 中國 農村의 生活의 現狀을 똑바로 내다본 銳敏한 觀察性을 窺知할 수 잇는 作品이라 할 수 잇으 나 演出上으로는 鄕村 情緖를 深刻히 表現한 舞臺裝置를 가지고도 오히려 特別한 成績을 나타내지 못햇다.

『零零劇社』는 工人의 生活을 主題로 勞働者의 團結과 反日을 鼓吹한 『生 路』와 作者의 이름을 明白하게 表示치 안앗으므로 確實치는 못하나 外國 것 을 改編하엿다고 하는 『인텔리』의 窮生活과 無氣力을 表現한 『白茶』 等 獨

幕劇 外에 反帝主義 作品으로 有名한 『田漢』의 『一切[21]』를 『吼』라는 改名으로 上演하엿다. 이 作品은 象徵主義에 가까운 戲曲으로 얼핏 보면 뼈(骨)만 담은 作品같이 線과 『리듬』이 굵으나 壓迫받는 農奴들의 君主에 對한 反抗을 表現하기에 充分한 힘을 가진 作品이엇다. 君主 役을 맡은 『魏鶴齡』 以外에는 全部가 新人들로 거치른 演技이엇으나 애써서 假飾하려지 안는 純朴한 表現이 그들의 앞길에 커다란 期待를 갖게 한다.

『揭曉劇社』의 『誰是朋友』, 『月亮上昇』, 『梅雨』 等의 上演 劇本에 對하여는 또다시 거듭 말하지 안으랴 하며 한 個의 完全한 戲劇運動團體라기는 어려우나 『中國[22]際青年會[23]』(Y·M·C·A)의 公演을 簡畧하게 紹介하겟다. 上演 劇本이 映畫評論家로 이름 잇는 『凌鶴』의 첫 作品인 『高貴的人們』(英譯名 Sadies and gentleman)이고 『魏鶴齡』, 『劉莉影』女士 等 劇人이 參加 出演한 만큼 一般의 期待는 컷엇으나 劇本의 作者 自身이 某誌上에서 短促한 時間에 써내인 이 作品에 對하야 스사로 不滿을 느낀다고 告白한 바와 같이 獨特한 手法을 보이지는 못햇고 다만 資本主義社會의 家庭生活의 한 모퉁이를 그려낸 平凡한 作品에 不過하엿다.

여기서 今年 中國 新劇運動을 말함에 學生劇運動과 함께 또 한 가지 注目할 것은 이 運動에 對한 女性들의 參加이니 그 重要한 것을 들면 『中國婦女文化社』의 春季公演과 『女子青年會』 女工들의 公演이다.

『中國婦女文化社』는 『菊池寬』의 『父歸』——『袁牧之』의 『叛徒』 外에 現代失業群이 받는 饑餓, 威脅, 壓迫 等을 表現한 現實性에 豊富한 作品 『救命圈』

---

21 '一致'의 잘못이다.

22 '國'자가 누락되어 있다.

23 '』'가 누락되어 있다.

을 上演하야 女性文化運動의 첫걸음을 옮겨노코 그 뒤를 이어 『女子靑年會』
의 女工들은 『小紅襖』, 『香姐』, 『街頭夜景』 等 中國 劇本을 上演하엿다.

女性 中에도 더욱이 일즉이 없던 女工들의 첫 試驗이라 一般의 興味를 일
으킨 것은 勿論, 『小紅襖』에 잇어서는 貧窮한 家庭의 女子의 悲慘한 生活을
相當한 眞實性을 가지고 보여주엇으며 兵災를 避하야 饑饉, 疾病, 疲倦에 쫓
기며 街頭에서 하로 밤을 밝히는 貧民들의 情景을 描寫한 『街頭夜景』은 特
別한 熱狂的 歡迎을 받엇다. 여기서 嚴格한 劇的 諸條件을 찾으랴는 것은 無
理에 가까운 일이라 하겟으나 이 『街頭夜景』의 上演은 觀衆이란 그네들의
生活 近接한 生活을 보혀줄 때 第一 强烈한 印像과 感銘을 받는다는 것을
證明하기에 넉넉하엿다. 裝置나 背景에 잇어서 서투르고 거치른 곳이 잇으
나 外國의 어느 名作의 上演보다도 못하지 안흘 만큼 歡迎을 받는 것은 自己
네들에게 近接한 生活을 눈앞에 또렷이 보는 느끼는 데서 나오는 것이라고
생각한다.

(六·完)

四. 보헤미안劇社 其他

昨年부터 理想과 規劃만 세우고 實現을 보지 못한 上海에 在留하는 우리
朝鮮 劇人들로 組織된 『보헤미안劇社』가 今年 下半期에 와서야 그 첫 公演
을 보게 되엇다. 公演 當時에도 『멤버-』의 한 사람으로서 感想이라던지 或
은 紹介 等을 써볼까 하엿으나 여러 方面으로 너무나 貧弱한 우리들의 運動
이라 얼른 붓대 잡을 勇氣가 나지 안헛다.

곳이 海外요, 또한 中國의 新劇運動이 不活潑한 속에서도 어느 方面으로

보던지 相當히 進展되어 가고 잇는 時期인 만큼 우리들의 貧弱한 힘으로 큰 失敗나 免할 수 잇을까 하는 것도 問題이엇으나 첫재로는 異國人이라는 것을 생각할 때 우리의 責任은 더욱 무거웟다. 그러나 成不成을 고사하고 첫 試驗을 해보자는 大膽하다면 大膽하고 無謀하다면 無謀한 마음으로 小規模로나마 第一回 公演을 마추엇다.

第一 첫재로 부다치는 難關이 經濟力의 缺乏이라는 것은 말할 것도 없거니와 그만 못하지 안케 느낀 것은 劇本難이엿다. 中國人들의 期待도 外國의 名作보다도 朝鮮사람의 손으로 씨워진 것을 보고 싶다는 것이엇고 우리도 남의 것보다는 純全한 내 것을 보이고 싶엇다. 朝鮮의 現實을 가장 똑바로 表現한 作品! 그러나 朝鮮의 出版物도 맘대로 손에 널 수 없는 우리에게는 스사로 不滿을 느끼면서도 別道理 없이 『내 棺은 金으로 맨들어라²⁴(金昌根 作), 『배나무집』(高可夫 作)——『버레 먹은 果實』(金光洲 作) 等 三篇의 獨幕劇을 創作 上演해 보앗다. 以上의 劇本에 對하야는 더 긴말을 쓰고 싶지 안타. 다만 우리는 이번 公演을 우리 劇人들의 準備工作이엿다고 생각하며, 朝鮮이라는 것을 또한 朝鮮民衆의 現實生活이란 것을 充分히 表現한 優秀한 作品이 朝鮮戲曲界에 만이 나오기를 바라며 앞으로 우리는 이것을 中國의 舞臺우에 힘자라는 데까지 忠實히 옴겨노랴 한다.

中國 同志들의 後援과 支持에 對하야는 無限한 感謝를 表示하나 멤버—의 한 사람으로 冷靜히 생각할 때 서슴지 안코 이번 公演은 成功보다도 失敗가 만엇다고 斷言하겟다.

言語가 다른 것과 女優難 等 우리들에게는 特히 不利한 條件이 잇으나 앞으로는 失敗를 거듭하면서라도 繼續해 가보고자 한다. 演員들도 어떤 意味

---

24 ' 』'가 누락되어 있다.

로 보면 全部가 『아마추어』다. 그러나 우리는 職業 劇人이 되기를 願치도 안으며 『아마추어』的 情熱을 一貫的으로 끌고 내려갈 수가 잇기만 바란다.

끝으로 이번 公演에 直接 或은 間接으로 도와준 『戲劇協社』의 『應雲衛』, 『歐陽山尊』等 諸氏에게 因緣이면 紙面으로나마 感謝를 表示한다.

順序가 바뀐 듯한 感이 잇으나 二三 地方 劇界의 消息을 紹介하고 끝을 맺고자 한다.

南京(首都를 地方으로 보는 것은 좀 우스우나 上海를 各 文化運動의 中心地라고 보면 無妨할 것이다.)에서는 上海에서 『唐槐秋』一派로 組織된 『中國旅行劇團』의 來京을 爲始하야 從來에 드문 劇界의 盛況을 이루엇고 『中國文藝社』의 公演 外에 『中國旅行劇團』, 『中國文藝社』, 『月刊雜誌矛盾社』, 『流露社』, 『南鍾劇社』, 『磨風劇社』, 『大衆劇社』, 『風[25]光社』, 『金中社』 等 九團體의 聯合으로 『樑上君子』, 『女人和狗[26]』(袁牧之 作) 等을 上演하엿고 『大衆劇社』는 單獨 公演으로 『洪深』의 農村劇 『稻香米[27]』를 上演하엿고 前記 各 團體의 聯合은 한 걸음 나가서 『中國戲劇協會』의 組織을 보게 되엇으며 『南地劇社』는 따로히 『莎樂美』(Salome)를 上演할 計劃 中이라는 消息을 傳한다.

杭州에는 『國立藝專』의 『李撲園[28]』의 領導下에 組織된 『藝專劇社』, 『國立浙[29]江大學』學生들 사히에 組織된 『北沙劇社』와 杭州의 最大 社會 劇團體

---

25 '嵐'의 오기다.

26 중국어 원제는 '一個女人和一條狗'이다.

27 중국어 원제는 '香稻米'이다.

28 '李樸園'의 잘못이다.

29 '淅'은 '浙'의 오식이다.

로 『杭州劇社』와 『民衆俱樂部話劇社』 等이 比較的 新劇運動에 努力하고 잇는 團體라 한다.

廣州에서는 『中小大學³⁰抗日劇社』가 『洪深』의 『五奎橋』와 『工³¹傷兵』 等 外에 『最初歐羅巴之旗』(最初の歐羅巴の旗)──『村山知義』 作을 上演하엿고 『市立第一中學』의 『獨幕劇競賽公演』, 『中等學校演劇比賽會』 等이 잇엇다 한다.(競賽, 或은 比賽라 함은 試合이란 뜻과 같다.)

여기서 붓대를 멈추고 생각하니 처음부터 聲明한 바이지만 몹시 條理를 일흔 글이 되고 말엇다. 그러나 筆者는 主義니 色彩니 傾向이니 하는 單語를 羅列하고 以上의 말해 온 各 劇社의 運動에 無理한 境界線을 긋기를 避하련다. 勿論 그것이 白色이거나 黑色이거나를 不問하고 舞臺위에 올려논 것만으로는 絶對로 新劇運動의 重要 動向을 삼을 수도 없고 境界線的 區別도 當然히 必要할 것이나 中國劇壇의 目前의 任務는 그들의 取하는 方向의 어느 것을 勿論하고 理論과 實際의 徹底한 融合과 優秀한 演劇 技術의 把握에 잇다고 생각하며 漠然한 말이랄지 모르나 劇壇 全體를 通하야 寫實主義 乃至 現實主義에로 움즉이고 잇다는 것만을 말하야 둔다.

(了)

── 三四年 一一月, 於 上海

---

30 '中山大學'의 잘못이다.

31 '二'의 오식이다.

1935년 1~3월

現代의 中國語[01]

丁來東

一. 緒言

現在 朝鮮에서 中國語를 學習하는 熱은 如干 甚하지 안은 模樣이다. 그러나 갓흔 中國語를 或은 「滿洲語」라고도 말하며 或은 「支那語」라고도 일칼른다. 中國은 本來 그 國名에 여러 가지 稱名이 잇슴으로 그 言語에도 여러 가지 名稱이 잇게 될 것이나 「滿洲語」라고 말한 데는 그 內容에 關하야 詳細히 알아야 할 바가 잇다. 本來 「滿洲語」는 中國語와 判異하야 그 文字도 다르며 그 言語가 中國語와는 本質的으로 다른 것이다. 現在 「滿洲族」은 그 傳來의 「滿洲語」를 喪失하고 極히 少數의 老人 以外에는 그 文字와 言語를 알지 못한다고 傳한다. 或 北平의 宮殿 扁額 갓흔 데를 치어다 보면 左便에는 漢字를 記錄하고 右便에는 滿洲文字를 刻하야 잇슬 뿐이요, 淸朝에서도 公文 其他를 大部分 漢文으로 記錄하엿슬 뿐 안니라 滿洲語, 文을 그리 獎勵하지 안은 模樣이엿다. 이와 가치 言語學의 來源으로 본다면 「中國語」와 「滿洲語」와는 서로 判然히 다른 두 種類의 言語이요, 決코 同一한 것이 안이다.

그러면 現今 滿洲에서 쓰는 言語는 어떠한 種類의 것인가? 이것은 곳 淸

01 『新朝鮮』 제8호, 1935.1.

朝에서 말하든 「北京官語」이요, 現今 中國에서 말하는 「國語」와 「普通語」는 同一한 言語이다. 이 「中國語」의 分布를 보면 少數의 地方 方言을 除하고는 中國의 大部分에서 쓰는 말이다. 長江 流域에 屬하는 諸省 卽 江蘇, 浙江, 安徽, 湖南, 湖北, 江西, 四川 等地에서도 이 普通語를 쓰며 北中國 黃河 流域의 諸省에서도 다 쓰게 된다. 그럼으로 現在 中國語는 全 中國 三分之二 以上에서 쓰는 말이다. 그러나 以上에서 列擧한 諸 地方語와 所謂 「普通語」가 同一하느냐 하면 그것은 決코 그러치 안타. 假令 例를 들자면 北平에서 가장 가까운 河北省의 말도 처음 드르면 알지 못할 말이 如干 만치 안타. 中語를 三四年 或은 五六年 間 學習하고도 北平 近方의 土語를 들으면 꼭 中國語 以外의 外國語를 듯는 感이 잇다. 그 알아듯지 못함은 勿論이다. 勿論 그 地方人과 오래 交際가 잇섯다던지 하는 것은 例外이니까 더 말할 것도 업지만은…… 北平 近方의 土語가 이러한지라 北平과 距離가 먼 江蘇, 浙江, 四川 等地의 土語와는 初對面할 때에는 相通치 못할 것이 事實이다. 이것은 非但 外國人이 五六年 間 中國語를 學習하고만 그럴 뿐 안이라 中國 本土人끼리도 出入이 적은 사람은 一般으로 難通할 것이다. 中國과 갓치 地域이 廣汎한 곳만 그러할 뿐 안이라 손쉽게 朝鮮의 例로만 보드래도 南部의 農民(比較的 他關에 出入이 적은)과 北部의 農民과 서로 만난다면 아마 初對話 時에는 全 會話의 半部는 서로 理解하지 못할 것이다. 이로 미루워 보면 中國語의 實情을 可히 推測할 수가 잇슬 것이다. 中國語의 相差는 物名 等 名詞가 서로 다른 것은 더 말할 것도 업거니와 漢文字의 音이 서로 다른 까닭에 갓흔 말을 서로 씨부리 것만 그 音이 다르고 그 音의 長短이 서로 다르고 그 音의 高低가 서로 다름으로 彼此에 알아듯지 못하는 것이다.

以上에서 말하면서 福建, 廣東, 廣西 等 南中國의 部分을 말치 안은 것은 그 等地는 따로 말할 必要가 잇는 까닭이다. 上記한 南中國의 三四省은 貴

州 等 地方을 除하고는 그 言語가 全部 서로 다르다. 假令 順序에 따라 福建
을 보드라도 大概 閩南, 閩西 等 三地方이 서로 言語가 通하지 못한다 하며
廣東省 亦是 言語가 北中國의 普通語와 判異한 것은 더 말할 것도 업거니와
北中國에서 쓰지 안는 廣東 特有의 文字까지 數十字 잇스며 그 語尾의 變
遷으로 因하야 同一한 말의 意味가 달라지는 例가 만타 한다. 이 廣東省 內
에서도 珠江의 沿流에 따라 大概 三地方 人이 서로 言語를 通하지 못한다고
傳한다.

또 上海 地方에는 上海의 特有한 方言이 잇서서 上海의 테바쿠만 떠나면
通하지 못한다고 傳한다.

大體로 보면 以上에서 畧擧한 바와 갓치 方言, 土語가 서로 달나 言語를
相通하기가 퍽으나 困難하나 一面으로 「中國 國語」統一의 運動도 甚함으
로 普通話만 알게 되면 大概 通用할 수 잇다 한다. 中國의 方言은 現今에 始
作된 것이 안이요, 멀리 先秦의 楊雄 때에도 相通하지 못한 方言이 만하엿든
것을 알 수가 잇스며 □屈原 前에도 越人歌의 翻譯 等이 잇는 것으로 보면
交通이 不便한 中上古에는 現今보다 方言, 土語의 差가 더 甚하엿는지도 알
수 업는 일이다.

이와 갓치 地方이 서로 距離가 잇서 言語가 다른 것은 非但 中國뿐만 안
이라 어느 나라에나 다 잇는 現象이요, 또 갓흔 地方에서도 職業이 다른 데
따라 言語가 다른 例가 적지 안다. 北平城 四十里 周圍 안의 例로 보드래도
約 四萬名이라고 指稱하는 人力車꾼의 土語는 좀애 알아듯기가 어려운 것
이다. 北平에서 近 十年 間 言語 學習을 하드래도 特히 그 土語를 學習하지
안으면 人力車꾼끼리 서로 하는 말은 알아듯지 못한다. 그러나 그네들도 學
生이나 다른 職業의 人士와 맛나면 普通 알아들을만한 「普通話」로 말함으
로 別 困難은 업다.

二. 中文과 中語

現在 中國에서는 白話文을 쓰니까 白話 即 中語만 베우면 普通 書籍은 손쉽게 읽을 것 갓트나 그 亦是 그리 容易한 일은 안이다. 例를 들면 가장 文字로서 普遍性을 띄운 新聞이다. 그러나 中國의 大新聞에는 그 三面 記事가 첫재 白話가 안이며 그 社論이 白話文이 안이요, 學藝面과 娛樂面의 一部分이 겨우 白話文일 뿐이다. 그럼으로 漢文(即 中國의 古文, 或은 時文)의 素養이 업시는 白話만 배워가지고 新聞도 볼 수가 업는 것이다. 그러면 新聞에 쓰인 글은 어떠한 글인가? 이것을 普通 「時文」이라고 말한다. 「時文」은 古文과 白話의 中間에 處하는 것으로 볼 수 잇슬 것이다. 「時文」 中에는 白話도 잇거니와 古文의 文體도 석기여 잇다. 勿論 新聞에도 「小報」라고 하야서 적은 新聞은 純全한 白話로 하는 小新聞이 잇스니 이런 것은 新聞으로서는 그리 權威 잇는 것이 되지 못하고 또 大新聞에서도 白話로 社說 等을 쓰는 新聞도 或 잇기는 잇스나 極히 少數에 不過하다. 近來 官廳의 公文 等도 白話로 쓴다고 傳하나 純全한 白話는 녀무 語句가 기러지는 嫌이 잇슴으로 自然 簡短한 時文이나 古文의 體를 본밧게 된다.

이와 가치 現代 通用하는 文體에 「時文」과 「白話文」이 잇스며 가튼 白話文에도 여러 가지 體가 잇는 것은 더 말할 것도 업다. 假令 魯迅의 短篇小說은 勿論 白話로 쓰여잇스나 中語나 몃 卷 배와 가지고는 읽지 못하는 것이 普通이다. 魯迅은 極히 簡單한 白話를 쓰므로 그 文中에는 文言의 用句가 만으며 또 英文 等의 語句를 模倣한 文句가 만하야서 容易하게 通讀할 수는 업는 것이다. 或者는 말할 것이다. 中語를 四五年 乃至 五六年 배워가지고 小說을 보지 못하다니 怪異한 일이라고……. 그러나 우리가 英語의 例를 보면 이런 것은 容易하게 料解할 수 잇는 일이다. 中語는 漢文으로 되여 잇슴으로 多少 쉽기는 하나 그 쉽다는 것은 참으로 少量에 不過하다.

魯迅의 小說도 그러케거니와 그의 散文, 小品 等은 더욱 難解의 것이며 周作人의 散文도 白話는 白話나 亦是 難解의 種類에 屬한다.

白話에도 比較的 容易한 것은 胡適의 것이요, 創作으로 純全한 白話를 쓰는 것은 張資平, 郁達夫, 巴金, 郭沫若, 矛盾[02] 等 諸 文士의 것일 것이다.

그럼으로 特別한 例를 除하고 普通으로 말한다면 中文과 中語를 五六年乃至 七八年 하지 안코는 小說도 本 뜻대로 보지 못할 것이며 講演도 그 말한 者의 意思대로 알아듣지 못할 것이며 新聞도 뜨더 보지 못할 것이다.

흔히 六介月이니 一年이면 中國語는 學習할 수 잇다고 하나 이것은 間或 잇슬 수 잇는 例이요, 決코 一般으로는 不可能한 일이다. 흔히 北平 等地에서 三四年 잇는 學生이라도 講演을 듯고 뒤밧꾸와 말하며 新聞의 社說은 勿論이요, 普通 記事도 잘 料解치 못한 사람이 만으며 또 朝鮮에서 一二年, 三四年 式 배워가지고 北平 왓다는 學生도 發音이 不正確하야 「急就篇」의 「一二三四」에서부터 새로 始作한다는 例가 적지 안은 것으로 보아 中國語도 豫想한 것과 갓치 容易치 안은 것을 알 수 잇슬 것이다. 무엇이나 잘하자면 쉬운 것이 업는 것이다. 中國語도 勿論 例外일 수는 업다.

그러나 最善의 方法으로 배우고 最近까지 硏究된 便利한 道具를 利用한다면 만은 精力과 時日을 省畧할 수 잇는 것만은 事實이다.

그러는 데는 「四聲」, 「重念」, 「注音子母」, 「文法」 等과 「白話文」, 「時文」을 兼修할 必要가 잇슬 것이다.

(了)

---

02 '茅盾'의 잘못이다.

現代 中國文壇의 十大 女作家論[01]

上海 李達

(一)[02]

現代 中國 女流作家는 三十餘人으로 決코 적은 數字가 아니다.

그러나 一時 興趣의 驅使에서 떠나 적어도 全 生命을 文學作品에 傾注하는 作家로 中國文壇에 成名한 全 女流作家 中 가장 優越한 十人에 限하여 作者 各自의 獨特한 作風을 畧述하여 內地 讀者에게 紹介한다. 本來의 意圖는 各 作家의 比較的 詳細한 經歷 調査와 作品의 具體的 考察을 試코저 하엿으나 經歷에 限하여 겨우 作品을 通하여 얻은 斷片 外에 他方面으로의 調査가 不可能하며 同時에 多數한 作品을 一一히 考察키도 決코 容易한 그 工이 아니다. 그러므로 筆者의 各 作品에 對한 見解와 各 評家의 評論을 綜合 根據하여 各自 風格의 特色만을 叙述의 範圍로 定한다.

---

01 『東亞日報』 1935.1.16~1.19, 석간 3면. 이 글의 내용은 거의가 賀玉波, 『中國現代女作家』(上海現代書局, 1932)에서 축약 발췌한 것이다.

02 매회 연재분 표기로서 4회에 걸쳐 연재되었다.

氷心

福建人. 父親은 海軍 軍官. 北京 燕京大學 卒業, 美國留學, 回國 後 大學教授 吳某와 結婚. 現在 母校 燕大 教授. 著作은 『繁星』, 『春水』, 『超人』, 『小讀者에 寄함』等의 詩歌와 小說이 잇다. 女史는 中等 以上의 資産階級으로 비록 學校出身 乃至 美國留學生이나 家庭의 安逸한 閨秀生活로 汚濁한 社會와의 接觸이 없고 創作 時代가 五四運動 前後에서부터이고 同時에 結婚 後의 生活이 圓滿하고 豊富한 만치 生活과 密接한 關係가 잇는 作品의 特色은 詩, 散文, 小說을 莫論하고 大概 有閑階級의 安逸 生活의 讚美를 吟咏하고 描寫한다. 여기에서 自然의 美와 父母 家人의 愛는 每篇 作品의 要素가 된다. 安適한 家庭, 軍人의 父親, 慈愛한 母親, 聰明한 弟妹의 人物을 題材로 하여 太半 家庭 日常生活의 斷片을 描寫한다. 社會에 對한 盲目과 現 社會의 苦痛을 體驗치 못한 女史는 母愛에서부터 擴大된 博愛로 社會의 一切 罪惡을 解除하며 苦難한 衆生을 救出하랴고 主張한다. 事實로 女史의 作品은 耶蘇教式的 博愛와 空虛한 同情이 充滿하다. 一九二三年에 出版한 詩集 『繁星』과 『春水』는 技巧 或은 情緒上 多少 優劣의 差가 잇으나 兩者의 描寫 範圍는 卽 自然의 讚美, 母愛의 頌揚, 人生의 懷疑, 靑春 逝去의 感傷, 藝術의 歌咏에서 完全히 同一하다. 女史 作品에 對하여 總合的 批判을 하면 一. 主義 派別의 制限을 받지 안코 絶對自由 抒述을 主張하므로 그 作品에 系統 잇는 思想과 固定한 作風이 없는 것. 二. 空虛的 博愛를 鼓吹. 三. 小說의 結構 要素의 一項인 背景에 對한 疎忽 等等이다.

盧隱

女史는 北京 某 大學 卒業 後 母校에서 敎鞭을 잡엇다. 最近 日本을 遊覽

하고[03] 小說創作은 亦是 五四運動 前後부터 開始하여 在學 時에 多數한 作品을 發表하엿다. 作品은 『海濱故人』, 『曼麗』, 『靈海潮汐』, 『歸雁』, 『雲鷗情書集』 等이 잇다. 海濱故人은 作者의 處女作 短篇小說集으로 『一作家[04]』, 『或人의 悲哀』, 『海濱故人』, 『彷徨』 等 十四篇을 彙集하여 單行本으로 出版하엿다. 『一著作家[05]』는 이미 出嫁한 女子가 熱烈하고 赤誠의 마음으로 曾前의 愛人을 訪問한 것을 描寫하여 作者는 本篇에서 眞正하고 偉大한 愛情은 비록 形體上 障碍를 받으나 畢竟 結合 成功됨을 表示하엿다. 『或人의 悲哀』는 書信體로써 多病 善愁의 極端으로 悲觀하는 一 女性의 戀愛 心情을 描寫한 小說로 多病한 女主人公은 人生에 對하여 深刻한 悲哀를 느끼고 湖水에 뛰여들어 生命의 結局을 決定하엿다. 作者는 死亡만이 悲哀를 廻避하는 唯一의 方法임을 暗示하엿다. 『彷徨』 一篇은 衣食을 爲한 一 敎員이 느낀 人生 彷徨의 悲哀를 如實히 表現한 內容에서 比較的 優秀한 作品이다. 『靈海潮汐』은 『父親』, 『秦敎授의 失敗』, 『夜雨』 等 十二篇으로 集成하고 『父親』篇은 腐敗 家庭의 子息이 父親의 妾과 戀愛한 事實을 描寫하여 家庭 暗黑 及 父親의 醜惡을 曝露하며 子息이 父親의 妾에 對하야 表示한 憐愛를 抒述하여 中國 舊式家庭의 腐敗 現狀을 曝露한 點에서 相當한 價値가 잇다. 女史의 全部 作品의 特色은 아래와 같다. 1. 描寫의 對象이 大部分으로 小資産階級의 半新 半舊한 閨秀. 2. 處女生活의 尊嚴에 富한 心理와 出嫁 後의 空虛한 悲

---

03 정보가 잘못 되었다. 廬隱은 1934년 5월 난산으로 사망, 이 글이 발표되는 1935년 1월 현재 이미 작고한 지가 반년이 넘었다. 그는 1930년 일본에 결혼 여행을 다녀온 적이 있다.

04 '一個著作家'의 잘못이다.

05 '一個著作家'의 잘못이다.

哀. 3. 不平과 憤懣의 發露. 4. 書信 及 日記休[06]裁를 應用한 小說의 多數.

叔華

女史의 作品은 『花之寺』와 『女人』의 兩部 小說集이 잇다. 前者는 一九二九年에 後者는 一九三〇年에 出版하엿다. 『花之寺』集에 收編된 短篇 小說 『酒後』, 『茶會以後』, 『花之寺』 等 十二篇 中 酒後 一篇은 本集의 代表作 이다. 西洋藝術을 運用하여 達成한 이 作品은 오히려 純粹한 東方佳麗가 잇 고 筆致가 細密하고 美麗하다. 그러나 本篇은 『愛의 佔有說』의 頑固 理念이 充滿하다. 嚴正히 말하면 作者 自身의 幸福을 讚美하는 享樂主義 思想이 充 分히 表現되엿다. 作者의 所寫하는 題材에 對하야 敏銳한 視察이 적고 表現 은 다만 外部의 色彩와 形骸에만 限하여 讀者에게 眞實한 深刻을 주지 못하 며 또 局部的 描寫로 具體的 生命을 暗示치 못한다. 作者는 大學 敎授의 夫 人으로 生活 環境이 가장 安適하며 人生의 悲愛, 人間의 冷醒을 嘗試치 못하 엿으므로 그 作品은 諷刺性이 없고 熱狂이 없는 다만 作者 自身의 느낀 現 象만을 忠實히 抒述한다. 第二集 『女人』은 『病』, 『女人』, 『李先生』의 短篇이 包含되여 女人 一篇은 技巧에 잇어 가장 出色하며 作法은 完全히 戲劇化한 作品이다.

---

06 '体'(즉 體)의 오식이다.

(二)

丁玲

『黑暗中[07]』, 『自殺日記』, 『女人[08]』, 『韋護』의 作者 丁珍[09]女史는 가장 有名한 靑年 女作家다. 湖南에 出生하고 北京에서 學生生活을 經過한 廿餘歲의 靑年으로 距今 五六年 前부터 各 刊物에 創作을 發表하여 多數 讀者의 好評을 獲得하고 戀人 靑年作家 胡也頻, 沈從文 等과 紅黑社를 組織하여 紅黑 雜誌를 出版하엿다. 不幸히 그 愛人이 暗殺 當한 後 女史 홀로히 孤單한 歲月을 보내다가 自身까지 戀人과 同樣으로 暗殺되고 말엇다. 一九二八年에 出版한 處女作 『黑暗中』은 好評을 博得한 小說이다. 本 黑暗 中에 收編된 四個 『夢珂』, 『莎菲女史의 日記』, 『暑暇中』, 『阿毛孃[10]』 中 『夢珂』는 崩壞 中에 잇는 小資産階級의 一 女怪이 環境에 壓迫된 事實을 描寫하여 作者는 環境과 生活意識의 影響을 一種의 奢侈性과 虛榮心을 가진 女性으로 하여금 墮落케 한 것을 表現하엿다. 『莎菲女史의 日記』는 肺病 가진 一 女性의 戀愛心理를 描寫하엿다. 本篇은 夢珂와 比較하면 多少 遜色이 없지 안으나 技巧에 잇어 또 膽大한 描寫와 結構 辭句의 一切가 完美하다. 『暑暇中』은 女敎員들의 生活 煩悶을 描寫하엿다. 그들 中 或은 同性愛에 沈溺하고 或은 圓滿치 못한 結婚生活에 煩悶하고 或은 終身獨身主義를 堅持한 等의 가장 可憐한 同時에 出路가 없는 女敎員들이다.

---

07 중국어 원제는 '在黑暗中'이다. 아래도 마찬가지다.

08 중국어 원제는 '一個女人'이다.

09 '丁玲'의 잘못이다. 아래도 마찬가지다.

10 중국어 원제는 '阿毛姑娘'이다.

『自殺日記』는 一九二九年에 出版된 短篇小說集이다. 『自殺日記』, 『歲暮』, 『過歲』 等 六篇이 包含되고 『一女人[11]』도 『靑年孟德의 失眠[12]』, 『日』, 『野草』 等이 收編된 小說集이다.

『韋護』는 一九三〇年에 出版된 長篇小說이다. 韋護는 露西亞에서 돌아온 콤뮤니스트다. 南京에서 一女子 麗嘉를 알게 되엇다. 麗嘉는 天眞爛熳한 無政府主義 傾向이 잇는 女子다. 그들은 思想은 同一치 안흐나 畢竟 互相 熱戀케 되엇다.

韋護는 上海 S大學 敎務主任과 一方으로 秘密工作의 責任까지 젓다. 그들은 同居 後 極端의 快樂 中에서 韋護의 重要한 工作에 疎忽케 되엇다. 여기에서 煩惱를 느낀 韋護는 結局 愛人을 抛棄하고 秘密工作을 爲하여 廣東 方面으로 떠나갓다. 本篇은 完全히 愛情과 工作의 衝突을 描寫한 長篇이다. 丁珍女史의 作品은 特殊한 風格이 俱有하고 女子 心理狀態 分析의 精確과 細密, 新結構 採用, 膽大한 描寫, 또 現 社會의 事實에 그 題材를 採用하며 捕捉한 事實 中의 問題를 巧妙히 表現한다.

綠漪

女史는 自然界 景物의 描寫의 特長이 잇다. 一幅의 秀麗한 圖畵가 觀者에게 快感을 주는 것과 같이 女史의 自然에 對한 精巧한 描寫와 美麗한 作風은 讀者의 無限한 興趣를 끈다. 女史는 山湖 及 一切 景致에 對하여 愛好하며 同時에 珍禽異獸 及 草蟲蜂蝶에 對하여서도 非常히 愛好한다. 甚至於 自

---

11 '一個女人'의 잘못이다.

12 중국어 원제는 '少年孟德的失眠'이다.

然界의 一草 一木의 細微한 것까지 注意 觀察한다. 그러므로 그 作品은 太半이 自然景物을 描寫한 草蟲畵다. 作品은『綠天』과『棘心』이 잇다. 前者는 一九二八年에 出版한 處女作이고 後者는 一九二九年에 印行하엿다. 綠天은 六個 短篇小說을 收集한 作者 自身의 結婚記念이다. 本篇은 結合의 美滿과 生活의 快樂을 表示하엿다. 題材는 自己夫婦 生活 外에 自然界 動植物의 繁殖狀態에서 採取하엿다. 以上 陳述과 같이 作者는 家禽野獸 及 草木蟲蝶에 對하여 深奧한 硏究가 잇고 이 硏究의 所得을 本 作品에 表現하엿다. 思想方面에서 보면 大自然을 讚美하는 外에 個人主義的 享樂 氣分이 充滿하고 技巧에 잇어 저 小生物의 精密한 描寫와 美麗한 文字는 讀者에게 相當한 滿足을 준다.『棘心』은 一本 長篇小說이다. 內容은 完全히 作者 本人의 事實 卽 佛蘭西留學, 家庭變故, 信仰天主敎, 未婚夫와의 通信 及 其他生活 情況이다. 이 作品의 思想은 天然愛好와 個人主義 以外에 個人主義에서 狹義的 國家主義와 宗敎 信仰이며 技巧方面도 綠天과 同樣으로 美麗한 文字와 細緻한 描寫다.

沅君(塗[13])

女史는 河南人. 北京 某 大學 卒業. 上海 吳淞 中國公學 敎員. 作品은『卷旋[14]』,『春痕』,『刼灰』의 三部가 잇다. 處女作 卷旋은 隔絕, 隔絕之後, 旅行, 慈母 等 六個 短篇이 收集되고 本 卷旋 六篇小說은 大槪 慈母의 愛와 情人의 愛의 互相 衝突에서 産出되는 悲劇을 描寫하고 每篇의 題材는 거의 相

---

13 '淦'의 오식이다.

14 '卷施'의 잘못이다. 아래도 마찬가지다.

同하고 主人公의 性格까지도 同一하다. 『隔絶』은 이미 愛人이 잇는 一 女性이 母親에게 幽禁된 情形을 描寫하엿다. 그 女子는 幽禁 寂寞과 相思의 苦痛을 못 견디여 自己의 監獄과 같은 家庭을 떠나랴고 하엿다. 그러나 彼女는 또 사랑하는 母親을 바리고 逃走하지 못한다. 여기에서 彼女는 畢竟 苦惱의 陷阱으로 빠지고 말엇다. 『隔絶之後』의 情節도 隔絶과 連續性이 잇는 續篇이다. 旅行은 以上 兩篇보다 比較的 趣味가 잇는 情人 青年 男女가 蜜月 十日 後 初夜 同寢 時의 情景을 大膽하고 艶麗하게 描寫하엿다. 『春痕』은 五十封의 書信을 收集 成册하엿고 一九二九年에 出版한 『刼灰』는 清朝末 民國初에 河南 匪患 情景을 描寫한 最大의 注意를 引起한 作品이다. 作者의 三部 作品을 思考하면 第一, 作者는 專門으로 慈母愛와 情人愛의 互相 衝突에서 오는 悲劇을 描寫한 것. 第二, 作者 思想은 新舊 兼有하나 比較的 新에 趨向한 것. 第三, 中國 舊文學의 成分이 充滿한 것. 第四, 中國 舊式女性의 美를 歌咏한 것. 第五, 作品 到處에 閑情逸緻한 氣分이 表示된 것과 題材 選取에 多少 缺點이 잇는 것. 第六, 描寫가 大膽하고 語句가 美麗하나 技巧, 結構 佈局에 遜色이 잇는 것. 第七, 創作態度가 嚴肅치 못한 것 等等이다.

(三)

沈櫻

喜筵之後, 夜闌, 某女史의 作者 沈櫻女史는 短篇 戀愛小說 創作의 能手다. 青年男女의 戀愛心理 分析에 對하야 極히 細密하고 適當하다. 喜筵之後 集에 所收된 作品 中秋節, 空虛, 愛情의 開始, 下午, 喜筵之後 等 九篇이다. 其中 下午와 喜筵之後 兩篇은 一層 優秀하다. 喜筵之後의 內容은 愛情의 開

始 一篇과 接近하다. 後者는 夫婦生活의 不滿을 表示하고 前者는 夫婦生活
의 不滿으로 因하여 다시 다른 方面으로 愛情 追求의 意思를 表現한 것이다.
喜筵之後의 女主人公 茜華는 婚後 生活의 無聊를 늦겨 丈夫의 意思를 背逆
하고 親友의 喜筵에 參與하얏다. 彼女는 席上에서 偶然히 過去 戀人 今傑을
맛나 筵後 彼此 心懷를 吐露키로 約束하엿다. 그러나 今傑은 前日 失戀의 悲
痛으로 因하여 이미 식은 熱情이 恢復되지 못하여 彼女에 對한 態度가 冷談
하엿다. 彼女가 情感 暴發로 견디지 못하는 때 今傑은 오히려 조금도 親熟
한 表示가 없으며 彼女의 心情에 對하여 理解가 없엇다. 여기에서 彼女는 失
望하엿다. 彼女는 다시 丈夫에 대한 愛情을 늦기고 그 熱戀의 마음을 依然히
夫仗에게 바첫다. 이것이 喜筵之後의 大槪의 情節이다. 下午는 一個 小資産
階級의 女性이 革命團體에 投身하고 오히려 團體의 紀律을 嚴守치 안는다.
會議가 開催되는 어느 날 下午 彼女는 戀人과 作伴하여 놀면서 會議에 出席
치 안은 小資産階級의 出身으로 革命에 대한 不忠實을 表現하엿다. 作者는
革命 失敗 後 前線 戰士와 後方 同志의 退縮에 小說 題材를 採取한 點은 丁
珍女史의 韋護와 白薇女史의 愛網과 同一하다. 夜闌集은 慾, 悵惘, 夜蘭 等
七篇을 收編하고 其中 慾과 夜蘭은 硏究할 價値가 없다. 諸 作品을 通하여
보면 作者는 資産階級 意識이 잇는 女性임을 斷定할 수 잇고 濃厚한 個人主
義的 享樂思想이 잇다. 描寫의 對象은 大部分으로 靑年 夫婦 婚後의 戀愛다.
婚後의 生活의 平凡化로 因하야 다른 方面으로 愛情을 追求하며 性慾 衝動
을 滿足하나 恒常 苦痛 乃至 悲劇 發生을 免치 못한다. 如斯한 放縱的 性慾
은 好結果가 잇는 데서 그들의 理智는 放浪의 感情을 牽制하며 戀愛로 하여
금 圓滿한 程度까지 達하지 못하고 中止한다. 作者와 表現하는 思想은 讀者
에게 滿足을 못 주나 小說的 技巧와 美麗한 文字는 甚히 愛好된다.

(完)

陳學昭

女史는 小品 散文에 特長이 잇는 作家다. 煙霞伴侶, 寸草心의 初期作 以外에 南風의 夢의 長篇小說이 잇다. 煙霞伴侶는 自然景致를 描寫하고 寸草心은 一切의 流離, 顚沛, 困難의 作者 自身의 漂泊 生涯를 叙述하엿다. 南風의 夢은 作者 法國 留學 時의 經過 情形의 가장 主要한 情節, 複雜한 多角戀愛를 描寫하엿다. 技巧에 잇어 多少 缺點이 잇으나 描寫가 細密하고 文字가 美麗하다.

白薇

琳麗、愛網의 作者 白薇女史는 湖南人이고 日本 留學을 하엿다. 琳麗는 作者 自身의 失戀을, 愛網은 生活을 描寫하엿다. 三幕으로 組成한 詩劇 琳麗는 作者의 思想이 아즉 堅定되기 前의 表現임으로 零碎 雜亂의 戀愛論——戀愛犧牲說과 戀愛生命說——이나 愛網은 信仰이 決定된 後 또는 自身의 經驗 後의 表現임으로 前者보다 優勝하다. 愛網은 一九二七年 中國革命 熱潮가 冷落된 後 一時 革命 鬪爭에 奔走하든 靑年들 中 或은 環境의 壓迫으로 不得己 隱匿 悲觀하며 或은 變節 投降으로 榮華를 享受하며 或은 雄心이 消滅되고 糊口的 職業에 從事하며 或은 含悲飮愁로 頹慶의 殘生을 보내며 或은 顚沛流離의 苦難 生涯를 보내며 或은 依然히 鬪爭을 繼續하는 等等의 各色 各樣으로 分化되엿다. 作者는 그 中 隱退의 一種을 取하야 戀愛로 自慰하는 靑年의 生活에 題材를 採取하엿다. 取材에 잇어 作者는 深刻한 眼光이 잇고 時代의 轉變되는 事實을 捕捉하여 作者의 思想을 그 事實 속에 參透시켜

一部 意義 深長한 作品을 썻다.

衡哲

　女史는 美國 留學으로 專門으로 歷史를 硏究하엿다. 일즉이 短篇小說을 發表하여 歡迎을 받엇으나 收集 成册한 文學作品은 적다. 西風, 運河와 揚子江 等의 作品을 考察하면 取材에 잇어 世界性的이고 思想은 作品 속에 自由快樂을 爲한 奮鬪精神이 充滿하고 讀者에게 急進 向上의 勇氣를 鼓舞한다. 技巧 方面도 相當히 成功한 作家다.

(完)

中國: 新詩의 流派 及 詩人[01]

01生[02]

一. 形式上 舊詩의 規律을 打破하였으나 依然히 舊 詩詞, 音節, 意境에서 脫離치 못한 流派.

이 一派의 第一人은 胡適이며 氏의 著作 「嘗詩集」은 此種 詩의 代表作이다. 劉大白의 「舊夢」, 劉復揚의 「鞭集」[03], 俞平伯의 「冬夜」, 田澤[04]의 「江戶之春」 等等은 다 此 一派에 所屬되며 其中 田澤의 詩는 比較的 才情이 豊富하고 音調도 諧美하며 詩의 形式과 技巧에 注重하나 氏의 作品은 자못 小量이다.

---

01 「世界 詩壇 消息」에서 발췌함, 『詩苑』 제1호, 1935.2.

02 李達의 「中國 新詩와 戲劇」(『東亞日報』 1935.3.1.)과 내용이 거의 동일한 것으로 보아, 그의 필명으로 보인다.

03 '劉復의 「揚鞭集」'의 오식이다.

04 '田漢'의 오식이다. 아래도 마찬가지다.

一. 無韻詩 或은 自由詩.

康自白⁰⁵의 「草⁰⁶」, 徐玉諾의 「將來之花園」, 汪靜之의 「蕙의 風」, 焦菊隱
의 「夜哭」, 趙景深의 「荷花」, 李金髮의 「微雨」 等等은 此 一派의 代表作이고
周作人도 이 詩派에 所屬되여 그의 作 「小河」 一首는 가장 有名하다.

一. 小詩.

「中國 新詩의 各 方面에 있어서 다 歐洲의 影響을 받었으나 猶獨 小詩만
은 例外로 그 來源이 西洋이 아니고 東洋이다. 그 裏面에 二個 潮流가 있으
니 卽 印度와 日本이며 思想上에 있어 冥想과 享樂이다」는 周作人 著 論「小
詩」⁰⁷ 中의 一段이어니와 事實 中國의 許多한 小詩派 作家는 印度 타고一
ㄹ의 飛鳥集과 日本의 短歌, 俳句의 影響을 받은 것은 顯然한 事實이다. 例
를 들면 冰心女史의 「繁星」과 「春水」가 곧 그것이며 이밖에 宗白華, 梁宗
岱⁰⁸ 等의 作品도 이 一派에 屬한다.

一. 西洋詩體.

郭沫若의 「女神」은 事實上 이 一派의 先導이며 陸志韋의 「渡河」도 排列
韻律에 있어서 如實히 西洋詩를 模倣하고 있다. 比較的 成功에 가까울 것은

---

05 '康白淸'의 오기이다

06 '草兒'의 잘못이다.

07 「論小詩」의 잘못으로서 홑낫표의 위치가 잘못되었다.

08 '梁宗岱'의 잘못이다.

徐志摩의 「志摩의 詩」이다. 聞一多, 劉夢華[09], 饒孟侃, 朱湘, 于賡虞, 蹇先艾 等의 詩가 다 此種에 屬하고 以上 諸氏는 新詩에 格律을 要한다.

---

09 '劉夢葦'의 잘못이다.

中國文壇의 現勢 一瞥 -
一年 間의 論壇, 創作界, 刊行物界 等[01]

金光洲

【一】[02]

一九三四年의 中國文壇은 어떠케 움즉이엇는가? 이것을 極히 表面的으로라도 一瞥하자는 것이 本文의 조고마한 意圖다.

現下 中國의 社會相이 그러한 것과 같이 一九三四年의 中國文壇도 混沌과 朦朧에 싸여서 一年을 보낸다. 이러케 한 말로 簡單히 말하면 너무나 漠然하고 輕率하다고도 하겟으나 事實에 잇어서 어느 곳에 가서 文壇의 主潮를 찾고 어느 곳에 가서 中堅作家를 찾어내야 할지 그것조차 容易하지 안흘만큼 一種의 沈鬱한 雰圍氣 속에서 一年을 지낸다. 이것을 文壇의 沈滯랄지 或은 動搖랄지 하여튼 文壇의 各 方面을 通하야 質的으로나 量的으로나 이러타고 指摘해낼만한 새로운 進展을 보이지 못햇고 進步的 作家랄 수 잇는 몇몇 力量 잇는 作家들은 分散과 沈默을 지켯고 文壇의 注目을 끌만한 新人

---

01 『東亞日報』 1935.2.5~2.8, 석간 3면.

02 매회 연재분 표기로서 4회에 걸쳐 연재되었다.

의 出現도 없엇다.

三四年度의 中國 刊行物界를 表面的으로만 바라본다면 누구던지 一種의 奇異한 느낌을 일으킬 것이다. 三四年은 中國의 『雜誌年』이라고 一般이 말하는 바와 같이 大小 雜誌를 綜合해보면 例年에 比하야 조금도 떠러지지 안을 만큼 量的으로는 非常한 活氣를 띠엿다고 할 수 잇다. 그러면 刊行物界가 이러케 活氣를 띠엿음에도 不拘하고 文壇的으로는 왜 特記할만한 優秀한 收穫이 없엇는가? 여기서 우리가 注自해야 할 것은 이 市場에 汎濫하는 雜誌가 勿論 全部가 그러타는 것은 아니지만 그 大部分이 國民黨의 主義와 綱領을 宣傳하는 御用 工具的 役割을 하고 잇다는 것과 政治的 黨派를 背景으로 하는 關係上 純全한 文藝의 建設을 目標 삼는 雜誌가 적고 더욱이 一部分은 獵奇的 讀者心理에 迎合하는 低級한 『쩌너리즘』으로 흐르고 잇다는 것이다.

이러한 現象 아래에서 비록 그것을 文壇의 主潮라고 誇大視할 것은 아니지만 이 一年 間에 中國文壇에서 첫재로 말해야 할 것은 民族主義 文藝運動이다. 勿論 이 亦是 三四年度에 擡頭한 새로운 文藝運動도 아니요, 일즉이 一九三〇年 春間 以後로 三一年에 이르기까지 左翼作家의 銃殺을 비롯하야 『蔣』의 獨裁政治가 前古 未曾有의 文化彈壓의 暴風雨를 일으킨 直後 『現代文藝』──『文藝月刊』, 『前鋒月刊』, 『長風』 等의 各 雜誌를 앞잡이로 삼고 階級文學運動의 뒤를 이어 일어난 것이다.

우리는 先入見的 乃至 黨派的 見解 아래에서 한 民族의 固有하고 特有한 文化의 建設運動을 輕視할 수는 없다. 그러나 이 中國文壇의 民族主義的 傾向이란 이러한 民族의 참된 藝術의 建設을 土臺 삼은 것이라기 보다는 『新生活運動』, 『孔子祭의 復活』 等과 함께 國民黨의 文化政策에 基因하야 發生된 國粹主義의 露骨化를 證明해 주고 잇는 데 不過한 것이라 할 수 잇다. 文

化運動의 各 部門에 던저지는 『蔣』의 彈壓, 그것은 今後로 어떠한 두려운 結果를 가저 올는지는 우리의 注目할 바이거니와 좀 極端的으로 말하면 國民黨의 主義와 綱領을 擁護하는 御用 文學家가 아니면 優秀한 作家的 技能을 가지고도 그것을 發揮할 수 없을 만큼 實로 한 篇의 글로도 生命의 左右를 받고 그 態度 如何를 勿論하고 思想書籍의 求讀조차 허락지 안는 戰慄할 時代에 直面하야 잇는 것이다.

따라서 中國作家의 最近 作品에 나타나는 社會性이란 都市의 小市民階級을 中心으로 한 것과 農村 封建勢力의 崩壞의 消極的 表現이고 非但 文壇뿐만 아니라 劇壇 或은 映畵界 其他 各 藝苑을 通하야 『反×抗×[03]』이라는 漠然한 口號的 傾向이 流行되고 잇다.

누구든지 一九二八年으로부터 一九三〇年에 이르기까지의 宣傳과 口號에 沒頭하든 中國 共產主義文學運動의 全盛 時期를 생각하면서 現今의 民族主義文藝運動을 본다면 政治와 文學에 對한 關係를 다시 한 번 생각하지 아니치 못할 것이다. 적어도 『文學은 人類의 歷史를 떠나서 在在할 수 없으나 同時에 어느 한 政治的 黨派의 宣傳工具가 될 수 없다』는 것을──. 그러나 이것은 이곳에서 더 길게 論할 바이 아니고 以外에 이러한 混亂된 狀態아래서나마 一部에서는 참된 現實主義의 傾向으로 『발작크』가 紹介되면서 잇다는 것을 指摘하고 以上에서 말한 것을 前提로 三四年 一年 間의 論壇, 創作界, 刊行物界 等을 簡單하게 一瞥해 보려 한다.

---

03 '反蔣抗日'로 추정된다.

【二】

　爲先 刊行物界에 잇서서 文藝雜誌를 들면 己往부터 發刊 繼續되여 내려온 月刊 雜誌로 上海『現代書局』을 背景 삼고 잇스며 特히 이러타는 派別이 없는『現代』와 亦是 書店을 끼고 잇는 關係上 雜誌界에서 第一 發賣 成績이 조흔『傅東華』, 鄭振鐸 編輯의『文學』, 比較的 外國作品의 飜譯物과 戱曲을 만히 실는『文藝月刊』, 一般 藝術界의 紹介에 注重하는『藝風雜誌社』出版의『藝風』,『汪錫鵬』,『潘子04農』,『徐蘇靈』等의 合同 編輯인『矛盾』과『新壘』,『유모어』文學雜誌『論語』等이다. 이 中에서『現代』와『矛盾』두 雜誌는 各各 昨年 十一月號를 내논 다음에 停刊되엿다.05 이外에 一九三四年에 新刊된 文藝誌와 그 編輯者를 記憶되는 대로 들면『文學季刊』(鄭振鐸, 章靳以),『文學評論』,『學文』(葉公超),『世界文學』(伍蠡甫),『春光』,『文史』(吳承仕),『當代文學』,『中國文學』,『譯文』(黃源),『人間世』(林語堂),『文藝風景』,『水星』(鄭振鐸) 等이다. 이 中에서『文學季刊』과『文學評論』,『水星』等은 北平文壇의 重要한 刊行物로『文學季刊』은 그 일홈이 指示하고 잇는 것과 같이 一年 間에 이미 第四號를 내노핫으나 三四號에 와서는 創刊 當時의 理論과 創作 各 方面의 充實性이 漸次 貧弱해 가는 感이 잇고『文學評論』은 唯一한 純評論 雜誌라 할 수 잇으며『水星』은 一種 朦朧한 態度를 가진 雜誌로 別로히 特殊한 目的을 엿볼 수 없고 主로『巴金』을 爲始하야『卞之琳』,『沈從文』,

---

04　'子'는 '子'의 잘못이다.

05　정보가 잘못되었다.『現代』는 1935년 5월에 정간되었다.

『李健梧⁰⁶』,『章勒以⁰⁷』等 諸 作家의 글을 실고 잇다.

　上海에서 刊行 其外 大部分이 되는⁰⁸ 雜誌이고 特히『世界文學』은 外國
의 著名作家와 作品, 文藝思潮 等의 紹介로 世界文學의 輸入에 努力하고 잇
으며 그 다음『春光』은 比較的 左翼的 傾向을 가지고 잇는 雜誌로 稀少한 이
方面의 刊行物界에서 孤獨한 길을 걷고 잇다.

　『文史』는 優秀한 論文을 만히 실는 것이 그 特點이요,『當代文學』은 各派
의 重要 文人을 總 網羅한 雜誌고『譯文』은 外國作品의 飜譯 紹介를 爲主하
며 때때로 寄稿하는『矛盾⁰⁹』과『魯迅』의 譯稿가 注目할만한 것이다.『人間
世』는 小品文과 隨筆을 專門으로 실는 雜誌이나 때때로 低級趣味를 迎合하
는 傾向이 잇고 끝으로『文藝風景』은 新鮮 輕快한 編輯方法이 그의 優秀한
點이다.

　이 許多한 雜誌 가운데서 混亂한 狀態에서나마 文壇的으로 比較的 優秀
한『¹⁰作品을 내놋는 雜誌는『文學』과『文學季刊』이라 할 수 잇다. ¹¹文學』은
一時 民族主義團體의 買收說까지 傳하엿으나 多幸히 그런 露骨的 傾向이
없이 三四年度에도『飜譯特輯號』를 내여 各國의 優秀한 短篇을 紹介햇고
『弱少民族文學特輯號』를 내여 十餘篇의 短篇을 譯載하야 널리 알려지지 안

06　'李健吾'의 잘못이다.

07　'章靳以'의 오식이다.

08　'其外 大部分이 上海에서 刊行되는'의 잘못이다.

09　'茅盾'의 잘못이다.

10　겹낫표가 잘못 기입되었다.

11　'『'가 누락되어 있다.

흔 弱小民族의 作家를 紹介햇으며『中國文學硏究特輯號』로 優秀한 硏究論文과 文藝理論을 보혀 주엇다.『張赫宙』氏의『權と云ふ男』가『文學』에 譯載된 것[12]은 이미 朝鮮에도 消息이 傳해젓거니와 또 한 가지『趙碧巖』氏의『就職과 고양이』가『猫』라는 譯名으로(上海『李劍靑[13]』氏 譯)『矛盾』雜誌『弱小民族文學特輯號』에 紹介된 것[14]을 附記한다. 한 篇이라도 우리의 作品이 中國에 紹介되엇다는 意味로 李氏의 努力에 感謝한다. 한번 對照하야 읽어보자면서도 筆者는 原文을 갖지 못한 關係로 譯文만을 읽어보앗다. 中語에 硏究가 깊은 李氏의 譯만큼 形容詞 其他 어느 方面으로나 原作에 過히 어그러짐이 없는 佳譯인 것을 疑心치 안는다.

上記한 外에 古代文學硏究 雜誌로『靑鶴』, 詞學 專問의 雜誌로『詞學季刊』等이 新刊되엿고, 綜合雜誌로 文藝理論과 創作을 部分的으로 取扱하는『東方雜誌』,『申報月刊』,『圖書評論』,『新中華』,『國聞週[15]』,『中學生』等 五六種의 月刊 雜誌가 잇다. 一般이 잘 아는 바와 같이『東方雜誌』는『商務印書舘』의 出版으로 中國에 雜誌界 가장 오랜 歷史와 最大數의 讀者를 가지고 잇으며 內容上으로도 第一 充實하다.『申報月刊』은『上海』의 大新聞『申報社』의 出版으로 綜合雜誌 가운데에서 第一 銳敏한 編輯 手段을 가지고 잇으며『圖書評論』은 때때로『梁實秋』以外 比較的 權威 잇는 評家들의 健全하고 忌憚없는 評을 실고 잇다.『國聞週報』는 商人階級과 官僚階級에 가장 만흔 讀者를 가젓고『新中華』는 때로 內容이 몹시 貧弱하다고 할 수 잇지만 淸

12　張赫宙 작, 黃源 역, 「姓權的那個家伙」, 『文學』 제3권 제1기, 1934.

13　'李劍菁'의 잘못이다.

14　趙碧巖 작, 李劍菁 역, 「猫」, 『矛盾』 제3권 제3~4기 합간, 1934.

15　'國聞週報'의 잘못이다.

新한 編輯法이 그의 特點이다.

以上의 各 雜誌는 卽 新聞社 或은 書店을 背景으로 營利를 爲主로 時事와 政治를 重要視하고 文藝作品을 爲하야 提供하는 紙面이 極히 적으나 때로 重要한 作品과 文藝理論을 寄與하고 잇는 것을 完全히 잊어 바릴 수는 없다.

【三】

다음으로 論壇에 잇서서 注目할 現象으로 第一 먼저『京派』와『海派』의 論戰을 들어야 할 것이다. 아즉도 封建的 舊都市라고 할 수 잇는 北京의 一派와 動亂, 迅速, 變化를 즐기는 上海의 一派 사이에 理論의 衝突이 생기는 것은 怪異한 일이 아니나 各 新聞의 文藝面과 雜誌의 紙上으로 大小를 合하야 二十餘回나 되는 論戰을 繼續하고도 文學의 本質的 核心을 論치 못하고 各其 生活環境의 差異에서 생기는 枝葉問題로 文壇을 騷亂케 하엿을 뿐이다.『海派』에게는 理論이 缺乏되고『京派』에게는 創作이 缺乏되어 各其 一長一短을 가지고 잇다 할 수 잇다.

그 다음으로『形式과 內容問題』와 함께『中國에는 왜 偉大한 作家와 作品이 產生되지 안는가?』하는 問題가 三四年 春間에 提起되어 한동안 猛烈한 氣勢로 繼續되다가 亦是 結論을 얻지 못한 채로 中斷되엇다. 더욱이 後者는 一見 重要視할 것이 못될 것 같으나 한편으로 中國文壇의 現勢에 비추어보면 적지 안흔 興味를 일으키는 問題요, 또한 時期性을 把握한 問題라고 할 수 잇다. 偉大한 民衆이 잇고 그 民衆의 偉大한 生活이 잇으면 거기 따라서 偉大한 作家와 作品이 產生될 것이라는 것이 各論의 共同되는 根據點이엇다.

이 問題의 뒤를 이여 일어난 것이『小品文』에 對한 論戰이엿다. 어떤 意味로 보면 小品文과 隨筆文學(『엣세이』文學)은 最近의 中國文學에서 形式上

으로도 가장 새로운 進展을 보이고 量的으로도 決코 다른 文學形式에 떠러지지 안는 만큼 이 問題도 疎忽視하지 못할 것은 틀림없는 일이다. 一部에서는 小品文은 一切 文學形式 中에서 가장 優秀한 것이라고 이를 論護햇고 反對 方面에서는 中國文學의 한 畸型的 發展으로 現實을 逃避하는 行動이라고 攻擊하엿다. 여기서 이 論의 是非를 가릴 必要는 없으나 現今 中國文壇의 小品文의 發展과 流行은 그 形式 自體가 다른 文學形式에 比하야 어느 程度의 容易性을 包含하고 잇다고 할 수 잇는 만큼 文壇의 受難 時代의 리로움을 反映하고 잇는 데 不過하는 것으로 文學의 本格的 길로의 進展이라고 할 수 없다는 것은 누구나 容易히 알 수 잇는 일이다.

또 한 가지 三四年度의 文藝評論界에서 가장 注目되는 것은 『大衆語問題』이다. 여기 對하야는 이미 上海 『申彦俊』兄의 簡明한 紹介가 本報를 通하야 發表되엿섯으므로 길게 말할 必要를 느끼지 안흐며 이는 純全히 言語에 關한 問題이나 한편으로는 歐洲化한 文體를 버리고 中國의 固有한 文語를 建設하자는 부르짖음이라 할 수 잇고 文字와 言語에 對한 見解가 美學的 價値와 現實社會的 價値의 두 길로 方向을 달리하는 곳에서 일어난 問題라는 것과 文學運動을 多少間 大衆的 方向으로 展開시켯다는 點에서 이 論戰의 一面的 價値를 發見할 수 잇으나――根本的으로 말하자면 一種의 舊勢力과 新勢力의 文學의 形式上 問題에 對한 다툼이라 할 수 잇으며 이것을 文藝復興運動이라고 부르는 것은 좀 생각할 問題라는 것만을 附記하야 두고자 한다.

以上의 諸 問題가 三四年의 中國 文藝評論界에 提起된 重要한 問題이고 英國文壇을 비롯하야 日本文壇에까지 一時 論壇의 中心問題가 되다 싶이한 『純文學問題』에 對하야는 別로 注目할만한 提議가 없엇던 것도 特殊한 現象의 하나요, 다만 때때로 極히 部分的으로 『죠이스』가 紹介되면서 잇다.

이 外에 一般 文藝理論과 硏究的 理論 方面의 重要한 것을 추려보면 文藝理論에 잇어서 文學硏究者의 方向을 相當히 體系 잇는 論法으로 論한『楊丙辰』의『文藝·文學·文藝科學[16]』(『文學評論』第一期·第二期 連載)라『李長之』의『論硏究中國文學者之路』(『現代』七月號 所載),『蘇汶』의 文藝批評에 關한 諸 問題를 論한『建設的文學批評芻議[17]』(『中山文化敎育季刊』冬季號 所載), 論壇의 新人으로 期待가 큰『任白戈』의『世界觀的創作方法[18]』等 數篇을 들 수 잇고 中國文學史上의 硏究論文으로『鄭振鐸』의『三十年來中國文學新資料發現史畧』(『文學』中國文學硏究特輯號 所載),『高滔』의『五四運動與中國文學』(同上),『郭源新』의『元明之際的文壇的槪況』(同上),『何謙』의『元代公案劇發生的原因及其特質』(同上),『向覺明』의『明淸之際的寶卷文學與白蓮敎[19]』(同上),『王哲甫』의『中國新文學運動史』(同上) 等이 잇고『言語學』硏究 部門에 잇어서『黎錦熙』의『近代國語文學之訓詁硏究示例』(『文學季刊』第一期 所載),『大衆語眞詮』(各 新聞 副刊 所載),『魏建功』의『中國純文學的姿態與中國語言文學[20]』(『文學』中國文學硏究特輯號 所載) 等이 잇으며 專門 硏究 部門에 잇어서『吳晗』의『金甁梅的著作時代及其社會背景』(『文學季刊』第一期 所載),『李長之』의『王國維文藝批評著作批判』(同上),『朱光潛』의『笑與喜劇』(『文學季刊』第二期)과『長篇詩在中國何以不發達』(『申報月刊』二月號 所載) 等이 잇고, 外國文學과 中國文學과의 對照 硏究 方面에『陳銓』의『中國純文學對德國文學的影響』(『文

16　중국어 원제는 '文藝·文學, 與文藝科學'이다.

17　'建設的文藝批評芻議'의 잘못이다.

18　'世界觀與創作方法'(『新語林』1934년 제4기)의 잘못이다.

19　중국어 원제는 '明淸之際之寶卷文學與白蓮敎'이다.

20　'中國純文學的形態與中國語言文學'의 잘못이다.

哲季刊』第三券 第二期 所載)과『霍世休』의『唐代傳奇文與印度故事』(『文學』中國
文學硏究特輯號 所載) 等의 重要한 두 篇의 論著가 잇다.

이것을 다음에서 말할 創作界의 收獲과 比較하야 보면 三四年의 評論界
는 顯著히 活氣를 떼웟다 하겟고 더욱이 中國文學史上의 諸 硏究論文은 古
典과 新文學運動의 過程 等, 各 方面으로 三四年度의 論壇의 커다란 收獲이
라 할 수 잇으며 其中에도『金甁梅』에 對한 硏究論文은 中國文學에 뜻 두는
사람에게 매우 興味잇는 글이라고 믿는다.

【四·完】

끝으로 創作界를 一瞥하고 이 小稿의 끝을 맺고자 한다. 三四年度의 中國
創作界가 貧弱햇다고 말햇으나 量的으로는 勿論 朝鮮文壇의 作品 數와 같
은 그런 貧弱한 程度는 아니다. 이것은 위에서 말한 文藝刊物을 보면 容易히
推測할 수 잇을 것이다. 그러나 이런 小論 가운데서 各 雜誌에 三四年에 發
表된 許多한 作品을 一一히 詳細히 말할 수는 없는 일이고 遺憾이지만 其中
에서 文壇的으로 比較的 好評을 받는 重要 作品만을 大綱 말하고 앞으로 環
境과 機會가 許諾한다면 優秀한 作品을 飜譯하야 그 全貌를 紹介해 보고자
한다.

爲先 小說에 잇어서 가장 活躍한 作家는 獨特한『유모―어』性으로 有名
한『老舍』가 創作集『趕集』을 내노핫으며『巴金』은 創作集『雪』을 내논 外
에 量的으로 第一位를 占領할 만치 各 雜誌에 繼續的으로 短篇을 發表하야
依然히 그의 無政府主義的 傾向을 가지고 獨步하고 잇으며『張天翼』도 創
作集『洋徑濱奇俠』을 出版하리라는 消息을 傳한다.

이外에 農村의 破産을 描寫한『吳組緗』의『天下太平』과『一千八百擔』두

篇도 優秀한 短篇이엿고 『艾蕪』의 流浪民의 生活을 힘잇게 描寫한 作品 『山中送客記』, 『變』, 『旅途雜記』 等 外에 『郭源新』의 神話와 歷史小說을 들 수 잇다. 더욱이 그의 『神的滅亡』은 歷史小說임에도 不拘하고 現實性을 充分히 가진 作品이오, 『李輝英』과 『載平萬』의 帝國主義의 侵畧을 描寫한 數만흔 作品 中에서 『載平萬』의 『霜花』가 注目할만한 作品이다.

詩壇에 잇어서는 『朱湘』이 詩集 『石門』과 『中書』를 남기고 厭世 自殺을 하엿고 『許幸之』(最近 戲劇運動에서 映畫界로 方向을 옮기고 잇다), 『楊騷』, 『蒲風』 等의 『新詩歌社』의 一派가 都市의 罪惡, 農村의 破産 等을 부르짖는 힘 잇는 詩를 내노코 잇으며 『新詩歌』, 『詩歌月刊』 等의 純詩 雜誌가 發行되고 잇다.

戲曲界에 잇어서는 昨年 十二月 劇壇 紹介에서 말햇던 『楊[21]子江的暴風雨』와 映畫評論家 『凌鶴』의 處女作 『高貴的人們』 以外에 『沙汀』作 『孕』, 『萬迪鶴』作 『劈刺』, 『蘆焚』作 『冶爐』 等을 重要한 收穫이라 할 수 잇다.

앞에서도 이미 말한 바와 같이 創作界를 一瞥함에 빼놀 수 없는 것은 小品文과 隨筆文學의 隆盛이다. 小品文 方面에서는 『人間世』가 그 代表的 刊行物이고 더욱이 左翼作家로 一時 過激한 作品을 내노튼 『載平萬』이 三四年에 와서 이 雜誌에 『關外雜錄』, 『瀋陽之旅』 等의 小品을 發表하고 잇는 것은 여러 意味로 興味잇는 現象이라 하겟다. 『新語林』에 發表된 『李輝英』의 『小林[22]』과 『海葬[23]』, 『返唐山[24]』 等도 小品文의 重要한 收穫이고 『유—모어』

---

21 '揚'의 잘못이다.

22 정보가 잘못되었다. 이 작품은 잡지 『太白』(1934년 제1권 제1기)에 발표되었다.

23 정보가 잘못되었다. 이 작품은 艾蕪의 작품으로서 잡지 『文學』(1934년 제3권 제1기)에 발표되었다.

24 이 작품 역시 艾蕪의 작품으로서 잡지 『新語林』(1934년 제1기)에 발표되었다.

性을 多分히 가지고 잇는 點에서 以上의 數篇과 特히 區別되는『劉後[25]』의 『阿彌阿佛栽傳賢[26]』,『伯鴻』의『馬』,『韋或』의『隔窓報石者[27]』等이 잇다. 하여튼 이 小品文은 一九三四年의 中國文壇에서 第一 流行된 表現形式이다.

隨筆文學 方面의 代表人物로는『曹聚仁』,『陳子展』,『徐懋庸』等이고 方向轉換 後 數年을 經過한 오늘에 와서도 新作을 보혀주지 안튼(비록 特殊한 客觀的 情勢가 잇다지만)『魯迅』이 三四年度에 와서 隨筆과 雜文集『准風月談』, 『南腔北調集』을 내논 것도 注目할 現象이다. 이 두 隨筆集은 그의 獨特한 諷刺的 短文을 收集한 것으로 近者의 그의 괴로운 環境과 中國文人의 受難 時期의 苦悶을 多小間 엿볼 수 잇는 册子라고 생각한다.『巴金』도 遊記文學에 屬하는『旅途隨筆』을 내노하『아나―키즘』的 文藝에 對한 그의 獨特한 見解를 處處에서 提示하엿고『周作人』은 日本서 돌아온 後『骨董小記』,『夜讀抄』等을 發表햇고『郁達夫』도『屐痕處處』,『山手手[28]』等으로『인텔리』의 안타까운 心情을 反映하엿으며 이밖에『綠漪』의『泰山曲阜遊記』,『靑鳥遊記』와『兪平伯』의『讀詞小記』,『古槐夢遇』,『釗後[29]』의『半農雜文』이 잇고 『茅盾』도 創作方面으로는 特殊한 成績이 없엇으나 隨筆文學으로『話匣子』 라는 가장 出衆한 作品을 내노핫다.

『유―모어』文學 方面에는 代表 雜誌『論語』가 잇어 編輯者『林語堂』이 『論個人筆調』,『怎樣做洗煉的白話文』等을 發表하야 이 方面의 作品의 優秀

---

25 '劉復'의 잘못이다.

26 '南無阿彌陀佛戴傳賢'의 잘못이다.

27 정보가 잘못되었다. 작가나 작품 모두 확인되지 않는다.

28 정보가 잘못되었다.

29 '劉復'의 잘못이다.

한 地位를 차지하고 잇으나 近來에 와서 이 雜誌는 發刊 當時의 政治的 暴露性이 만턴 諷刺性을 일코 一種의 嘲弄과 웃음만을 일삼는 低級的 傾向이 만허지는 感이 잇다.

傳記作品으로는 『沈從文』의 『記丁玲』이 잇다.

出版될 때에는 그 四分之一을 削除 當하엿다 하나 中國의 受難期의 女流作家 『丁玲』의 一面을 엿보기에 充分한 重要한 資料이고, 飜譯文學 方面에는 위에서 말한 月刊雜誌 『譯文』을 中心으로 『魯迅』 以外에 各國 文學의 硏究人들이 譯稿를 發表하고 잇으며 또 『魯迅』은 自費로 『루나촬스키—』의 『解放된 동키호—테』(譯名 『被解放的堂吉詞[30]德』)를 飜譯 出版하엿고, 위에서 말한 『世界文學』 等 諸 飜譯雜誌는 主로 露西亞文壇의 硏究와 紹介를 만히 실으며 『더스터이엡스키—』——『로망·로—랑』 等의 作品이 새로히 紹介되엇고 其中에서 『꼴키—』의 『懺悔』가 飜譯된 것은 가장 큰 所得이라 하겟다.

小說 或은 詩나 戱曲 어느 것을 勿論하고 低紙 『쩌나리즘』에 迎合하는 諸 雜誌에 發表되는 것과 『蔣』의 政治的 御用 品類는 別問題고, 적어도 文壇的으로 發表되는 作品은 空想的이고 浪漫的 傾向이 퍽 줄어젓고 從前에 比하야 現實에 接近하랴는 傾向을 容易히 發見할 수 잇다는 것을 마지막으로 말하고 여기서 拙筆을 멈추기로 한다. 簡單하고 散漫하나마 過히 억으러짐 없이 中國文壇의 現象을 紹介함이 된다면 多幸인가 한다.

(了)

---

30 ‘詞’는 ‘訶’의 오식이다.

中國의 現代作家[01]

梁建植

(一)[02]

一. 林紓

아. 略傳

林紓, 字는 琴南이요, 別名은 冷紅生, 또는 畏盧라고 號한다. 福建 閩縣 사람으로 一八五二年(淸文宗 咸豐 二年)에 나서 一九二四年 十月에 죽엇는데 享年이 七十三歲이엇다.

林琴南은 頑固하고 성내기를 잘하야 늘 남과 말다톰만 하얏다. 그러나 慷慨忠厚한 마음은 困窮한 者에게 對하야 힘써 救濟하는 까닭에 남들과 疏隔이 甚하것마는 늘 他人의 敬愛를 바덧다.

나히 어려서 古文學을 배호고 一八八二年(光緖 壬午)에 擧人이 되엿다. 그 뒤에 制擧의 業을 버리고 오로지 마음을 古文에 두고 처음에 北京의 京師大學堂 福建閩學堂 等에 敎을 잡고 잇섯는데 偶然히 飜譯한 듀마의 『茶花女遺

01　『每日申報』 1935.2.28, 3.1~3.3, 3.5~3.10, 3.12, 朝刊 1면.

02　매회 연재분 표기로서 11회에 걸쳐 연재되었다.

事』(椿姬)가 多大한 稱贊을 博하고 그 自身도 이에 依하야 飜譯의 興味가 頓然히 생기어 그 後로는 오로지 譯書로써 職業을 삼기에 이르럿다. 百 數十種을 不下하는 歐米의 名著은 그의 손에 依하야 中國에 紹介되엇다. 晚年의 그는 飜譯 外에 그림에도 손을 대엇고 七十의 老軀로써 오히려 날마다 적어도 書齋에 六七 時間의 일을 게을리 아니하얏다고 한다. 功名利祿을 求하지 안코 自得自行하며 그의 友人과 밋 後輩에는 顯官이 甚히 만치마는 그는 그의 依하야 倖進을 꾀하는 일이 업스며 勞苦지 안코 엇는 것은 그의 가장 슬혀하는 바이엇다. 이가티 그는 淸介한 性格으로 學에 勤苦하야 世人으로 하야금 佩服을 말지 안케 한 것은 實로 文人의 範을 삼을만 하얏다.

一九二四年 十月 九日에 病을 어더 北平에서 죽엇다. 한 닙새 떨어지는 것으로 天下의 가을을 안다는 것은 발오 이것일 것이다.

가. 作品

그는 압혜 말한 바와 가티 飜譯과 古文으로써 一世에 宣傳되엇섯다. 그러치마는 그의 生命은 前半에 잇섯든 것 가트니 『閩中新樂府』에 나타난 그의 進學的 思想, 『村先生』 中의 當時 村塾의 腐敗를 諷刺한 것이라든지 『興女學』 中의 女子의 學에 親할 必要며 『破藍衫』 中의 當時 文人의 陳腐가 頭腦를 嘆息하는 等 아즉 康有爲의 上書 以前에 이미 이와 가튼 새로운 思想을 품고 잇섯슴은 正히 先覺의 維新黨이라고 일커를만 하얏다. 그러나 그는 後半에 잇서서는 完全히 反動 思想家로 沒落하고 말핫다.

民國 七八年의 新文學運動期에 잇서서 그가 舊禮敎, 古文學의 辯護에 힘써 新文學運動의 最大敵으로 新進 學徒에게 排斥을 當한 것은 넘우도 有名한 일이엇다.

그의 文學上의 貢獻은 著作과 飜譯의 두 方面에 나노하 말하는 것이 便利

할 줄로 안다.

(一) 著作

1. 小說——『金陵秋』, 『官場新現形記』, 『寃海靈光』, 『道外曇花03』, 『劒膽錄』, 『京華碧血錄』.

2. 筆記——『技擊餘聞』, 『畏廬瑣記』, 『畏廬漫筆04』.

3. 傳奇——『天妃廟傳奇』, 『蜀鵑啼傳奇』, 『合浦珠傳奇』.

4. 詩集——『閩中新樂府』, 『畏廬詩存』.

5. 文集——『畏廬文集』, 『畏廬續集』, 『畏廬第三集』.

그의 小說은 主로 테마를 實在의 事件에서 取하고 이에 配함에 假空의 人物로써 한다. 그러나 그것은 모도 다 全體의 統一을 缺하고 테마를 달으는 데에도 何等의 新味가 업고 表現法은 完全히 失敗로 마첫다. 그리고 筆記에 對한 그의 態度는 依然히 舊式의 追從이요, 그의 桐城派의 正宗으로써 自任하고 古文의 筆法을 堅守하는 그의 文集은 桐城派라는 無價値한 存在와 가튼 것이라고 評한다.

總括하야 말하면 그의 重要性은 創作보다도 돌리혀 飜譯 方面에 잇는데 다만 그의 詩集 『閩中新樂府』, 『畏廬詩存』 等에 나라난05 當時의 社會制度에 對한 그의 不滿, 改革意思의 表示는 進步 時代의 그 藝術心을 表示한 것으로 注意할 必要가 잇다. 그리고 또 하나, 傳奇(戲曲) 作家로서의 그는 本是 一流의 作家는 아니로대 從來의 傳奇作家의 陳套를 打破하야 男女의 悲歡離合에만 끄치든 舊 테마의 範圍를 超越하야 題材를 一般의 社會問題에 取한 그

---

03 '劫外曇花'의 잘못이다.

04 '畏廬漫錄'의 잘못이다.

05 '나타난'의 오식이다.

의 大膽한 嘗試는 到底히 他의 企及할 배 아니엇다.

(二)

(二) 飜譯

그의 손에 된 飜譯書는 無慮 百 五十六種인데 이 中의 百 三十六種은 이미 五版을 거듭하얏고 다시 『小說月報』의 第六卷으로부터 第十一卷에 미치는 六册 中에 十種이 散見되고 未刊 十四種이 原稿대로 保存되어 잇다. 이러한 莫大한 數의 飜譯은 到底히 普通사람의 企及할 배 안이니 이를 國別로 뵈히면 다음과 갓다.

1. 英國作家의 作品——九十三種

2. 佛蘭西——二十五種

3. 米國——十九種

4. 露國——六種

5. 其他——五 種

右의 大部分은 商務印書舘으로부터 出版되엇고, 『利俾瑟財血餘腥記[06]』, 『滑鐵廬財血餘腥記[07]』의 二書는 文明書局에서 『情鐵』, 『石麟移月記』는 中華書局에서 出版되고 『黑奴籲天錄』(朝鮮 譯名 검둥의 설음) 一書는 不明이다.

그런데 林氏의 譯文의 善惡을 말하면 그의 最大의 缺點은 그가 西歐의 原文을 全然히 닑지 못하는 것이다. 卽 A, B, C도 알지 못하는 것이다. 그러

06　'利俾瑟戰血餘腥記'의 잘못이다.

07　'滑鐵廬戰血餘腥記'의 잘못이다.

면 어떠케 그만한 飜譯을 해노핫느냐 하면 먼저 달은 飜譯者의 닙으로 原書의 意味를 듯고 그에 依하야 붓을 잡는다. 口譯이 채 맛치기도 前에 이미 譯文이 다된 때도 잇섯다. 그러치마는 그의 流暢한 文章과 忠實한 態度는 참으로 欽佩할만하야 百 五十餘種의 譯書 中, 四十餘種, 例컨대 『魔俠傳』, 『孝女耐兒傳』, 『撒克遜[08]劫後英雄略』 等과 가튼 것은 모도 다 훌융한 譯刊으로 部分的 誤를 除하고는 자못 原文의 情調를 保持하야 노핫다. 譯文 中의 人物과 가튼 것도 原文과 同樣으로 何等 變更은 加하지 안코 ―一히 이를 描出하고 原文의 妙處도 巧妙히 이를 살려 노핫다. 다만 可惜한 일은 그의 쓴 口譯者의 無常識이 다음과 가튼 錯誤를 犯케 하얏다.

1. 二流 以下의 作品……이것은 口譯者에게 文學史 方面의 常識이 缺如함에 起因한 것이다. 『詩人解頤語』, 『秋燈談屑』과 가튼 것은 兒童用의 이애기니 林氏의 精力과 時間의 浪費가 아까움다.

2. 小說과 戲曲의 混同……林氏는 有名한 戲曲을 小說體로 飜譯하고 許多한 敍事를 附加하기도 하고 對話를 削除하기도 하야 原文과는 얼토당토아니한 것을 맨들어 놋는 境遇가 잇다. 例컨대 쉑쓰피아의 『享利第四』, 『雷差得記』, 『享利第六』, 『凱撒遺事』와 밋 입센의 『梅孼』(郡鬼)이 小說에 가까웁게 飜出된 것과 가튼 것은 첫재로 그 허물을 口譯者에게로 둘려보내지 아니할 수 업다.

3. 原文의 任意 删節………原文과 林氏의 譯書를 對比하야 넑은 사람의 말에 依하면 엄청나게 틀리고 删節한 것이 잇다고 한다. 이것은 必然코 口譯者가 原文을 不拘하고 坊間에 流布된 兒童用의 意譯 原本을 林氏에게 口述한 것일 것이요, 또 諾威 사람 입센을 獨逸 사람이라고 일커

른 等 口譯者의 無見識도 이만치 徹底하면 論外다.

만일에 林氏로서 原文을 通하야 口譯者의 係累가 업시 見識 잇는 者를 써서 共作한다고 하면 아마도 口譯者로서는 古今을 通하야 그에게 어깨를 견줄 사람이 업슬 것이다. 아니 이는 林氏 自身이 일즉이 感知한 것 가타야 그 『西利亞郡主別傳』의 序에

> 『急就之意[09], 難保不無舛錯[10]. 近有海內知交, 投書擧鄙人謬誤之
> 處見箴, 心甚感之[11]. 推[12]鄙人不審西文, 但能筆述, 卽有訛錯, 均
> 出不知.』

라고 하얏다. 實로 慷慨 忠厚로 功名을 求하지 안코 利祿을 꾀하지 안는 그로서 속임 업는 이 말이 잇슴이 어찌 沈痛치 아니할가 본냐!

그의 飜譯은 以上과 가튼 缺點이 잇슴에 不拘하고 그는 依然히 飜譯界에 重要한 地位를 占하고 잇다고 말할 수 잇다. 卽 中國이 阿片戰爭 以後에 外國의 새로운 軍器에만 精神이 팔리고 더 偉大한 文學作品의 存在에는 눈이 가지 못하얏슬 때를 當하야 이를 自國에 輸入하야 太史公, 李白, 杜甫보담도 나은 大作品의 存在를 알게 한 功績을 먼저 들어야 한다. 그리고 또 中國文人이 傳統的으로 이를 無視하야 文學의 邪道로 보든 小說은 벌서 이 時代에, 이 環境 미테서 先覺者의 眼光으로써, 그리고 한 古文家의 格式으로써 歐米

---

09 '意'은 '章'의 잘못이다.

10 '錯'은 '謬'의 잘못이다.

11 단구가 잘못되었다. '投書擧鄙人謬誤之處, 見箴心甚感之'야 한다.

12 '推'은 '惟' 오식이다.

各國의 小說을 飜譯하야 이를 太史公에 比하는 等 그 大膽한 嘗試는 到底히 그가 아니고는 不可能한 일이다. 이에 잇서 비롯오 中國의 文人의 小說을 重視하는 風이 漸次로 일어나 將來할 世界文學으로에의 合流를 하게 한 그의 功績은 沒할 수 업는 것이다. 以來 二十年, 飜譯家로 그의 感化, 影響을 밧지 아니한 사람은 하나도 업서, 周作人氏가 그의 譯『點滴』의 序에『我從[13]飜譯 小說, 很受林琴南先生的影響』하고 말한 것 가튼 것은 그 眞相을 傳하는 것이다. 다만 飜譯家뿐 아니라 創作家로도 多分히 그의 影響을 밧는 터이다. 小說과 가튼 體裁는 비롯오 그에 依하야 打破되고 數十에 올으는 西歐 作家의 이름을 中國에 輸入한 것도 그것이다.

(三)

二. 曾樸

A. 略傳

曾樸, 字는 孟樸이요, 籀齋라고 號하는데 東亞病夫라는 펜넵을 쓴다. 江蘇 常熟사람으로 一八六三年에 나서 當年 七十三歲로 老益壯한 터이다.

그는 前淸 德宗 十七年(一八九一年)에 制擧人이 되어 江蘇淸理官產處處長 및 江蘇省財政廳長, 政務廳長 等職에 잇슨 일이 잇는데 크게 理財 手腕에 富하며 數年 前에 隱退하야 眞善美書店을 創設하고 아들 虛白과 함께 文學生活로 들엇다.

13　'從前'으로서 '前'자가 누락되어 있다.

B. 作品

그의 著作은 極히 만타.

1. 詩集——六部

2. 文集——二部

3. 札記——九種

4. 曲本——一種

5. 考證——四種

6. 小說——二種

7. 飜譯 (A) 小說——五種

      (B) 戲曲——十三種

右는 目下 眞善美書店으로부터 連續 全集으로 出版되는 中인데 그로 하야금 文壇에 이름을 일우게 한 것은 左의 二大 長篇小說에 依한 것이다.

1. 孽海花——編, 十卷, 二十回,

此書는 『愛自由者起發, 東亞病夫編述』이라고 題하얏는데 愛自由者(그의 友人 吳江 金天翮이다)가 此書를 쓰기 비롯하고 五六回째부터 東亞病夫가 續筆한 것이다. 孫很[14]工의 文藝辭典에는 此書의 出版을 德宗의 光緒 三十三年 (一九〇七)——丁未라고 하얏다.

2. 魯男子……? 그는 또 佛蘭西의 삑터·유고 等의 紹介에 盡力하야 이 方面에 잇서서도 有名하다.

---

14 '很'은 '俍'의 오식이다.

三. 黃遵憲

黃遵憲의 字는 公度니 淸宣宗의 道光 二十八年(一八四八年)에 廣東 嘉應州에서 나, 一九〇五年에 죽엇다. 光緒 二年에 擧人이 되엇스며 일즉이 駐日使舘 參贊으로 日本에도 왓섯스며 或은 新嘉坡의 舊金山 總領事로 職을 外交官에 두엇섯다. 在官 三十餘年에 戊戌變法에 當하야 그도 그 運動에 參劃하야 湖南의 新政에 參與하얏섯다. 그의 文壇의 이름이 잇슴은 詩人으로서의 詩界의 革命에 有力者이든 까닭이다. 그 스스로 갈오대『我手寫我口, 古豈能拘牽?』가 하얏다. 이는 그의 作風의 基根을 일우는 것이요, 梁啓超로 하야금『近世詩人, 能鎔鑄新理想以入舊風格者, 當推黃公度』(飮氷室詩話)라 하게 한 것도 이것이 잇는 까닭이다. 卽 그는 舊形式 속에다가 新思想을 담기를 힘써서 詩壇의 解放에 뜻을 두어 詩上에 一點의 새 光彩를 내노핫다. 著作은 左와 갓다.

1. 人境詩廬草[15]——十一卷
2、日本雜事詩——二卷
3、日本國志——四十卷

人境廬詩草는 北平 文化學社로부터 新版, 活字本이 發行되엇다고 한다.

四. 蘇玄瑛

蘇玄瑛은 字는 子穀이요, 曼殊라고 號한다. 그러나 其實 그의 傳은 不明하다. 距今 三四年 前에 予가 本紙上에 그의 人物과 作品을 若干 紹介한 배 잇거니와 通說에 依하면 그의 小字를 三郎이라고 하는데 처음에 宗之助라

---

15 '人境廬詩草'의 잘못이다.

고 일커럿고 父를 宗郎, 母를 河合氏라고 하얏다고 하나 아즉것 中國人인
지 日本人인지 또는 混血兒인지 分明히 알지 못한다. 그는 德宗의 光緒 十年
(一八八四年)에 日本 江戶에서 나서 民國 七年(一九一八年)에 上海 廣慈醫院에
서 죽엇다는 것이다.

이가티 그에 對하야서는 從來 詳細한 硏究는 업섯는데 지금부터 約 十年
前에 北京師範大學 敎授 楊鴻烈氏가 長文의 曼殊傳을 發表한 뒤로부터 漸次
그에 關한 硏究, 考證이 盛行하야 그의 生前의 父母 等, 現 國民黨의 中央委
員 柳亞子와 그의 아들 柳無忌(南海大學 敎授) 兩氏의 硏究가 가장 자세하다.

(此篇 未完)

(四)

四. 蘇玄瑛(續)

昨冬(十月? 十一月?)에 佐藤春夫氏가 『文藝春秋』誌上에 그의 傳記를 詳細
히 말하얏다고 하는데 予는 아즉 이를 보지 못하얏슴으로 于先 孫氏의 『文藝
辭典』에 依하야 그 大略을 말하랴고 한다. 曰 그의 父는 그가 出生하자마자
數個月 後에 이 세상을 떠낫다. 路頭에 彷徨하게 된 母子 二人은 粵人 香山
의 蘇某를 딸하 中國으로 건너갓섯는데 때에 宗之助는 겨오 五歲이엇다. 그
곳서 그는 姓을 蘇라고 고치고 三年 동안 잇다가 母 河合氏는 蘇의 妻됨을
슬혀하야 日本으로 도망하야 돌아갓다. 宗之助는 一族의 사람들에게 異類로
冷遇를 바더 工夫를 식힌다는 名目下에 香港으로 쪼겨간 배 되엇다. 그는 西
班牙의 牧師 羅弼莊湘에게 나아가 歐文을 배왓는데 十一歲 時에 義父도 죽
어, 十二歲에 廣州 長壽寺에 들어가 僧이 되엇다. 法名을 博經이라고 하고 曼
殊 號하얏다. 十三歲 때에 日本으로 건너가 母에게 歸省하야 비롯오 泰西의

美術을 배호고 十七歲에 政治, 軍事를 배호고 十八歲에 莊湘의 資助로 暹羅에 가서 梵文을 喬悉磨 長老에게 배왓다. 二十歲가 되어 西湖 靈隱寺에 들어 갓다가 다시 上海에 이르러 國民日報의 飜譯係가 되엇섯다. 쫼 二十一歲에 또 暹羅로 가서 盤谷의 靑年學舘에 學을 講하고 錫蘭으로 갓다가 다시 西湖로 돌아와 金陵에 놀하 祇垣精舍[16], 陸軍小學校에서 敎鞭을 잡앗다. 同年에 日本으로 돌아가 經學家 劉申叔과 『天義報』를 發行하얏고 上海로 돌아왓다가 그뒤 二十七歲에 瓜哇, 印度로 갓다. 二十九歲에 上海에 이르러 『太平洋報』의 政治記事를 主筆하얏다. 다시 그뒤에 暫時 日本에 이르럿다가 西湖에 놀고 三十五歲에 上海에서 胃腸病으로 하야 病院에서 죽엇다.

著述의 重要한 것은 左와 갓다.

1. 拜輪詩選, 2. 文學因緣, 3. 潮靑集[17], 4. 漢英三昧集, 5. 悲慘世界, 6. 斷鴻零鴈記, 7. 天涯紅淚記, 8. 絳紗記, 9. 焚劍記, 10. 碎簪記, 11. 非夢記, 12. 燕子龕隨筆 밋 後人의 掇拾으로 된 것으로는

1. 柳亞子編——曼殊全集(五冊)

　同——曼殊年譜(一冊)

2. 蔡哲夫輯——曼殊遺畵(一卷)

3. 王德鍾輯——燕子龕遺詩(一卷)

4. 沈尹默輯——曼殊上人詩稿(一卷)

5. 馮秋雪輯——燕子龕詩(一卷)

6. 柳無忌輯——蘇曼殊詩(一卷)

7. 周瘦鵑輯——燕子龕殘稿(五卷)

16　‘祇洹精舍’의 잘못이다.

17　‘潮音集’의 오식이다.

8. 段菴旋輯——燕子山僧集
9. 柳亞子編——曼殊作品選集(光華書局)
10. 其他, 新出의 活字本 二, 三種.

(五)

그의 作風은 灑落雅逸, 詞甚纖巧, 韵甚淸諧라고 孫氏는 말하얏다. 이제
郁達夫氏의 批評을 引用하야 本傳을 맛치기로 한다. 曰호대

> 『그는 一個의 才人이요, 一個의 奇人이로되 決코 大才라고 할
> 수 업섯다. 天才와 靈性을 갓추엇고 로맨틱한 氣質을 豐富히
> 가지고는 잇섯지마는 獨創性이 업고 雄偉한 氣慨를 缺如하얏
> 섯다.……』

【附記】以上은 大體로『海外文學과의 接觸期』의 主要 作家의 略傳을 말한 것
이다.

五. 胡適

A. 略傳

胡適은 字는 適之니 安徽 績溪사람으로 一八九一年에 上海에서 낫다. 그
의 父親 鐵花公은 江蘇, 臺灣 等地에서 官吏生活을 보내다가 一八九五年에
廈門에서 죽엇다. 때에 胡適은 겨오 五歲이엇다. 그後는 全혀 그 母親 馮氏
에게 撫養되고 幼時는 家鄕의 私塾에서 배왓다. 十四歲에 上海로 나왓는데

當時 鄉家는 屢屢히 商業에 失敗하야 家運이 漸次로 기울기 까닭에 드대어 그는 上海에서 英語를 敎授하야 自給하면서 苦學生活을 繼續하지 아니할 수 업섯다.(上海 震旦大學, 吳淞中國公學에서 배왓다) 一九一〇年 官費 留米學生의 試驗에 파쓰하야 처음에 米國『코넬』大學에 들어가 農業을 배호다가 그것은 그의 性格에 맛지 아니함으로 다시 콜럼비아大學으로 轉校하야 哲學, 文學을 專攻하얏다. 그리하야 開校 以來의 優秀한 成績으로 學을 맛치고 哲學博士의 稱號를 어덧다.

亞米利加 留學 中에 늘 歐米의 文學作品을 瀏覽하고 中國文學의 甚히 缺點이 만흔 것을 痛感하야 마츰내 改革의 大志늘 품기에 이르럿다. 一九一六年에 米國으로부터 當時의 北京大學 文科學長 陳獨秀에게 自己의 文學改良案『八不主義』를 보내엇다. 그 뒤 一九一七年 一月의『新靑年』雜誌上에『文學改良芻議』라고 題하야 發表되엇다. 이는 中國의 오랜 單調 夢幻의 無聊한 藝術界에 크다랏제 울린 覺醒의 警鍾으로 意義잇는 가장 有力한 一文으로서 文學革命은 正히 이곳에서 發端이 되엇섯다. 다시 同年 五月의『新靑年』誌上(三卷 三號)에『歷史的文學觀念論』을 發表하자 國內의 文學革命熟은 터욱이 高潮하야 이에 參加하는 사람은 日復日 만하젓섯다.

一九一七年 콜럼비아 大學을 맛치고 七月에 歸國하야 北京大學의 敎授가 되엇다. 이해 겨을에 錦衣로 還鄕을 하야 곳 江女士와 結婚하얏다. 母親 馮夫人은 어찌나 조튼지(?) 얼마 아니 되여 발오 얼마 아니 되어 그해 겨을에 죽엇다.

一九一八年 四月에 또『建設的文學改革論[18]』을 發表하고 陳獨秀와 가티『新靑年』에 據하야 文學革命의 完成에 힘쓰고 囂囂한 反對派의 批判을 물

---

18 '建設的文學革命論'의 잘못이다.

리치고 마츰내 中國 舊來의 難解한 文語體의 文學을 排하고 口語體의 文學을 創始함에 成功하얏다. 아니, 그는 文學의 領域에만 限함이 아니라 思想界에 잇서서도 傳統的 封建思想의 打倒를 부르짓고 個人의 自由를 主張하는 等, 文化의 全面에 亘하야 中國의 一大 轉換을 遂行하고 『中國은 政治革命은 失敗하얏스나 文學革命은 成功하얏다』하고 일컷는 사람이 잇기에 이르게 한 것도 全혀 그의 힘에 依한 것이엇다.

一九二二年에 陳獨秀가 南京으로 가버리자 그 뒤를 이어 北京大學 文學部長이 되고 北京에서 『努力週報』를 發行하야 이를 主宰하얏다.

一九二三年에 病으로 因하야 北京大學을 물러나섯스나 一九二四年에 復任하얏다.

一九二五年에 英國團匪賠償委員會 委員이 되고 一九二六年에 北京大學을 辭하고 渡英하얏다가 一九二七年에 米國, 日本을 거처 歸國하얏다. 歐米漫遊 中에 各處에서 講演하야 莫大한 歡迎을 바덧다고 한다. 歸國 後에는 上海의 光華大學 敎授, 吳淞中國公學 校長 兼 文理學院長의 重職에 就任하고 또 新人 徐志摩, 梁實秋, 羅隆基 等과 新月書店을 開設하고 機關紙 『新月』(月刊)을 發行(一九二八年 三月 創刊)하야 文藝政治論에 붓을 휘둘럿다. 남은 筆力이 孫文의 三民主義의 批判에 밋처 國民黨部의 忌諱에 觸하야 壓迫을 바더 公職을 辭하고 商務印書舘에 들어가 編輯顧問이 되엇다.

一九三〇年에 北平으로 돌아와 一九三一年에 다시 國立北京大學 敎授가 되어 現在에 이르럿다. 事實上 北京大學의 實權은 全혀 그의 掌中에 잇는 것 가탓다. 三一年來 張學良의 東北政務委員會가 成立되자 委員에 任命되고 지금은 中華文化敎育基金委員會 董事 兼 編輯委員會 委員長을 兼任하얏다. 再昨年 太平洋國際問題討論會에 中國을 代表하야 出席하얏섯다가 同會의 主席에 選擧가 되엇섯다고 한다.

(六)

B. 作品

胡適의 專攻은 원래 哲學이 主로 文學方面은 從이라고 하야 可하니 그의 文學革命의 運動은 文明 批評家로의 그것이엇다고 보아 關係치 안타.

(哲學方面)

中國哲學史大綱(上卷)

그의 得意의 作으로 中國에 잇서서는 從前에 가장 權威잇는 것이라고 일러 왓는데 그것이 最近 맑스主義의 立場에서 각금 俎上에 올은다.

먼저 李季는 『胡適中國哲學史大綱批判』을 出版하고 劉蘇華는 이에 對하야 反批判을 加하고 잇다. 其他 葉靑도 雜誌 『二十世紀』에다가 胡適 哲學을 每號 連續하야 詳細히 批判하고 雷仲堅이 또 『新社會』雜誌에다가 이를 批判하야 『辨證法과 밋 進化論의 歷史上 밋 理論上의 比較研究』를 發表하고 잇다.

要컨대 胡適의 哲學은 方法論에 잇서서 푸락마티즘을 取하고 恩師 杜威 博士에게 忠實히 奉仕하고 잇다. 그것이 唯物辨證法에 基한 新進 哲學研究 의 徒에게 批判의 對象이 됨도 當然한 일이다.

下卷은 十餘年 되는 오늘날까지 아즉 出版이 되게 못되엇다. 그러나 胡適 自身은 繼續하야 이의 研究를 하고 잇다고 한다.

戴東原的哲學

胡適 戴東原研究이니 이것도 從來 獨特한 見解를 有한 것으로 尊重되어 온 것이나 所從來는 同一하다.

(二) 文學方面

胡適文存(一), (二), (三)

그의 이때까지의 發表한 論文, 考證, 戲劇, 書信, 雜感, 講演 等의 모든 것을 含하야 그의 十餘年來의 新文學의 提唱, 新思潮의 紹介는 結晶하야 此中에 在하다.

自國文學의 研究에 힘써 哲學史大綱[19]과 함께 難兄難弟인 『國語文學史』(最近에 이를 改訂하야 『白話文學史, 上卷』이러 하야 出版하얏다)와 밋 『五十年來之中國文學』을 著하야 前者는 四千年來의 中國文學 進化의 길을 뵈히기를 意圖하고 後者는 新文學運動의 起源과 밋 經過를 썩 詳細히 傳하랴고 努力하얏다. 그러나 『白話文學史 上卷』은 원래 中國學術序論이라고도 할만한 名著이나 方法論上에 잇서서 亦是 不足한 感이 잇섯다. 下卷은 尙未刊이다.

中等學校의 教科書으로 編纂한 『詞選』은 卷首에 『詩的起源』의 一文을 附하야[20] 그 精密한 考察과 獨特한 見解는 크게 歡迎을 바덧고, 이 詞選의 著는 그의 白話文學史觀에 依한 努力의 書이나 오날에 잇서서는 이미 詞의 研究도 一步로 先進하야 이에 關한 研究論文은 이 二三에만 끄치지 아니하는 盛況이다.

『新靑年』, 『新月月刊』, 『獨立評論』의 諸誌는 그의 가장 注力한 배요, 最近의 그를 알랴고 하는 사람은 獨立評論의 一誌를 보기를 바란다.

文學改良芻議, 歷史的文學觀念論, 建設的文學革命論 等을 通하야 본 그의 文學觀도 詳細히 說明하얏스면 조켓스나 이에는 省略한다.

---

19 '絅'은 '綱'의 오식이다.

20 이 문장은 卷首가 아니라 卷末에 부록으로 들어있다. 胡適, 『詞選』, 商務印書館, 1928.

胡適에게는 佛, 英, 露, 瑞典, 伊太利 等 七人의 作家의 短篇小說을 飜譯한『短篇小說集』이 잇는데 이것은 名作의 紹介에 依하야 新文學의 나아갈 方向을 呈示한 것이요, 同時에 갈 그는 또 短篇小說論을 發表(一九一八年 五月『新靑年』記載)하야 短篇小說의 定義를 주는 等, 또 戱曲方面에 잇서서도『文學進化觀念與戱劇改良』과 밋 劇本『終身大事』等을 써 演劇改良에 힘썻다. 이런 것은 다 割愛하야 달은 機會로 민다.

(七)

六. 陳獨秀

A. 略傳

陳獨秀, 그의 本名은『仲甫』, 一八七九年 安徽省 懷甯縣에 낫다. 胡適과 同縣人이다. 陳仲, 由己, 仲子, 張次南, 熙州仲子, 山民 等의 펜넵을 쓴다.

浙江 求是書院, 東京高等師範學校 速成科를 卒業. 前淸 末年에 歸國하야 安徽高等學堂 敎務長이 되엇다. 一九一一年 第一次의 革命이 일어나자 安徽 都督 柏文蔚 秘書로 革命運動에 參加하고 다음에 安徽敎育司長이 되엇다.

一九一三年 第二次革命에 失敗하자, 日本에 亡命(?)하야 當時 그와 同樣 第二次革命에 失敗하야 日本에서 亡命生活을 보내고 잇든 章士釗를 도아 雜誌『甲寅』(博文舘 發行)을 發行하야 反袁熱을 鼓吹하는 同時에 理想主義를 主로 하야 로틱式의 文章, 正確한 飜譯, 通信式의 討論을 비롯하야 文學小說에 注力하얏다. 이것이 暗히 數年 뒤에 나타난 文化運動의 母體가 되는 것이니 胡適의『文學改良芻議』를 絶對의 讚辭로써『新靑年』上에 特載한 그의 文學觀은 이미 이때에 發芽한 것으로 볼 수가 잇다. 뒤에 章士釗는 上海로 歸

國하야 딸하서 『甲寅』도 上海에서 發行되엇는데 겨오 十號를 내고 發行 停止를 當(民國 四, 五年은 政治上의 暗黑時代로 章氏가 政治運動에 參加하얏다는 理由로 『申寅』은 發行 停止되엇다)하야 이에 意義잇는 『新靑年』의 發行을 陳獨秀가 計劃하기에 이른 것이다. 一九一五年 九月 十五日(民國 四年) 陳獨秀는 上海로 돌아와 章氏의 『甲寅』을 뒤이어 『靑年雜誌』 第一卷 第一號를 出版하얏다.

때에 그는 三十六歲이엇다.

> 『國勢陵夷, 道衰學弊. 後來責任, 端在靑年. 本誌之作, 蓋與[21]靑
> 年諸君商権將來所以修身治國之道.』

라는 社告를 걸고 『敬告靑年』의 卷頭言을 써 問世하얏다. 一九一七年 章士釗가 廣東軍務院 秘書長으로부터 轉하야 北京大學 敎授가 되어 同大學에서 論理學을 講하게 되엇다. 때에 陳獨秀도 招聘을 바다 蔡元培氏 미테서 北京大學 文科學長에 任命되어, 一九一七年 一月에 胡適의 『文學改良芻議』를 『新靑年[22]誌上에 推薦하고 自身도 同誌 二月號에 『文學革命論』을 發表하야 俄然 그의 存在를 認定케 하얏다. 그러나 民國 四年 九月로부터 民國 六年 一月에 이르는 동안의 그의 動靜은 도모지 아는 사람이 업다.

『今日之敎育方針』

『抵抗力』

『現代歐州文藝史譚』

『東西民族根本思想之差異』

---

21 원문은 '蓋欲與'로서 '欲'자가 누락되어 있다.

22 '』'가 누락되어 있다.

『吾人最後之覺悟』

『我之愛國主義』

『駁康有爲致總理書²³』

『現代文明史』

『憲治²⁴與孔敎』

『孔子之道與現代生活』

『再論孔敎問題』

等等의 諸文을 發表하야 袁世凱의 遺鉢을 이은 段祺瑞派의 尊孔派에게 向하야 憲法과 孔敎를 論하고 다시 再論孔敎問題에서 大膽히 孔子廟의 廢棄를 提議하얏다.

그리고 그의 宗敎改革論은 『文學革命論』으로 進展하야

『나는 全國 學界의 敵이 됨을 슬혀하지 아니하고 文學革命論의 큰 旗를 놉히 들고 우리 벗의 聲援을 기대린다. 우리 革命軍의 旗우에 크게 쓴 主義는

一. 貴族文學을 때려 부시고 平易한 抒情的 國民文學을 建設할 일.

二. 古典文學을 때려 부시고 新鮮하고 眞實한 寫實文學을 建設할 일.

三. 晦澁한 山林文學을 때려 부시고 明快 ²⁵俗인 社會文學을

---

23 '駁康有爲致總統總理書'(『新靑年』제2권 제2기, 1916)의 잘못이다.

24 '治'는 '法'의 오식이다.

25 '通俗'으로서 '通'자가 누락되어 있다.

建設할 일.[26]

이는 現代文明史, 現代歐洲文藝史譚을 著한 陳氏이래야 비롯오 말할 수 잇는 것이니 文明 批評家로서의, 新文化 [27]動의 恩人으로서의 그의 全貌는 이때에 잇서 遺憾업시 發揮되엇다고 하야도 過言이 아니다.

(此編 未完)

(八)

一九一九年 五四運動 前後로부터 그는 맑스主義에 傾倒하야 이의 宣傳을 試하다가 北方 軍閥 미테서는 그의 新思想은 到底히 그 鼓吹가 容納되지 아니하야 同年에 드대어 北京大學을 쪼겨나 上海로 다라낫다. 이때에 胡漢民, 戴季陶, 廖仲凱, 沈玄庵[28] 等이 上海에서 革命運動을 일으키어 雜誌를 發行하면서 盛히 無政府主義를 唱道하고 잇슴에 對하야 陳獨秀는 맑스主義를 가지고 挑戰하고 同年 上海에 『社會主義靑年團』을 創立하얏다.

一九二〇年 春 急進思想 宣傳의 理由로 段祺瑞에게 逮捕되엇다가 얼마 아니 되어 釋放되어 廣東으로 다라낫다.

同年 가음에 北京에서 『콤민테룬』代表 『워진스키』의 後援下에 『中國共產黨』을 創立하고 一九二一年 『中國共產黨總書記』로 任命되어 爾來 共産黨

---

26 ' 」'가 누락되어 있다.

27 '運動'으로서 '運'자가 누락되어 있다.

28 '庵'은 '廬'의 오식이다.

의 最高幹部로 오래동안 全權을 掌握하고 잇다가 一九二七年 國民黨과 共産黨이 分離한 뒤에『機會主義者』로『콤민테룬』으로부터 排斥되고 黨 中央部로부터 敬遠되어 마츰내 一九二八年에 總書記를 被免하고 一九二九年에『토로츠키』派라 하야 共產黨으로서 除名됨에 이르럿다. 以後 同派의 首領으로 重要視되다가 最近은 思想的으로 漸次 社民派로 기울고 一九三二年의 가을에 上海의 佛租界에서 逮捕되어 爾來 完全히 自由를 빼앗기고 잇다.

B. 作品

> 『文學革命의 泉水는 기다란 伏流期를 지내어 五四運動
> (一九一九)의 最後에 잇서서 비롯오 突然 暴發하야 劃期的의 運
> 動을 지어낸 것이다. 이 運動의 機關을 잡고 잇든 것은 新靑年
> 이요, 新靑年을 主持하고 잇든 사람은 누구나 아는 陳獨秀다.
> 陳獨秀는 本來 一個의 文學家나 무에나 아니요, 그의 行徑은
> 梁任公, 章行嚴과 同樣으로 一個의 文化批評家, 或은 文化運
> 動의 啓蒙家에 지내지 못한다……』
>
> (郭沫若──文學革命之回顧)

그러타. 郭氏의 말과 가티 그는 決코 文學者는 아니엇다. 단지 文化批評家로의 眼光으로써 文學革命을 提唱하고 胡適과 함께 新文學運動의 가장 重要한 先鋒이 된 것이엇다.

文學革命 當時의 그의 言論은 모다『獨秀文存』속에 실리어 잇다.

만일에 그의 文學觀을 알랴고 할진대 現代歐洲文藝史譚을 비롯하야 機關誌『新靑年』(前 九卷 五十四冊 前後를 내엇다)과 밋『新靑年季刊』,『響導』,『中

國靑年』中의 그것을 보면 조타.

七. 沈尹默

A. 略傳

一八八二年, 浙江省 吳興縣에 낫다. 京都帝國大學 文科를 맛치고 民國 六年에 北京大學 敎授가 되엇다. 陳獨秀를 當時의 校長 蔡元培氏에게 推薦하야 文科學長이 되게 한 것도 그이엇다. 다시 그는 燕京大學 敎授, 中法大學 敎授, 孔德學校長 等을 지내고 一九二八年에 河北省政府委員 兼 敎育廳長에 任命되엇다가 一九三〇年에 辭任하고 一九三一年 以來로 國立北平大學 校長에 現職에 就任하얏다.

B. 作品

沈尹默도 胡適, 陳獨秀 同樣으로 作家라 하느니보다도 돌우혀 轉換期에 잇서서의 文化人이라 하는 것이 適切하니 特히 들어서 말할 作品은 發表되지 아니하얏다.

沈氏는 別로히 文學觀의 發表가 업섯든 것 갓다. 다만 그에는 詩人 沈尹默을 發見할 뿐이다.

『宰羊』

『落葉』

『除夕』

『雪』

『月』

『(公園裏的)二月藍』

『耕牛』

『三絃』

『劉三來言子穀死矣』

以上 新青年 中에 뵈히는 것 外에 同時 發行된 新潮 雜誌上에 그의 詩는 볼 수 업다. 右의 詩도 그가 『新青年』의 責任者인 까닭에 塞責으로 지엇는가 하는 點도 업지 안타.

그의 詩는 再昨年에 一册이 되어 出版된 듯하다.

(九)

八. 劉復

A. 略傳

一八八九年, 江蘇省 江陰縣에서 낫다. 佛蘭西 巴里大學에 배워 文學博士 號를 엇고 歸國 後에 國立北京大學 國文學 敎授, 北平中法大學 服爾德學院 中國文學 主任, 國立北平大學 女子文理學院長 等을 歷任하고 是近은 燕京 大學에 敎鞭을 잡고 잇다.

B. 作品

文學革命期에 잇서서의 『新青年』派 詩人으로 國語 新詩를 提唱하고 盛히 新詩의 試作을 行하얏다.

『揚鞭集』上, 中.

이것은 一九一八年 二月 『新青年』에 發表한 『車毯』을 비롯하야 그 前後 에 밋치는 그의 詩를 모흔 詩集이다.

『瓦釜集』(譯詩集).

『茶花女』(椿姬).

그가 佛蘭西 留學 中에 飜譯한 아렉산더·듀마의 作인데 民國 初年 그의 歸國과 同時에 發表된 것으로 新文學運動에 寄與한 바가 만흔 것은 勿論이다.

『我之文學改良觀』……新靑年 一九一七.五.

『詩與小說精神上之革新』……同, 一九一七.七.

右의 두 論文은 當時의 그의 文學革命觀을 具體的으로 말한 것으로 注意할 必要가 잇다.

그는 또『應用文之敎授』等을 써 錢玄同, 黎錦熙와 가티 國語統一運動을 提唱하는 等 이 方面의 功績도 적지 안타.

二, 三年 前에 다시 佛蘭西에 놀아 페리오가 敦煌으로부터 가저 간 唐代의 古寫本을 벳기어 가지고 돌아와 文學, 宗敎 等으로 分類하야『敦煌掇瑣』라고 하야 出版하고 잇는데 特히 第一輯 文學의 部는 中國文學史 硏究家의 不可缺할 貴重한 資料로 친다.

『半農談影』이라는 一書가 잇슴을 附加한다.

이 機會에 兪平伯, 傅斯年, 康白情 等도 말하랴고 하얏스나 材料의 未備로 다음으로 민다.

九. 周樹人

A. 略傳

一般으로 魯迅이라는 別名으로 알려진 사람이다. 中國의 作家 中에 自他가 다 가티 第一人者로써 任하고 잇는데 또 그 펜넴의 만흠은 中國의 第一이

다. 曰 某生者·唐俟·吳讓[29]·長庚·迅行·風聲·自樹·多華·神飛·索士[30]·令飛·
巴人·雲之·周豫才·LS·隋落文……等.

一八八一年, 浙江省 紹興府의 城內에서 낫다. 그의 父親은 地方의 讀書人
이엇다. 그의 幼少時는 집에도 四·五十畝의 水田이 잇서 當家의 生活을 維
持하기에는 極히 容易하얏다. 그러나 그가 十三歲 때에 家中의 不幸은 마츰
내 一家를 赤貧如洗케 하야 家族은 四分五裂하얏다. 그도 親戚에게 寄寓하
엿섯스나 親치 못한 사람들의 白眼을 바더 또 집으로 돌아왓다. 不幸이 不幸
을 낫는 셈으로 이때 父親은 또 重病에 붓들리어 病床에 잇기를 三年하다가
이 세상을 떠낫다.

父親을 일흔 家庭은 窮苦만 더하야 얼마 아니 되는 學費도 이를 어떠케
할 수가 업섯다. 그러나 그는 學徒되기를 願하야 간신히 慈愛한 母親의 周旋
하야 주는 僅少한 旅費로 그는 學資가 들지 안는 學校를 求하야 집을 뒤로
두엇다. 南京으로 나와 應試한 結果 水師學堂에 入學이 許可되어 機關科에
籍을 두게 되엇다. 때에 그는 十八歲이엇는데 半年쯤 하야 또 礦務學堂으로
轉하야 探礦을 배워 이를 맛치고 派遣되어 日本 留學生이 되어 東京의 預備
學校를 맛치자 그는 또 醫學이 日本의 維新에 多大한 助力이 된 것을 알고
仙臺의 醫學專門學校로 나아갓다. 배호기 二年쯤 되어 때마츰 日露의 開戰
을 맛나 偶然히 東京 某 映畵舘에서 一 中國人이 探偵의 嫌疑로 斬首를 當
하는 光景을 보고 이에 中國은 먼저 新文藝의 提唱에 依하야 國民의 志氣를
激勵하지 아니하면 아니 될 것을 느끼기에 이르럿다. 이에 잇서 그는 學籍을
버리고 東京에 이르러 新文藝團體를 組織하랴고 하얏섯스나 不成功으로 맛

---

29 이 필명은 확인되지 않는다.

30 '索士'의 잘못이다.

치고 또 獨逸로 留學하기를 뜻하얏섯스나 이것도 失敗하얏다. 그 뒤에 그의
母親과 家族들이 그에게 經濟上의 援助를 要求하기 까닭에 어쩔 수 업시 歸
國하기로 뜻을 決하얏다. 때에 그는 二十九歲이엇다.

(此編 未完)

(十)

　歸國 後에 그는 浙江省 杭州의 師範學校에 化學 及 生理學의 敎員이 되엇
다. 翌年에 辭職하고 紹興中學校의 敎務長으로 復任하야 職에 잇기 一年에
또 떠낫다. 어떤 書店의 飜譯員 되기를 希望하다가 마츰내 이를 일우지 못하
얏는데 辛亥革命의 勃發은 紹興의 光復이 되어 그는 此處 師範學校의 校長
이 되엇다. 革命政府가 南京에 成立되자 불리어 敎育部의 一員이 되고 政府
의 北京 移轉과 同時에 그도 北京으로 옴기어 同部 外에 北京大學, 師範大
學, 女子師範大學의 中國文의 敎授를 兼任하얏다.

　一九二五年 女師大 風紀問題로 因하야 敎育總長 章士釗에게 免職되고
다음해 張作霖이 北京에 進兵하얏슬 때에 當時의 政府는 五十名의 過激 敎
授를 뿔랙·리스토를 製作하야 그도 그의 一員으로 記名하얏다. 그래서 그는
友人의 勸苦를 밧고 南下하야 福建 廈門大學의 中國文學의 講座를 擔任하
게 되엇다. 그는 이곳에서 學問의 硏究에 專心을 하랴고 決意하얏섯스나 그
의 著述이 不久에 謠言을 紛起하야 學校 當局과 意見이 不合하야 於是에 廈
門을 떠나 一月 十八日에 廣州 中山大學의 招聘에 應하야 文科學長을 擔任
하얏섯는데 環境의 不適은 또다시 離校로 맛처고 一九二七年 上海로 돌아
왓다. 그의 著『而已集』과 밋『唐宋傳奇集』의 大部分은 그가 廣州에 잇슬 때

에 編著한 것이다.

一九二八年 上海에 잇서서 郁達夫 等과 『奔流月刊』을 創刊하고 別로히 北京에 잇든 莽原社의 同人으로 執筆하다가 發行 一年에 停刊하얏다. 때에 中國文藝界는 空前의 文藝論戰을 引起하야 이 論戰은 一九二八年 봄까지 繼續하야 一年半에나 미첫다. 論爭의 點은 卽 『革命文學』과 『非革命文學』의 問題에 잇섯다. 이 論戰에 加入한 文藝集團은 非常히 만핫스나 그러나 魯迅을 中心으로 한 『語絲派』와 郭沫若을 中心으로 한 『創造派』와의 對立이 가장 人氣를 끄으럿다.

一九三〇年에 馮雪峰과 『萌芽』를 創刊하얏다가 얼마 아니 되어 停刊하고 同年 三月에 그는 正式으로 『左翼作家大同盟』에 加入하야 푸로文學運動에 從事하며 現在에 上海에 잇서서 文學生活을 繼續하고 잇다.

(完)

B. 作品

魯迅의 作品에 對한 批評文은 極히 만코 또 그의 文壇의 地位에 對하야서도 누구 한 사람 아지 못하는 사람이 업도록 넘오나 有名하다. 어떤 사람은 그를 評하야 『思想界의 權威者』라 하고, 『青年叛抗의 무리의 領袖』라고 말한다. 一般으로 보는 그의 作品批評 中, 李何林의 『魯迅論』, 台靜晨[31]의 『魯迅及其著作[32], 鍾敬文의 『魯迅在廣東』 及 錢杏村의 『中國新文學論』 中의

---

31 '晨'은 '農'의 오식이다.

32 중국어 원제는 『關于魯迅及其著作』(上海: 開明書店, 1933)이다.

것[33] 等이 有名하다. 外國 方面으로는 그를 批評 紹介한 사람에 빠틀레ᄉ트의 『新中國思想界의 領袖 魯迅』이라는 것이 잇고 其他에 잇서서도 外人의 그에 注目하는 者가 적지 안타. 魯迅 作品은 다음의 三部로 分類할 수가 잇다.

(一) 雜感集——그의 雜感集에 『熱風』, 『華蓋集』, 『華蓋續篇』, 『而已集』, 『三閒集』이 잇다. 此等 雜著에 잇서서 그는 諷刺的 筆鋒을 가지고 社會의 虛僞를 暴露하고 中國의 國瘡을 抉剔하얏다. 그는 또 封建的 社會制度에 反抗하야 因循姑思, 頑迷固陋한 國民性을 痛恨하얏다. 날이 시퍼러케 간 칼과 가튼 銳鋒은 깁히 讀者의 마음을 스치지 안코는 마지 아니하얏다. 이는 忘本離仁한 老大 國民의 思想上에 큰 刺戟劑이 엇섯슴은 勿論이엇다.

(二) 小說——『吶喊』과 『彷徨』의 두 가지가 잇는데 이것도 離[34]感集과 同樣으로 守舊社會의 여러 가지 弱點을 暴露하야 中國 國民의 愚頑을 顯示하고 때로는 舊思想, 舊道德의 反抗을 試하얏다. 그의 小說은 一九一八年 四月의 『新青年』誌上에 發表된 狂人日記로써 비롯하얏다. 그것은 體裁, 風格 及 思想의 新奇可怪로 크게 사람들의 注意를 喚起하얏고 孔乙己·藥·明天·阿Q正傳 等의 續發로 그의 名聲은 더욱이 움즉일 수 업게 되어 中國 最大의 小說作家로써 일컷기에 이르럿다.

(三) 飜譯——그의 最初의 飜譯은 日本의 武者小路實篤氏의 戲曲 『어느 青年의 꿈』이엇다. 이것이 『新青年』誌上에 連載되자 讀者의 歡迎이 極히 컷기 까닭에 그는 뒤이어 日本·露西亞·芬蘭 等의 文學書를 飜譯하

---

33 잘못된 정보로서 錢杏邨, 「死去了的阿Q時代」, 『現代中國文學作家』(第一卷), 上海泰東圖書局, 1928을 지칭하는 것으로 추정된다.

34 '雜'의 오식이다.

얏다. 特히 그 가운데에서도 厨川白村氏의『苦悶의 象徵』, 『象牙塔을 나와서』等은 모다 靑年 愛讀의 書로 當時의 文學界를 左右한 것이엇 다. 最近 그는 프로文學의 紹介에 注意하야 루나잘스키의『藝術論』, 『文藝와 批評』及 프아지에푸의『潰滅』等을 飜譯하야 프로文壇에 決 定的 影響을 주엇는데 譯文의 忠實, 原文의 精神을 일치 아니함은 이 미 名譯이라는 定評이 잇다.

㈣ 其他……그는 創作의 餘暇에 數部의 文學硏究書를 編纂하야『中國小 說史略』,『唐宋傳奇集』及『小說舊聞鈔』等의 中國文學史 硏究에 준 功績은 特히 甚大하야 오늘에 이르도록 小說史略 以上의 中國小說史 가 나타나지 아니함은 그 間의 消息을 말하는 證左다.

要컨대 이 魯迅은 新文化運動의 驍將이요, 天生의 急進主義者다. 누 가 그를 攻擊하든지 그는 永遠히 中國文壇에서 抹殺할 수가 업슬 것 이다. 푸지프로 自由主義者로 暗黑의 中國을 守舊의 後退로부터 救하 랴고 나선 革命家 魯迅과 가튼 사람은 그의 頭腦의 明晰과 함께 오늘 날의 中國에서는 달리 이를 求할 수 업슬 것이다.

中國의 現代作家는 아즉 이로 끗치고 以上 諸氏 外의 周作人, 沈雁冰, 鄭 振鐸, 郭沫若, 葉紹鈞, 許地山, 茅盾, 郁達夫, 張資平, 田漢, 沈從文, 胡也頻, 王獨淸, 穆本[35]天, 周全平, 許欽文, 馮文炳, 陶晶孫氏 等 여러 著名 作家는 後 日 다시 붓을 다듬어 가지고 紹介하랴고 한다.

---

35 ‘本’은 ‘木’자의 오식이다.

元曲 槪說[01]

梁建植 抄

一. 雜劇의 勃興

中國文學史上에 저 「漢文」, 「唐詩」, 「宋詞」와 아울러 特殊한 地位를 占하야 그 時代를 代表하는 所謂 Epoch-mahing[02]의 大文學 中에 元曲이 잇다. 이는 元代에 發達된 戱曲을 統稱하야 이르는 말이니 世界文壇에 한 異彩를 放하는 것이다. 中國의 戱曲은 원래 唐의 梨園에 濫觴하야 이어 雜劇이 宋代에 일어나 金에 盛하고 元에 이르러 아주 極하얏다. 그럼으로 元의 雜劇에 이르러서는 曲(노래)이 잇고 白(말)이 잇고, 科(動作)가 잇서 體裁가 거의 가추게 되얏다. 卽 優人이 塲(舞臺)에 올라서는 스스로 曲을 唱하고 스스로 白을 說하고 스스로 科를 演하야 唱者, 舞者가 合하야 一人으로 되얏다. 이에 代言體의 戱曲이 비롯오 생겨서 宋金 以來의 大曲, 隊舞, 小說, 諸宮詞, 皷子詞, 趨彈詞, 連廂詞, 院本, 雜劇 等을 모아 大成한 것이라고 할 수 잇섯다. 實로

---

01 『朝鮮文壇』 제4권 제3호, 1935.3. 내용이 일본 학자 鹽谷溫의 『元曲槪說』(1940) 및 『中國文學槪論講話』(1919)와 거의 동일한 것으로 보아 그의 다른 일본어 문장에서 초역한 것으로 추정된다.

02 'Epoch making'의 오기다.

元曲은 當時의 歌類, 譚類, 舞類 等을 綜合한 一大 藝術로서 마치 百川이 흘러 바다로 모혀드는 觀이 잇섯다. 그리하야 風氣가 몰리는 곳에 名人의 輩出로 一時에 勃興하야 煥然히 百代의 典章이 되야 「漢文」, 「唐詩」, 「宋詞」, 「元曲」이라 並稱하야 마츰내 世人의 口頭語가 되기에 이른 것이요, 이것이 所謂 帝王의 國事, 塡詞로써 이름을 어든 것이다. 그리고 이것이 元의 大都 即 今의 北京을 中心으로 하야 北方에 盛하얏는 故로 이를 北曲이라고 이른다.

金元의 時代는 夷狄이 中原에 侵入하야 兵馬가 倥傯하고 騷亂이 相繼하야 學校가 荒廢에 詩와 文章이 甚히 衰微하얏슴을 不拘하고 雜劇만이 홀로 盛하얏슴은 자못 不可思議한 現象이니 누구나 그 까닭을 알 수 업섯다. 이럼으로 元 時代에 雜劇으로 取士하얏다는 말이 생겨난 것이다. 即 明의 臧晉叔의 「元曲選」의 序에

> 或謂, 元取士有塡詞科, 若今括然[03]. 然取給於風簷寸晷之下, 故
> 一時名士, 雖馬致遠, 喬孟符輩, 至第四折, 徃徃彊弩之末矣.

이라 하고 또 『元, 以取士[04], 設十有二科』라고도 말하얏다. 臧氏가 한번 이 試驗說을 唱道한 後에 同時人으로 이에 和한 사람에 沈德符가 잇다. 그 著 『顧連[05]雜言』에 左와 가티 말하얏다.

> 元人未滅南宋時, 以此定士子優劣. 每出一題, 任人塡曲, 如宋

---

03 '然'은 '帖'의 오기다.

04 '以曲取士'로서 '曲'자가 누락되어 있다.

05 '連'은 '曲'의 잘못이다.

宣和畵學, 出唐詩一句, 恣其渲染, 選其能得畵外趣者, 登高第.

以故宋畵元曲, 千古無匹.

　　그後 淸初의 有名한 詩人 吳梅村도 『北詞廣正譜』에 序하기를 『元, 以傳奇取士, 士皆傅粉墨, 踐排場』이라 하얏다. 此等說은 반듯이 依據한 곳이 잇겟지마는 정작 『元史』의 選擧志 以下에 雜劇을 科擧의 課目에 加하얏다는 明文이 업슨즉 이를 얼른 미들 수는 업는 것이다. 或은 또 元時에는 陰陽, 醫術 等의 特別 試驗도 잇섯든 터인즉 塡詞도 또한 別科로 되야 잇섯는지도 모른다고 하는 사람도 잇스나 『元史』를 按하건대 太宋[06] 九年 秋八月(輟畊錄에는 十年 戊戌이라 하얏다)에 一次 科擧를 行한 後에 오래 中絶하얏든 것을 仁宗 延祐 二年에 이르러 다시 科目으로 取士하야 마츰내 定制가 되얏다. 이 사이 約 八十年 동안은 全然 科擧를 施行치 아니하얏고 이런 일은 科擧가 잇슨 後에 未曾有한 일이다. 이럼으로 王國維氏는 그 著 『宋元戱曲史』에

　　　　余則謂元初之廢科目, 却爲雜劇發達之因. 蓋[07]唐宋以來, 士之
　　　　競於科目者, 己非一朝一夕之事, 一旦廢之, 彼其才方無所用,
　　　　而一於詞曲發之.

　　라고 論破하얏다. 이를 元曲 勃興의 時代에 비취어 생각하면 實로 確論이다. 그러면 元時에 雜劇으로 取士하얏다는 말은 근본부터 誣妄하지마는 그 말 일어난 것으로 足히써 一時의 盛況을 證할만 하다.

06　'宋'은 '宗'의 오식이다.

07　'蓋自'로서 '自'자가 누락되어 있다.

由來 中國 歷代의 帝王은 儒學을 尊崇하야 政策의 根本을 삼앗섯다. 그런데 異人種으로부터 일어난 元朝는 그다지 儒術에 義重치 아니하얏슴으로 道教, 佛教, 回回, 耶穌 等이 並行하야 思想의 束縛이 漸次 弛緩하게 되고 게다가 漢人은 異人種의 治下에 잇슴을 질겨 아니하야 詞酒로 自慰하고 또한 新奇한 雜劇을 조아하야 古人의 嬉笑怒罵를 빌어써 自家 胸中의 不平牢騷를 陶寫하야 熱腔으로 罵世하고 冷板으로 嘲人하야 觀客으로 하야금 不覺 快哉를 絶叫케 하고 그뿐 아니라 二三 天才가 그 사이에 나와서 巧詞 妙曲으로써 사람의 耳目을 聳動케 하얏는 故로 擧世가 風靡함에 이르럿다. 一方, 또 百戰百勝의 餘威를 乘한 蒙古人은 中原 樂土에 들어와서 漸次로 驕奢에 흘러 발을 娛樂方面에 들여노아 小說, 戲曲을 愛好하얏슬 뿐만 아니라 到底히 典雅한 詩와 文章을 讀破할 힘이 업서 口語로써 記錄한 戲曲, 小說로써 中國의 歷史, 漢族의 人情 風俗을 아는 捷徑을 삼은 까닭에 忽然 輕薄의 徒는 附和 迎合하야써 我家의 生活을 삼아 이에 雜劇의 黃金時代를 現出함에 이른 것이다.

雜劇 十二科는 明 寧獻王의 「太和正音譜」에 알에와 가티 나누어 노앗다.

一. 神仙道化, 二. 隱居樂道(又林千[08]丘壑), 三. 披袍秉笏(即君臣雜劇), 四. 忠臣烈士, 五. 孝義廉節, 六. 斥奸罵讒, 七. 逐臣孤子, 八. 鏺刀趕棒(即脫膊雜劇), 九. 風花雪月, 十. 悲歡離合, 十一. 煙花粉黛(即花旦雜劇), 十二. 神頭鬼面(即神佛雜劇).

이것으로 그 流行의 盛하얏슴을 足히 헤아려 알 수가 잇다. 또 同書에 元人 雜劇 五百 三十五本의 目錄을 擧하얏고 淸朝의 大儒 焦循의 劇說에는

---

08 '千'은 '泉'의 잘못이다.

「洪武初年, 親王之國, 必以詞曲一千七百本賜之.」라 하얏다. 이 一千 七百本
이 모다 雜劇이 아니라고 하드래도 非常히 多數이엇슴을 알 수 잇다. 그런데
元曲으로 오날에 傳하는 것은 겨우 『元曲選』百種에 지내지 못한다.(但 內의
六種은 明人의 作이다) 이것이 實로 北曲의 全集이다.

二. 北曲의 體制

北曲에는 極히 嚴格한 法度가 잇다. 今에 그 體制의 一斑을 擧하면 左와
갓다.

一. 一本은 四折로 됨.

元曲選 百種의 例를 按하건대 一本은 다 四折로 되얏다. 다만 「趙氏孤兒」
一本만은 例外로 五折 되얏지마는 古今 雜劇本에 據하면 모다 四折이다. 折
이라 함은 英語의 ACT니 劇의 一幕을 이름이다. 一折 中에는 스스로 場面 即
찐의 轉換하는 것은 잇스나 要컨대 四折로 限하얏다. 다만 長篇으로서 四折
만으로는 到底히 다 演할 수 업는 때에는 二本, 三本을 連하는 것은 잇다. 西
廂記와 가틈은 그 好適例니 實로 五本 雜劇으로 되얏다. 毛西河詞話에

至元人造曲, [09]歌者舞者合作一人, 使勾欄(舞臺)舞者自司歌唱,
而第[10]笙笛琵琶, 以和其曲, 每入塲, 以四折爲度, 謂之[11]雜劇.

---

09 '則'자가 누락되어 있다.

10 '設'자가 누락되어 있다.

11 '之'는 '五'의 잘못이다.

其有連數雜劇而通譜一事, 或一劇, 或二劇, 或三四五劇, 名爲
院本. 西廂者, 合五劇而譜一事者也, 然其時司唱猶屬一人, 仿
連廂之法, 不能遽變.

이라 하얏고 最近 日本 宮內省 圖書寮의 藏本 中에서 發見된 元의 吳昌
齡의 「西遊記」와 가틈은 六本 雜劇이요, 또 元의 鍾嗣成의 「錄鬼簿」와 「太和
正音譜」의 雜劇目錄 中, 題下에 二本, 次本이라고 註한 것이 不少한 것을 보
드래도 當時 二本으로 된 雜劇이 꽤 만핫섯든 듯하다. 後世 「盛明雜劇」 等에
收在한 雜劇 中에는 六折이니 七折이니 하는 것이 잇지마는 元曲에는 그러
한 例는 업고 每本 四折이 通則이다.

二. 一折 內에는 一調률를 用하고 또 一韻을 通押함.

元의 周德淸의 「中原音韻」에 十七調의 名을 擧하고 또 그 細評을 試하얏
스나 도모지 微妙하야 알기가 어렵다. 대개 聲音은 各各 律呂에 應하야 六宮
十一調에 分하야 共計 十七宮調다.

仙呂宮은 淸新綿邈, 南呂宮은 感歎傷悲.

中呂宮은 高下閃賺, 黃鍾宮은 富貴纏綿.

正宮은 惆悵雄壯, 道宮은 飄逸淸幽.

大石調는 風流醞藉, 小石調는 旖旎嫵媚.

高平調는 條拗[12]滉漾, 般涉調는 拾掇坑塹.

歇指調는 急倂虛歇, 商角調는 悲傷宛轉.

雙調는 健捷激裊, 商調는 悽愴怨慕.

角調는 嗚咽悠揚, 宮調는 典雅沈重.

---

12 '拗'는 '拗'의 잘못이다.

越調는 陶寫冷笑.

그런데 實際 當時 通行한 것은 十有 二調에 지내지 못한다. 同書에 또 『樂府共三百三十五章』이라 하얏고 「太和正音譜」 並 「欽定曲譜」도 同樣이다.

黃鍾宮 二十四章, 正宮 二十五章.

大石調 二十一章, 小石調 五章.

仙呂宮 四十二章, 中呂宮 三十二章.

南呂宮 二十一章, 雙調 一百章.

越調 三十五章, 商調 十六章.

商角調 六章, 般涉調 八章.

宮調라는 것은 旋律의 調子니 피아노의 「도調」, 「레調」 가튼 것이다.

北曲에 잇서서는 一折은 一調에 限하고 그리고 套數라는 것이 잇다. 套數라는 것은 同調 中의 數曲을 連하야 段物로 한 首尾 잇는 樂律의 演奏이다. 即 「太和正音譜」에 『有尾聲者名套數』라 한 것과 가티 거의 다 十曲 以上으로 되야 처음부터 排列의 順序가 定하야 잇서 함부로 밧구지 못하고 끄테 尾聲으로 매젓다. 그런즉 小石, 商角, 般涉의 三調는 屬曲이 十章도 못된즉 套數를 일울 수 업다. 實際로 北曲에 用한 것은 十二調 中에 以上의 三調를 除하고 五宮 四調에 지내지 못한다. 이것을 九宮이라고 한다. 그리고 第一折은 仙呂宮을 用하야 「點絳脣」의 套數를 用함이 原則이요, 그러치 아니한 것은 例外이니 百種曲 中에 이 例에 依치 아니한 것은 겨우 五種에 지내지 못한다. 다만 第二折 以下는 定例는 업스나 第二折은 南呂宮 「一枝花」의 三十五種과 正宮 「端正好」의 三十一種이 最多하고 第三折은 中呂 「粉蝶[13]兒」의 三十種이요. 第四折은 雙調 「新水令」의 七十一種이 壓倒的의 多數이다. 暫

---

13 '蝸'는 '蝶'의 잘못이다.

間 百曲 中의 「漢宮秋」, 「竇娥冤」, 「金錢記」, 「梧桐雨」에서 仙呂 「點絳脣」 及 仙呂 「八聲甘州」의 套數의 例를 列舉하면 左表와 갓다. 가튼 「點絳脣」의 套數라도 多少의 相違가 잇다. 다른 套數에 잇서서도 또한 同樣이다.

(漢宮秋)	(竇娥冤)	(金錢記)	(梧桐雨)
點絳脣	點絳脣	點絳脣	八聲甘州
混江龍	混江龍	混江龍	混江龍
油葫蘆	油葫蘆	油葫蘆	油葫蘆
天下樂	天下樂	天下樂	天下樂
醉中天	一半兒	那[14]吒令	醉中天
金盞兒	後庭兒	鵲踏枝	金盞兒
醉扶歸	靑哥兒	寄生草	憶王孫
金盞兒	寄生草	金盞兒	勝葫蘆
賺煞	賺　煞	後庭花	金盞兒
		醉扶歸	醉扶歸
		金盞兒	後庭花
		醉中天	金盞兒
		賺煞尾	醉中天
			賺煞尾

또 一套數 中의 各 章은 通하야 一韻到底다. 그리고 一韻은 一般으로 詩에 用하는 平水韻의 百六韻이 아니라 「中原音韻」의 十九部 韻으로 平, 上, 去의 三聲을 通押한다. 다만 北曲에는 入聲이 업고 入聲音은 모다 다른 三聲

14　'哪'의 오식이다.

으로 轉化하야 버리엇다. 그 十九部라는 것은 東鍾, 江陽, 支思, 齊微, 魚模, 皆來, 眞文, 寒山, 桓歡, 先天, 蕭豪, 歌戈, 家麻, 車遮, 庚靑, 尤侯, 侵尋, 監咸, 廉纖으로 入聲韻은 하나도 업고 「侵尋」, 「監咸」, 「廉纖」의 三韻은 閉口韻, 即 M의 尾韻을 가진 것이다. 다만 今日 北京官話의 發音에는 M이 N으로 밧귀어 버렷다.

三. 楔子를 用함.

一本 四折에 內容을 말하기 不足한 境遇에는 다시 楔子를 쓴다. 楔子는 或은 一本의 折首에 잇고 或은 折間에 잇고 또는 折首와 折間에 둘을 써도 無妨하다. 百種曲 中에 楔子가 잇는 것이 凡 六十九種이다. 그 中에 折首에 잇는 것이 五十二, 折間에 잇는 것이 二十, 그리고 折首와 折間에 잇는 것이 三種이다. 楔子의 義는 分明치 못하나 그 折首에 잇는 것은 序幕과 갓고 折과 折 사이에 잇는 것은 間幕과 갓다. 다만 모도 다 一二의 零曲에 지내지 못한다. 仙呂 「賞花時」(五十三種)가 아니면 仙呂 「端正好」(十七種, 他의 二種은 例外)이다. 「西廂記」 第二本의 折間의 楔子에 正宮 「端正好」의 套數를 用한 것은 全혀 違例이다.

四. 一人 獨唱임.

北曲에 잇서서는 曲을 唱하는 者는 全本을 通하야 다만 한 사람에 限하엿다. 即 正末이 아니면 正旦이다. 其他 雜色은 登場하야도 白을 說할 뿐이요, 曲을 唱하는 일은 업다. 梁廷曲[15]의 「曲話」에는 左와 가티 말하엿다.

　　至元曲則, 歌舞合於一人一折, 自首至末[16], 皆以其人專唱, 非正

15　'梁廷枏'의 잘못이다.

16　단구가 잘못되었다. '歌舞合於一人, 一折自首至末'여야 한다.

末, 則正旦. 唱者爲主, 而白者爲賓, 則連廂之法, 未盡變也.

連廂이라 함은 唱하는 者와 舞하는 者가 잇서서 唱하는 者는 舞하지 아니하고 舞하는 者는 唱하지 아니하고 다만 唱詞를 딸하 科를 演함에 지내지 못한다. 그런데 「西廂記」는 만흔 點에 잇서 例外로 正末, 正旦 外에 曲을 唱하는 者에 紅娘과 惠明이 잇스나 一折 中 一人 獨唱의 點은 北曲의 法度를 嚴守하엿다.

五. 題目 正名이 잇슴.

每本의 끄테는 반듯이 題目 正名이라는 것이 잇다. 모다 七八言으로부터 成한 二句 或은 四句의 聯語를 用하며 흔이는 正名의 一句를 取하야 何何 雜劇이라 하며 다시 그 三四字를 割取하야 外題로 한다. 例컨대 王昭君의 胡에 嫁한 故事를 演한 「漢宮秋」의 題目 正名을 擧하면

題目: 沈黑江明妃靑塚恨
正目: 破幽夢孤雁漢宮秋

라 한 것이니 그럼으로 「破幽夢孤雁漢宮秋」 雜劇이라도 하며 또 略하야 「漢宮秋」라고도 한다. 그런데 그 題目 正名은 優人 下塲 後에 樂人이 代念하는 것이니 連廂詞의 司唱이 坐間 代唱의 遺風이라고 하는 것이다. 이제 「漢宮秋」의 例를 들어 以上의 體制를 表로 보이면 다음과 갓다.

楔子: 正末唱, 仙呂賞花時零曲, 家麻韻
第一折: 正末唱, 仙呂點絳脣套數, 家麻韻
第二折: 正末唱, 南呂一枝花套數, 尤候韻

第三折: 正末唱, 雙調新水令套數, 江陽韻

第四折: 正末唱, 中呂粉蝶兒套數, 庚青韻

題目: 沈黑江明妃青塚恨

正名: 破幽夢孤雁漢宮秋

脚色

　正末: 漢元帝, 正旦: 王昭君

　冲末: 蕃王 呼韓邪單于, 淨: 毛延壽

　外: 尙書令 五鹿充宗, 丑: 內常侍 石顯

　雜色: 文武內官, 宮女, 蕃使, 蕃兵, 部落

　右의 脚色이라 함은 俳優의 役割이니 唐의 戲劇에 濫觴하야 宋·金의 雜劇에 發達하고 元의 北曲에 盛하야 明의 南曲에 大成한 것이다. 北曲에는 男形을 正末, 女形을 正旦이라 하고 冲末(對役), 淨(敵役), 外(老役), 丑(滑稽 或 惡人) 等의 代名詞를 定列이 쓴다. 이外에도 副末, 副淨, 副旦, 貼旦, 探旦[17], 旦俠[18] 等이 잇다. 다시 말하면 正末, 正旦은 男女의 主人公을 扮하는 役名이다.

六[19]. 元曲選

　「元曲選」(一百卷)은 一名을 (元人百種曲)이라고도 이르는데 明의 萬曆 年間

17　'搽旦'의 잘못이다.

18　'旦俫'의 잘못이다.

19　응당 '三'이어야 한다.

臧懋循이 編輯한 것이다. 懋循, 字는 晋淑[20]이라 하고 長興 사람인데 萬曆 庚辰에 進士試驗에 及第하야 南京 國子監에 官하엿다. 音律에 精通하고 風雅를 愛好하야 家에 만히 元人의 秘本 雜劇을 藏하엿섯고 다시 黃州의 劉延伯으로부터 그 錄한 바의 御戲監本 二百種을 借來하야 參伍 校訂하야 그 佳한 것 一百種을 擇하야 甲乙로 나노아 十集으로 하야 이름을 (元曲選)이라 하엿다. 今日에 이르기까지 元人의 雜劇이 能히 世人에 傳한 것은 全혀 臧晋淑[21]의 功이다. 그러나 그 남아지 버리고 거두지 안은 것을 다시 볼 수 업슴은 實로 藝林의 一大 恨事다. 새로히 「古今雜劇三十種」이라는 것이 몃 해 前에 日本 京都 帝國大學에서 覆刊을 하엿는데 原本은 士禮居 黃氏의 舊藏에 係한 것이라고 한다. 그 中에 十三種은 「元曲選」과 重複하엿는데 이 兩者를 比較하야 보면 「古今雜劇」本이 도로혀 「太和正音譜」에 引用한 詞章의 原文에 갓가웁고 또 同一한 作이면서 兩書가 全然히 詞曲을 달리한 것이 잇섯다. 이것으로 보면 「元曲選」本은 明人의 手定을 經하엿슴이 分明하다. 臧氏家에 잇든 元人의 秘本 雜劇과 또 劉延伯의 집에 傳하든 御戲監本이라는 것도 疑心한다면 할 수도 잇는 것이지마는 그러타고 「古今雜劇」本이 곳 元人의 眞面目이라고 생각할 수 업는 것이다. 이것은 아마 坊間 流布의 本으로 聽戲者의 把玩에 供한 것인가 한다. 故로 全篇에 白의 文을 실치 아니하고 詞 中에 通用字가 만하서 到底히 읽기 어려웁다. 그런즉 元曲의 眞價가 이에 잇다하야 全혀 明人의 改竄을 經한 것이라고는 할 수 업스니 더욱이 將來의 硏究를 기대리지 아니하면 아니 될 것이다.

佛人 빠산(Bazin)은 「元曲選」의 解題를 著하야 史劇, 道家劇, 性質喜劇, 術

---

20 '晋叔'의 잘못이다.

21 '淑'은 '叔'의 잘못이다.

策喜劇, 家庭劇, 神話劇, 裁判劇의 七種으로 分類하엿는데 日本의 故 森槐南 博士는 四種으로 大別하엿다.

一. 史劇, 史實에 關한 것.

二. 風俗劇, 社會의 雜事에 關한 것.

三. 風情劇, 佳人 才子의 風流 韻事에 關한 것.

四. 道釋劇, 道釋 仙鬼에 關한 것.

이것을 가지고 다시 鹽谷 博士는 百種曲의 分類를 試하엿는데 左表와 갓다.

史劇 三十種

帝王 二種: 漢宮秋, 梧桐雨.

春秋戰國 七種: 趙氏孤兒, 秋胡戲妻, 伍員吹簫, 楚昭公, 凍蘇秦, 馬陵道, 誶范叔.

兩漢 六種: 氣英布, 賺蒯通, 漁樵記, 趙禮讓肥, 擧案齊眉, 范張雞黍.

三國 六朝 四種: 王粲登樓, 連環計, 隔江鬪智, 玉鏡臺.

隋唐 三種: 單鞭奪槊, 小尉遲, 薛仁貴.

宋金 八種: 風光好, 陳搏高臥, 薦福碑, 謝金吾, 昊天塔, 抱粧盒, 虎頭牌, 麗春堂.

風俗劇 三十一種

勸戒 二種: 殺狗勸夫, 東堂老.

冤事 七種: 合汗衫, 瀟湘雨, 救孝子, 酷寒亭, 竇娥冤, 貨郎旦, 馮玉蘭.

公案 十三種: 陳州糶米, 合同文字, 灰蘭記, 蝴蝶夢, 魯齋郎, 神

奴兒, 盆兒鬼, 生金閣, 後庭花, 留鞋記, 勘頭巾, 魔盒羅, 硃砂擔.

水滸 五種: 爭報恩, 燕靑博魚, 黑旋風, 李逵負荊, 還牢末.

雜事 四種: 老生兒, 兒女團圓, 羅李郎, 望江亭.

風情劇 二十一種

良家 九種: 金錢記, 鴛鴦被, 墙頭馬上, 倩女離魂, 㑳梅香, 梧桐
葉, 竹塢聽琴, 蕭淑蘭, 碧桃花.

妓女 十一種: 謝天香, 救風塵, 曲江池, 玉壺春, 揚州夢, 春衫泪,
兩世姻緣, 紅梨花, 金線池, 對玉梳, 百花亭.

道釋劇

道家 九種: 黃粱夢, 岳陽樓, 城南柳, 竹葉舟, 鐵拐李, 金安壽, 劉
行首, 任風子, 桃花女.

釋家 五種: 看錢奴, 來生債, 冤家債主, 忍字記, 度柳翠.

仙女 一種: 悮入桃源.

龍女 二種: 柳毅傳書, 張生煮海.

花月妖 二種: 張天師, 東坡夢.

【附記】 本稿 끗흐로 北曲의 作者와 南曲을 말하고 略評을 加하랴 하엿스나
아즉 後日로 밀기로 한다. 그리고 元人雜劇, 元曲, 宋元戲曲史, 顧曲塵談의
著者에게 만흔 敬意를 表한다.

詩歌에 나타난 「青年中國」[01]

盧子泳

사랑의 哀歌

사랑이란 눈물에 저즌 일음
그 일음 아름답다고 가슴에 삭여봤드니
아서라 덧없어라
봄날의 피는 꽃과 같이 열을도 붉지 못하고 힘없이 지네.

꽃이여 님이여 그대는 가는가?
오기는 十年이나 별느고 오더니
갈 때엔 열을도 못 잇고 가네

오기는 더듸고 가기는 빨은!
올 때엔 끌리는 치마자락에 꽃이 피드니
갈 때엔 자욱마다 눈물이 고이네.

---

01 『新人文學』 제2권 제2호, 1935.3.

이 詩는 戀愛作家로 일음이 높은 張資平의 詩이니 그는 小說을 專門으로 쓰나 때로는 이러한 戀愛詩도 쓴다. 이 詩는 現代書局版 「戀歌二百首」에 所載된 詩이니 中國 現代 男女의 心理의 一端을 노래한 것으로 過渡期에 있는 그들의 마읍을 알기에 넉넉하다.

Now I am A Choreic Man[02]

춤추자 『월츠』를, 춤추자 월츠를.

나는 사랑한다. 그 둥글한 두 눈동자
紫水晶 같이 빛나는 그 둥글한 두 눈동자
나는 사랑하노라, 그 빛나는 金髮!
黃金의 微笑를 감춘 그 金髮의 넋이여!

춤추자 『월츠』를, 춤추자 『월츠』를.

여위고 말은 나의 얼굴이
조금이라도 오래오래 네 水晶눈 속에 빛이 있으라고
그리고 네의 그 「부랏슈」가
빛 낡은 내 입살 우에 날어오라!

---

02 1926년 『創造月刊』 제1권 제4기에 발표되었으며, 王獨淸, 『獨淸詩集』, 上海新宇宙書店, 1928에 수록된 시이다.

아, 기다리노라, 祈禱하노라!

이 詩는 新進詩人으로 일음이 있는 王獨淸의 詩이니 原文 詩集은 알 수가 없고 東京 金星堂版 世「界詩選」[03]에 실린 詩이니 그네들의 戀愛씬을 알기에 充分한 것이다. 이러한 戀愛詩는 限없이 많으나 여기는 이만 紹介하기로 하고 다시 다음 詩를 읽어보자.

新世紀

鍾이 울리네 뗑뗑
새벽 바람 요란스럽게 뗑뗑 울리네

東녁 하눌에는 검운 구름이 헤여지고
볼[04]과 熱을 全身에 감운 太陽의 활개가 뻐처지나니
뛰여 나가자 우리도 이 컴컴한 방을 버리고
그리하여 네 활개 뻐치고 달음질하자!

맑은 靑空에는 薔薇色 놀이 흘으고
풀밭의 이슬조차 아롱아롱 새 氣運도네.
只今은 世紀의 아침 허리에 「빤드」를 매고

---

03 ‘「世界詩選」’으로서 홑낫표의 위치가 잘못되었다.

04 ‘불’의 오식이다.

進軍 「라팔」을 불자, 빛나는 大地를 힘 있게 밟으라
가는 곳마다 내 世上이니 춤추자, 노래하자.

四億萬 民衆은 우리 벗이오, 亞細亞의 心臟은 내 母胎이니
터지는 가슴의 피, 무거운 주먹의 힘, 힘과 피와 精誠을
이 땅에 바치자.
「中華」의 世紀는 그 페지가 아름다우리.

　　이 詩는 王連正의 詩이니 現代誌에 所載된 詩로써 靑年中國의 씩씩한 맛
을 볼 수가 있다.

醉酒歌

술을 마시자. 단숨에 꾹 마시자.
스러진 煖爐 녚 빛나는 燈불 아레
새맑은 눈동자는 滋味 없고 꿈만 그립다.

술을 마시자. 단숨에 꾹 마시자.
하눌 높이 올으고 싶으나 날개가 없으니
아, 괴로워라. 저 하늘에 반짝이는 별이여!

술을마시자. 단숨에 꾹 마시자.
노래를 잊은 「가나리아」는 옛날의 꿈조차 잊었으라.

겨울 밤 찬 눈 나려 마음조차 차고나!

　이 詩는 章衣萍의 詩이니 現代 中國 男女들의 世紀末的 感傷 氣分을 노래한 것이라고 볼 수 있다. 그들의 괴로운 맘을 넉넉이 알 수가 있다.

江南月

　　江南의 맑은 달은 웃다 마는 엷은 달
　　江가의 細버들은 달 밑에 머리 푸네.
　　胡琴의 맑은 소리 江을 나려 떠가나니

　　어기여차 배 떠나고 달과 물만 남았는데
　　버들 입 물만 보고 고개 들 줄 몰으네.
　　아히야, 그 胡琴 두 번 불어 어떤고?

　이 詩는 女詩人 冰心女史의 詩이니 自然과 人生을 自由럽게 調和한곳에 妙味가있는 것이다.

北京

　　北京, 이곳은 中國의 首都!
　　여기는 텅 비인 箱子 속이다.
　　내 어이 이곳 왔노? 안올 곳 왔네.

나는 하나의 『뽀헤미안』이오라!

北京을 오기 前 내 생각하기는
北京은 좋은 곳, 아름다운 首都라고
그러나 오늘날 北京을 보니
北京은 더러운 灰燼에 무쳤네.

뻘안 丹靑의 門, 綠色의 집웅!
저기는 王候公族의 잠고대하는 곳
그러나 녚에는 乞人과 襤褸의 行進!
北京은 더럽다, 灰黑의 地獄이오라!

이것은 蔣光慈의 詩로써 中國의 現實을 打罵한 詩인 것이다. 中國 新人들
의 氣槪를 알 수가 잇다. 이 詩는 蔣光慈集에 收錄된 것이다.

紅絲燈[05]

森嚴한 어둠 속보다 깊은 殿堂의 中央部에
새빨안 燈籠이 子正의 꿈을 그리며
玲瓏한 大地를 고요이 비친다.

05　'紅紗燈'의 잘못이다.

밤의 꿈길이 몇 겹이나 엉긴 속에
沈默과 呻吟이 고요이 흘러 있을 때
나는 中空에 어린 惡魔의 발자최를 들었노라.

一切의 生物은 蛋白石 月光 밑에 저저 버리고
하얗게 남운 河流만이 뜰의 亡骸를 싯고 있을 때
아, 낡아진 紅絲燈이 그 圓光을 빛내이네.

森嚴한 어둠 속 殿堂의 壯重한 光輝 밑에
근심을 띤 黑衣 聖母가 자최도 없이
廊下로 한 거름 또 한 거름 슬어지듯 감이여!

아, 森嚴한 殿堂 속에 높고 聖스러운 登壇!
나는 보았노라, 새빨안 燈籠의 빛을.

이것은 馮乃超의 詩인데 神秘的 色彩가 濃厚하다. 現下 中國에는 이러한
思想을 가진 사람도 있다는 것을 우리는 알 수가 있다.

그림자

모든 것은 그림자
두 손으로 만지려면 자최도 없네.
개아미의 쌓은 城이 洪水에 씰려 간 듯이…….

오늘날 주먹 쥐고 하늘을 우러러
「참이여, 새 世紀의 歷史를」하고 소리치는
검은 옷 입은 그림자의 勇士여!

아, 때는 오나니 네 발 밑이 문어서
千길萬길의 無底坑이 생길 날 오리니
빛난 해가 그 발 아래 짓밟피리라.

모든 것은 그림자
名譽도 意志도 빛난 歷史도
오는 날 그 앞에 洪水에 떤 개아미가 되리.

  이 詩는 孟超의 詩이니 世上을 無常이 생각하는 ○○的 色彩가 있다. 이
外에 左翼的 詩歌와 排外的의 煽動詩도 많으나 여기는 紹介할 힘이 없음으
로 그만 略하는 바이다.

(끝)

中國 新詩와 戲劇[01]

李達

新詩의 流派 及 詩人

A. 形式上 舊詩의 規律을 打破하엿으나 依然히 舊詩詞, 音節, 意境에서 脫離치 못한 流派. 此一派의 第一人은 胡適이며 氏의 著作『嘗試集』은 此種 詩의 代表作이다. 劉大白의 『舊夢』, 劉復揚의 『鞭集』[02], 兪平伯의 『冬夜』, 田漢의 『江戶之春』等等은 다 此 一派에 所屬되며 其中 田漢의 詩는 比較的 才情에 富하고 音調도 諧美하며 詩의 形式과 技巧에 注重하나 氏의 作品은 極히 少量이다.

B. 無韻詩 或은 自由詩. 康白情의 『草[03]』, 徐玉諾의 『將來之花園』, 汪靜之의 『蕙의 風』, 焦菊隱의 『夜哭』, 趙景深의 『荷花』, 李金髮의 『微雨』 等等은 此 一派의 代表作이고 周作人도 이 詩派에 所屬되어 그 所作 『小河』 一首는 가장 有名하다.

C. 小詩.『中國 新詩의 各 方面에 잇어 다 歐洲의 影響을 받엇으나 唯獨

01　『東亞日報』 1935.3.1, 석간 3면.

02　'劉復의 『揚鞭集』'의 오식이다.

03　'草兒'의 잘못이다.

小詩만은 例外로 그 來源이 西洋이 아니고 東方이다. 그 裏面에 二個 潮流가 잇으니 卽 印度와 日本이며 思想上에 잇어 冥想과 享樂이다.』…周作人 著 論小詩 中의 一段…그러하다. 中國 許多한 小詩派 作家는 印度 타꼴의 飛鳥集과 日本의 短歌, 俳句의 影響을 받은 것은 顯然한 事實이다. 例를 들면 冰心女史의 『繁星』과 『春水』가 곧 그것이며 此外에 宗白華, 梁宗岱 等의 作品도 此 一派에 屬한다.

D. 西洋詩體. 郭沫若의 『女神』은 事實上 이 一派의 先導이며 陸志韋의 『渡河』도 排列, 韻律에 잇어 如實히 西洋詩를 模倣하엿다. 比較的 成功에 近한 것은 徐志摩의 『志摩의 詩』이다. 聞一多, 劉夢葦, 饒孟侃, 朱湘, 于賡虞, 蹇先艾 等의 詩가 다 此種에 屬하고 以上 諸氏는 新詩에 格律을 要한다.

戲劇 方面

舊劇을 攻擊하고 『입센』이 紹介된 後 舊劇의 王都——北京에서 陳大悲, 蒲伯英 等의 藝術戲劇專門學校의 設立이 잇엇고 따라서 國立藝術專門學校에서도 戲劇科를 添設하여 趙太侔, 余上沅 等이 此를 主持하엿다. 同時에 以上 諸氏는 晨報 副刊에 劇刊을 發行하여 所謂 國劇運動에 從事하며 또 中國戲劇協社를 組織하엿으나 不久에 一切가 消沈되고 말엇다. 뒤에 戲劇運動의 中心을 上海로 遷移하야 上海에 許多한 戲劇團體가 成立되엇다. 田漢, 歐陽予倩 等의 南國社, 洪深, 王怡庵 等의 戟[04]劇協社, 朱穰丞, 馬彦祥 等의 辛酉劇社, 向培良, 長虹 等의 狂飇社 等等은 聯合하여 戲劇運動協會를 組織하

04　‘戲’의 오식이다.

엿다. 十餘年來 戱劇 創作은 田漢의 『田漢戱曲集』, 歐陽予倩의 『潘金蓮』과
『楊貴妃』, 丁西林의 『一個馬蜂[05]』, 洪深의 『洪深劇本創作集』, 郭末若의 『三
個叛逆的女性』 等等이고 戱劇 論著로는 余上沅의 『戱劇論集』과 『國劇運動』
熊佛西의 『佛西論劇』, 向培良의 『中國戱劇槪評』 等의 著作이 잇다. 그러면
中國 히극運動은 目前에 잇어 그 傾向이 如何한가? 一般 히극運動者의 轉變
途中에 잇어 個人的, 浪漫的, 頹廢的 歧路에서 떠나 民衆的, 寫實的, 戰鬪的
陣地로 向하여 邁進하면서 잇다.

(李達氏 寄)

---

05 중국어 원제는 '一隻馬蜂'이다.

주편자
소 개

최창록(崔昌笱)

남경대학교 한국어문학과 교수로서 연변대학교 조선언어문학학부 및 동 대학원 석·박사과정을 졸업했으며, 한국 근현대문학 및 한중비교문학 전공자이다. 연구 저서로는 『리얼리즘과 한국근대문학』(남경대학출판사, 2011), 역서로는 『중국 문학 속의 한국』(소명출판, 2017), 논문으로는 「부나이푸 한국인 서사의 의미 『황야의 사나이』에서 보이는 극지상상과 문화융합을 중심으로」(2017) 등이 있다.

조영추(趙穎秋)

중국 남경대학교 한국어문학과 및 동 대학원 석사과정을 마치고 연세대학교 국어국문학과에서 박사학위를 받았다. 현재 해방기 문학과 한·중 근대문학의 비교연구에 관심을 가지고 공부하고 있다. 주요 논문으로 「언어의 미달과 사회주의 친선 감정의 자기 증식: 한설야의 소련 기행문과 소련인물 관련 소설을 중심으로」(2021), 「집단 언어와 실어 상태: 중국 문인들의 한국전쟁 참전 일기를 중심으로」(2018) 등이 있으며, 공동 역서로 『集體情感的譜系: 東亞的集體情感和文化政治』(2018)가 있다.

'한국근대문학과 중국' 자료총서 ⓬

비평 Ⅲ (1932~1935.3)

초판 1쇄 인쇄 2021년 9월 17일
초판 1쇄 발행 2021년 9월 27일

지은이   김태준 외
엮은이   최창록 · 조영추
기 획   『한국근대문학과 중국' 자료총서』 편찬위원회
펴낸이   이대현
편 집   이태곤 문선희 권분옥 임애정 강윤경
디자인   안혜진 최선주 이경진
마케팅   박태훈 안현진
펴낸곳   도서출판 역락
주 소   서울시 서초구 동광로 46길 6-6 문창빌딩 2층
전 화   02-3409-2060(편집), 2058(마케팅)
팩 스   02-3409-2059
등 록   1999년 4월 19일 제303-2002-000014호
전자우편   youkrack@hanmail.net
홈페이지   www.youkrackbooks.com
字 數   281,726字

ISBN   979-11-6742-027-5   04810
            979-11-6742-015-2   04810(전16권)